SUPERCÉREBRO

DEEPAK CHOPRA
RUDOLPH E. TANZI

SUPERCÉREBRO

Como expandir o poder
transformador da sua mente

Tradução de
Bianca Albert
Eliana Rocha
Rosane Albert

Copyright © 2012 Deepak Chopra e Rudolph E. Tanzi

Copyright da tradução © 2013 Alaúde Editorial Ltda.

Título original: *Super brain – Unleashing the explosive power of your mind to maximize health, happiness, and spiritual well-being*

Publicado mediante acordo com Harmony Books, um selo do The Crown Publishing Group, uma divisão da Random House, Inc.

Todos os direitos reservados. Nenhuma parte desta edição pode ser utilizada ou reproduzida – em qualquer meio ou forma, seja mecânico ou eletrônico –, nem apropriada ou estocada em sistema de banco de dados sem a expressa autorização da editora.

O texto deste livro foi fixado conforme o acordo ortográfico vigente no Brasil desde 1º de janeiro de 2009.

PREPARAÇÃO:
Olga Sérvulo

REVISÃO:
Valéria Braga Sanalios; Temas e Variações Editoriais

CAPA:
Miriam Lerner

IMAGEM DE CAPA:
© Christos Georghiou | iStockphoto.com

1ª edição, 2013 (12 reimpressões)
Impresso no Brasil

Dados Internacionais de Catalogação na Publicação (CIP)
(Câmara Brasileira do Livro, SP , Brasil)

Chopra, Deepak
Supercérebro: como expandir o poder transformador da sua mente / Deepak Chopra, Rudolph E. Tanzi; tradução de Bianca Albert, Eliana Rocha, Rosane Albert. - São Paulo: Alaúde Editorial, 2013.

Título original: Superbrain : unleashing the explosive power of your mind to maximize happiness, and spiritual well-being

ISBN 978-85-7881-181-5

1. Autoconhecimento 2. Cérebro - Obras de divulgação 3. Neurociências 4. Psicofisiologia I. Tanzi, Rudolph E.. II. Título.

13-03044   CDD-153

Índices para catálogo sistemático:
1. Cérebro e mente : Psicologia 153   2. Mente e cérebro : Psicologia 153

2022
Alaúde Editorial Ltda.
Avenida Paulista, 1337
Conjunto 11, Bela Vista
São Paulo, SP, 01311-200
Tels.: (11) 3146-9700 / 5572-9474
www.alaude.com.br
blog.alaude.com.br

Compartilhe a sua opinião
sobre este livro usando a hashtag
#SuperCérebro
nas nossas redes sociais:

 /EditoraAlaude
 /EditoraAlaude
 /EditoraAlaude
/AlaudeEditora

Para nossas amadas esposas e famílias.

SUMÁRIO

PARTE 1
DESENVOLVENDO NOSSO MAIOR DOM   11

UMA ERA DE OURO PARA O CÉREBRO   13

CINCO MITOS PARA ESQUECER   29
    Soluções do supercérebro: Perda de memória   53

HERÓIS DO SUPERCÉREBRO   57
    Soluções do supercérebro: Depressão   74

PARTE 2
CRIANDO A REALIDADE   89

NOSSO CÉREBRO, NOSSO MUNDO   91
    Soluções do supercérebro: Excesso de peso   109

NOSSO CÉREBRO ESTÁ EVOLUINDO   118
    Soluções do supercérebro: Ansiedade   134

O CÉREBRO EMOCIONAL   149
    Soluções do supercérebro: Crises pessoais   158

DO INTELECTO À INTUIÇÃO   165
    Soluções do supercérebro: Descobrindo nosso poder   189

ONDE MORA A FELICIDADE   199
    Soluções do supercérebro: Autocura   215

PARTE 3
MISTÉRIO E PROMESSA   223

O CÉREBRO ANTIENVELHECIMENTO   225
    Soluções do supercérebro: Longevidade máxima   238

O CÉREBRO ILUMINADO 257
    Soluções do supercérebro: Tornando Deus realidade 276
A ILUSÃO DA REALIDADE 286
    Soluções do supercérebro: Bem-estar 309

EPÍLOGO DE RUDY
    Enxergando o mal de Alzheimer com esperança e clareza 317
EPÍLOGO DE DEEPAK
    Além dos limites 325
AGRADECIMENTOS 331
ÍNDICE 333

Aristóteles ensinou que o cérebro existe apenas para esfriar o sangue e não se envolve no processo de pensamento. Isso só é verdade em certas pessoas.

Will Cuppy

PARTE 1

DESENVOLVENDO NOSSO MAIOR DOM

UMA ERA DE OURO PARA O CÉREBRO

O que sabemos realmente sobre o cérebro humano? Nas décadas de 1970 e 1980, quando nós, os autores, ainda estávamos na faculdade, a resposta honesta era "muito pouco". Naquela época, circulava uma máxima: "Estudar o cérebro é como encostar um estetoscópio em um estádio para aprender as regras do futebol".

Nosso cérebro contém cerca de 100 bilhões de células nervosas, que formam de um trilhão a talvez um quatrilhão de conexões chamadas "sinapses". As sinapses estão em constante e dinâmico estado de reorganização em resposta ao mundo que nos cerca. São uma minúscula e, no entanto, estupenda maravilha da natureza.

Todos se assombram diante do cérebro, que já foi chamado de "o universo de 1,5 quilo!". E com razão. Nosso cérebro não só interpreta o mundo, mas o cria. Tudo o que vemos, ouvimos, tocamos, saboreamos e cheiramos não seria apreendido sem o cérebro. Tudo o que você vivenciou hoje – seu café da manhã, o amor pela sua família, uma ideia brilhante que teve no trabalho – foi especialmente personalizado para você.

De imediato, nos confrontamos com uma questão crucial. Se meu mundo é único e feito especialmente para mim, quem está por trás dessa extraordinária criação: eu ou o meu próprio cérebro? Se a resposta for "eu", então a porta para ser mais criativo está aberta. Se a resposta for "meu cérebro", então podem existir drásticas limitações físicas ao que sou capaz de alcançar. Talvez meus genes, lembranças nocivas ou a baixa autoestima estejam me detendo. Talvez eu não vá muito longe por causa das expectativas limitadas que constrangem minha consciência, mesmo que eu não perceba isso acontecendo.

Os fatos podem confirmar as duas hipóteses: potencial ilimitado ou limitação física. Em comparação ao passado, a ciência atual reúne novos fatos com surpreendente velocidade. Entramos na era de ouro da pesquisa cerebral. Novas descobertas surgem a cada mês, mas, em meio a esses avanços instigantes, o que dizer do indivíduo, do ser humano, que depende do cérebro para tudo? Estamos vivendo uma era de ouro para o *nosso* cérebro?

Detectamos uma enorme distância entre as brilhantes pesquisas e a realidade cotidiana. Outro lema das escolas médicas antigas nos vem à mente: "Uma pessoa só usa 10 por cento de seu cérebro". Literalmente, isso não é verdade. Em um adulto saudável, as redes neurais do cérebro funcionam a plena capacidade o tempo todo. Mesmo os escâneres mais sofisticados que existem não revelam diferenças detectáveis entre Shakespeare escrevendo um solilóquio de *Hamlet* e um aspirante a poeta trabalhando em seu primeiro soneto. Mas o cérebro físico não está nem perto de conseguir fazer tudo sozinho.

Para criar uma era de ouro para o nosso cérebro, precisamos usar esse dom que a natureza nos deu de uma maneira nova. Não é o número de neurônios ou uma característica mágica dentro de nossa massa cinzenta que torna a vida mais instigante, inspiradora ou bem-sucedida. Os genes desempenham o seu papel, mas, como o restante do cérebro, também são estruturas dinâmicas. Todos os dias nos submetemos à explosão de atividade elétrica e química que caracteriza o ambiente cerebral. Agimos como líder, inventor, professor e usuário do cérebro, tudo ao mesmo tempo.

Como líder, transmito ordens diárias a meu cérebro.
Como inventor, crio dentro dele caminhos e conexões que não existiam.

Como professor, ensino meu cérebro a aprender novas habilidades.
Como usuário, sou responsável por mantê-lo em boas condições de funcionamento.

Nessas quatro funções reside a diferença entre o cérebro cotidiano – vamos chamá-lo de "cérebro básico" – e o que batizamos de "supercérebro". A diferença é imensa. Embora eu não me relacione com meu cérebro pensando "Que ordens devo lhe dar hoje?" ou "Quais novos caminhos quero criar?", é exatamente isso o que faço. O mundo personalizado em que vivemos precisa de um criador, e ele não é meu cérebro; sou eu.

O supercérebro representa um criador plenamente consciente, que usa todo o potencial do cérebro. O cérebro é infinitamente adaptável, e podemos desempenhar nosso quádruplo papel – líder, inventor, professor e usuário – com resultados muito mais satisfatórios do que fazemos hoje.

Líder: as ordens que emitimos não são apenas comandos de computador, como "deletar" ou "ir para o fim da página!". Esses são comandos mecânicos feitos para uma máquina. Nossas ordens são recebidas por um organismo vivo, que muda a cada vez que lhe enviamos uma instrução. Se alguém pensa "Quero comer *bacon* e ovos como comi ontem", seu cérebro não vai mudar em nada. Mas se alguém pensa "O que vou comer no café da manhã hoje?", estará ativando um reservatório de ideias. A criatividade é uma inspiração viva e sempre nova, que nenhum computador pode igualar. Por que não tirar total vantagem disso? O cérebro tem a capacidade milagrosa de quanto mais lhe pedimos, mais ele dá.

Vamos traduzir esse conceito na maneira como você pode estar se relacionando com seu cérebro no momento, e como poderia estar se relacionando. Para isso, veja a lista a seguir. Com qual dos dois cérebros você se identifica?

Cérebro básico

Não me comportei hoje de maneira muito diferente da de ontem.
Sou uma pessoa metódica.
Não estimulo minha mente com novas atividades com muita frequência.
Gosto de familiaridade. É a maneira mais confortável de viver.
Para ser honesto, existe uma tediosa repetição em casa, no trabalho e em meus relacionamentos.

Supercérebro

Vejo cada dia como um mundo novo.
Presto atenção para não adquirir maus hábitos, e, se crio algum, posso abandoná-lo com facilidade.
Gosto de improvisar.
Detesto o tédio, que para mim significa repetição.
Procuro novidades em muitas áreas da minha vida.

Inventor: nosso cérebro está em constante evolução. Isso acontece individualmente, o que é uma particularidade do cérebro (e um dos seus maiores mistérios). O coração e o fígado com que nascemos serão essencialmente os mesmos órgãos quando morrermos. O cérebro, não. Ele é capaz de se desenvolver e evoluir durante toda a vida. Invente coisas novas para ele fazer e você se tornará dono de novas capacidades. Uma notável teoria assenta-se no lema das "10.000 horas", que defende a ideia de que podemos adquirir qualquer competência especial se dedicarmos a ela esse tempo – até mesmo habilidades em pintura e música, antes atribuídas unicamente ao talento. Se você já viu o Cirque du Soleil, talvez tenha presumido que aqueles extraordinários acrobatas tenham vindo de famílias circenses ou de trupes estrangeiras. Na verdade, todos os números do Cirque du Soleil, com raras exceções, são ensinados a pessoas comuns que frequentam uma escola especializada em Montreal.

Em um certo nível, a vida é o processo de desenvolvimento de uma série de capacidades, começando por andar, falar e ler. O erro é limitar essas habilidades. No entanto, o mesmo sentido de equilíbrio que nos permitiu engatinhar, caminhar, correr e andar de bicicleta, desde que a ele dediquemos 10.000 horas (ou menos), pode nos permitir atravessar uma corda suspensa entre dois arranha-céus. Estamos exigindo muito pouco de nosso cérebro quando deixamos de lhe solicitar novas habilidades todos os dias.

Com qual dos cérebros você se identifica?

Cérebro básico

Não posso dizer que estou me desenvolvendo da maneira como quando era mais jovem.
Quando aprendo uma nova habilidade, não a levo adiante.
Tenho resistência a mudanças e às vezes me sinto ameaçado por elas.
Não vou além daquilo que já domino.
Gasto muito tempo em atividades passivas, como ver televisão.

Supercérebro

Vou continuar evoluindo durante toda a minha vida.
Quando aprendo uma nova habilidade, levo-a o mais longe possível.
Adapto-me rapidamente às mudanças.
Se não realizo bem alguma coisa da primeira vez, não tem importância. Gosto de desafios.
Sou bastante ativo, com apenas curtos períodos de inatividade.

Professor: o conhecimento não começa com fatos, mas na curiosidade. Um professor inspirado pode mudar um aluno provocando sua curiosidade. É a mesma situação em relação ao cérebro, mas com uma grande diferença: somos ao mesmo tempo alunos e mestres. Somos responsáveis por provocar nossa curiosidade, e, quando ela desperta, somos nós mesmos que nos sentimos estimulados. Nenhum cérebro é naturalmente inspirado, mas, quando nos sentimos assim, provocamos um fluxo de reações que o acendem, enquanto o cérebro que não é curioso está basicamente adormecido. (Ele também pode estar se desintegrando; existem evidências de que podemos prevenir sintomas de senilidade e envelhecimento do cérebro se nos mantivermos socialmente envolvidos e intelectualmente curiosos durante toda a vida.) Como um bom professor, preciso monitorar meus erros, estimular minhas qualidades, observar quando estou pronto para novos desafios e assim por diante. Como um bom aluno, devo me manter aberto ao que não sei, ser receptivo em vez de me fechar para o novo.

Com qual dos cérebros você se identifica?

Cérebro básico

Estou muito acomodado na maneira como encaro a vida.
Estou apegado a minhas crenças e opiniões.
Deixo que os outros tomem a iniciativa de se especializar em algum assunto.
Raramente assisto a programas educativos ou frequento palestras.
Já faz um bom tempo que não me sinto verdadeiramente inspirado.

Supercérebro

Gosto de me reinventar.
Recentemente abandonei uma velha crença ou opinião.
Existe pelo menos um assunto que conheço profundamente.
Assisto a programas educativos e frequento as universidades locais.
Sinto-me inspirado todos os dias de minha vida.

Usuário: não existe um manual de instruções, mas ele precisa de nutrientes, reparos e cuidado adequado o tempo todo. Certos nutrientes são físicos. Hoje, a mania de consumir alimentos bons para o cérebro faz as pessoas correrem atrás de vitaminas e enzimas. Mas a nutrição mais adequada para esse órgão é tanto mental quanto física. Álcool e tabaco são tóxicos, e expor o cérebro a eles é abusar de sua capacidade. Raiva, medo, estresse e depressão também representam um uso inadequado. Um novo estudo mostrou que o estresse rotineiro fecha o córtex pré-frontal, a parte do cérebro responsável pela tomada de decisões, pela correção de erros e pela avaliação das situações. É por isso que as pessoas ficam loucas no trânsito. A raiva, a frustração e a impotência que certos motoristas submetidos rotineiramente ao estresse do tráfego sentem indicam que o córtex pré-frontal parou de neutralizar os impulsos primitivos que deveria controlar. Estamos voltando sempre ao mesmo tema: use seu cérebro; não permita que ele o use. A irritação no trânsito é um exemplo de como o cérebro nos usa, como também as lembranças nocivas, feridas de antigos traumas, maus hábitos que não conseguimos abandonar e, de forma mais drástica, vícios fora de controle. Esta é uma área extremamente importante e da qual é necessário ter consciência.

Com qual dos cérebros você se identifica?

Cérebro básico

Recentemente, perdi o controle por um momento, em pelo menos uma área de minha vida.
Meu nível de estresse está muito alto, mas eu consigo aguentar.
Tenho medo de ter depressão ou estou deprimido.
Minha vida pode tomar um rumo que não desejo.
Tenho pensamentos obsessivos, aterrorizantes ou ansiosos.

Supercérebro

Sinto-me confortavelmente controlado.
Evito situações de estresse afastando-me delas e não lhes dando importância.
Meu humor é constantemente bom.
Apesar de acontecimentos inesperados, minha vida caminha na direção que quero.
Gosto da maneira como minha mente funciona.

Embora o cérebro não venha com um manual de instruções, podemos conduzi-lo por um caminho de crescimento, realizações, satisfação pessoal e desenvolvimento de novas habilidades. Seremos capazes de dar um salto quântico na maneira como o usamos. Nosso objetivo é o cérebro evoluído, que vai além das quatro funções que desempenhamos. É um tipo raro de relacionamento, no qual atua-se como observador, testemunha silenciosa de tudo o que o cérebro faz. Quando adotamos esse comportamento, e passamos a ser uma testemunha silenciosa, a atividade cerebral não nos deixa confuso. Permanecendo em um estado de total paz e consciência silenciosa, encontramos a verdade sobre as eternas perguntas em relação a Deus, à alma e à vida após a morte. Quando a mente quer transcender, o cérebro está pronto para segui-la.

Um novo relacionamento

Quando Albert Einstein morreu aos 76 anos, em 1955, houve uma enorme curiosidade sobre o cérebro mais famoso do século XX. Supondo que algum aspecto físico deveria ter criado tal gênio, foi realizada uma autópsia. Contrariando as expectativas de que grandes ideias requeriam um grande cérebro, o cérebro de Einstein na verdade pesava 10 por cento menos que a média. A medicina estava apenas no início da exploração genética, e teorias avançadas sobre como as conexões sinápticas se formam seriam formuladas décadas depois. Tanto as pesquisas genéticas quanto as teorias sobre o funcionamento do cérebro representam drásticos avanços no conhecimento. Não podemos ver os genes em funcionamento, mas podemos observar os neurônios criando novos axônios e dendritos até os últimos anos de vida, o que nos dá enorme esperança na prevenção da senilidade, por exemplo, e na preservação indefinida de nossa capacidade mental. (A capacidade do cérebro de fazer novas conexões é tão incrível que um feto prestes a nascer forma 250.000 novas células cerebrais por minuto, gerando milhões de novas conexões sinápticas a cada sessenta segundos.)

No entanto, ainda somos tão ingênuos quanto os jornalistas que aguardavam ansiosamente para dizer ao mundo que Einstein possuía um cérebro fantástico – ainda enfatizamos o físico.

Não se dá a devida importância à maneira como uma pessoa se relaciona com o cérebro. Sentimos que, sem desenvolver um novo relacionamento, o cérebro não pode ser solicitado a fazer coisas novas e inesperadas. Vamos pensar em crianças desestimuladas na escola. Esse tipo de aluno existia em todas as classes que frequentamos e geralmente se sentava nas últimas fileiras. Seu comportamento obedece a um triste padrão.

Primeiro a criança tenta acompanhar os colegas. Quando não consegue, qualquer que seja a razão, o desânimo se instala. A criança deixa de se esforçar tanto quanto os colegas que alcançam sucesso. A próxima fase é tumultuar a aula com brincadeiras para chamar a atenção. Toda criança precisa de atenção, mesmo que negativa. Esse tumulto pode ser agressivo, mas depois a criança percebe que nada de bom está acontecendo e que seu comportamento gera desaprovação e castigo. Então ela entra na fase final, que é a do silêncio triste. Não faz mais nenhum esforço para acompanhar a classe. Os colegas a classificam como lenta ou burra, uma excluída. A escola se transforma numa prisão, em vez de ser um lugar de enriquecimento.

Não é difícil entender como esse ciclo comportamental afeta o cérebro. Hoje sabemos que os bebês nascem com 90 por cento do cérebro formado e milhões de conexões supérfluas. Portanto, os primeiros anos de vida são usados para selecionar essas conexões ociosas e desenvolver aquelas que vão permitir o aprendizado de novas capacidades. Podemos supor que uma criança desestimulada não passe por esse processo. As capacidades úteis não se desenvolvem, e as partes do cérebro que não são usadas se atrofiam. A falta de estímulo é holística, afetando cérebro, psique, emoções, comportamentos e oportunidades no futuro.

Para funcionar bem, qualquer cérebro precisa de estímulo. Mas este fator é secundário em relação ao que a criança sente, que é mental e psicológico. Uma criança desestimulada não se relaciona com seu cérebro como uma criança estimulada, e seu cérebro reage diferentemente também.

O supercérebro se apoia na crença de conectar mente e cérebro de uma maneira nova. Não é o aspecto físico que faz a diferença. É a determinação, intenção, paciência, esperança e diligência do indivíduo. Muito se tem dito sobre a maneira como a mente se relaciona com o cérebro, para o bem ou para o mal. Podemos resumir esse relacionamento em dez princípios.

Princípios do supercérebro

Como a mente se relaciona com o cérebro

- O processo sempre envolve ciclos de *feedback*.
- Esses ciclos de *feedback* são inteligentes e adaptáveis.
- A dinâmica do cérebro entra e sai de equilíbrio, mas sempre favorece um equilíbrio geral, conhecido como "homeostase".
- Usamos o cérebro para evoluir e nos desenvolver, guiados por nossas intenções.

- A reflexão nos empurra em direção a um território desconhecido.
- Muitas e diversas áreas do cérebro são coordenadas simultaneamente.
- Temos a capacidade de monitorar vários níveis de consciência, mesmo que nosso foco esteja geralmente confinado a apenas um nível (como acordar, dormir ou sonhar).
- Todas as qualidades do mundo conhecido, como as características visuais, som, textura e sabor, são misteriosamente criadas pela interação entre mente e cérebro.
- A mente, e não o cérebro, é a fonte da consciência.
- Só a consciência pode entender a consciência. Nenhuma explicação a partir dos fatos mecânicos sobre o cérebro é suficiente.

Estas são grandes ideias. Temos muitas explicações a dar, mas queríamos primeiro mostrar as grandes ideias. Destacando apenas três palavras da primeira frase – "ciclos de *feedback*" –, poderíamos impressionar uma classe da faculdade de medicina por um ano. O corpo é um imenso ciclo de *feedback*, constituído por trilhões de minúsculos circuitos. Cada célula conversa com todas as outras e ouve as respostas que recebe. Essa é a essência do *feedback* ou realimentação, termo tirado da eletrônica. Um termostato capta a temperatura e liga o aquecedor se o ambiente ficar frio demais. À medida que a temperatura sobe, o termostato registra essa informação e responde, desligando o aquecedor.

O mesmo ocorre entre os interruptores do corpo que regulam a temperatura corporal. Não há nada de fascinante nisso. Mas, quando pensamos, nosso cérebro envia a informação para o coração, e, se a mensagem for de entusiasmo, medo, excitação sexual ou qualquer outro estado, pode fazer o coração bater mais depressa. Depois, o cérebro enviará uma contrainformação, dizendo ao coração para desacelerar, mas, se esse ciclo de *feedback* se romper, o coração pode continuar disparando como um carro sem freio. Pacientes que tomam esteroides estão substituindo os esteroides naturais produzidos pelo sistema endócrino. Quanto mais alguém ingere essas substâncias, mais os níveis de esteroides naturais diminuem, e, em consequência disso, as glândulas suprarrenais encolhem.

As suprarrenais são responsáveis por enviar a mensagem que desacelera um coração disparado. Portanto, se um paciente deixa de tomar esteroides de repente, em vez de reduzir gradualmente a ingestão, o corpo pode ficar desregulado. A glândula suprarrenal não tem tempo de voltar ao tamanho normal. Nesse caso, se alguém se esgueirar sorrateiramente atrás de você e gritar "Bu!", vai fazer seu coração disparar descontrolado. O resultado? Um ataque do coração. Diante desse exemplo, os ciclos de *feedback* começam a ficar fascinantes. Para torná-los impressionantes, existem maneiras extraordinárias de usar o *feedback* do cérebro. Uma pessoa comum ligada a uma máquina de *biofeedback* pode aprender rapidamente a monitorar os mecanismos corporais de controle que, em geral, funcionam automaticamente. Podemos baixar nossa pressão arterial, por exemplo, ou mudar a frequência cardíaca. Podemos induzir o corpo ao estado de ondas alfa ligado à meditação e à criação artística.

Não que uma máquina de *biofeedback* seja necessária. Experimente o seguinte exercício: olhe para a palma da sua mão. Sinta-a enquanto olha para ela. Agora imagine que ela está se aquecendo. Continue olhando e concentre-se no aquecimento; veja-a ficando mais vermelha. Se mantiver o foco nessa intenção, a palma da sua mão de fato ficará mais quente e mais vermelha. Os monges budistas tibetanos usam esse simples ciclo de *feedback* (uma técnica avançada de meditação conhecida como "tumo") para aquecer todo o corpo.

Essa técnica é tão eficiente que os monges podem permanecer numa caverna gelada meditando a noite toda, usando nada mais do que sua túnica de seda alaranjada. Agora aquele simples ciclo de ação e reação tornou-se totalmente cativante, porque não existe limite ao que podemos provocar apenas com a nossa intenção. Os mesmos monges budistas também atingem estados de compaixão, por exemplo, que dependem de mudanças físicas no córtex pré-frontal do cérebro. Ele não faz isso sozinho, mas obedece a ordens da mente. Então cruzamos uma fronteira. Quando um ciclo de *feedback* está mantendo normal o ritmo cardíaco, o mecanismo é involuntário – ele está nos usando. Mas, se mudamos nosso ritmo cardíaco intencionalmente (imaginando, por exemplo, alguém que nos excita), somos nós que o estamos usando.

Vamos aplicar esse conceito em uma situação que pode tornar a vida miserável ou feliz. Imagine uma vítima de derrame. A ciência médica fez enormes avanços em conseguir a sobrevivência de pacientes depois de fortes derrames, alguns dos quais podem ser atribuídos a melhores remédios e unidades de atendimento, uma vez que esse tipo de problema exige atenção o mais rápido possível. A rapidez do atendimento está salvando inúmeras vidas em comparação ao passado.

Mas sobrevivência não é a mesma coisa que recuperação. Nenhum medicamento demonstra sucesso comparável na recuperação de vítimas da paralisia, o efeito mais comum de um derrame. Como ocorre com a criança que não tem estímulo para aprender, os pacientes de derrame parecem depender apenas do *feedback*. No passado, eles passavam a maior parte do tempo sentados numa cadeira recebendo atenção médica, e a maneira mais fácil de seguir em frente era usar o lado do corpo não afetado pelo derrame. Hoje a reabilitação incentiva o paciente a superar suas limitações. Se a mão esquerda está paralisada, por exemplo, o terapeuta a fará usar apenas essa mão para pegar uma xícara de café ou pentear o cabelo.

No início essas tarefas são fisicamente impossíveis. Mesmo uma atividade simples como erguer uma mão causa dor e frustração. Mas, se o paciente repetir a intenção de uso da mão paralisada continuamente, novos ciclos de *feedback* se desenvolverão. O cérebro se adapta, e lentamente surge uma nova função. Hoje vemos casos de recuperação extraordinários em pacientes que falam, caminham e usam os membros normalmente depois de uma intensa reabilitação. Há apenas vinte anos, essas capacidades teriam desaparecido ou mostrado uma pequena melhora.

E tudo o que fizemos até agora foi explorar as implicações de três palavras: "ciclos de *feedback*".

Os princípios do supercérebro abrangem dois mundos: a biologia e a experiência. A biologia é excelente para explicar os processos físicos, mas totalmente inadequada para nos ensinar o significado e o propósito de nossa experiência subjetiva. Como se sente uma criança desestimulada ou uma pessoa paralisada por um derrame? Tudo começa com essa pergunta, a biologia vem depois. Precisamos dos dois lados para nos compreender. De outro modo, estaremos sujeitos à falácia biológica de que somos controlados pelo cérebro. Deixando de lado os incontáveis debates entre as várias teorias da mente e do cérebro, o objetivo é claro: queremos usar o cérebro, e não deixar que ele nos use.

Vamos expandir esses dez princípios no decorrer do livro. Importantes descobertas da neurociência apontam para a mesma direção. O cérebro humano pode fazer muito mais do que imaginávamos ser possível. Ao contrário do que dizem velhas crenças, suas limitações são impostas por nós, não por deficiências físicas. Quando os autores estavam adquirindo sua formação médica e científica, a natureza da memória era um total mistério. Nessa época circulava outra máxima: "Sabemos tão pouco sobre a memória, que é como se o cérebro estivesse cheio de areia!". Felizmente, o escâner cerebral foi logo inventado, e hoje os pesquisadores podem observar em tempo real as áreas do cérebro "se acenderem", mostrando a descarga de neurônios quando os indivíduos se lembram de certos fatos. Pode-se dizer que nosso estádio agora é feito de vidro.

No entanto, a memória continua uma incógnita. Não deixa sinais físicos nas células cerebrais, e ninguém sabe como as lembranças são armazenadas. Mas não há razão para colocar limitações ao que o cérebro pode lembrar. Uma jovem matemática indiana deu uma demonstração multiplicando mentalmente dois números, cada um com 32 dígitos. Ela deu a resposta, um número de 64 ou 65 dígitos, após segundos. Em média, a maioria das pessoas só consegue lembrar seis ou sete dígitos de cada vez. Então, qual seria o normal para a nossa memória: a da pessoa na média ou a da excepcional? Em vez de dizer que a jovem matemática tem melhores genes ou um dom especial, façamos outra pergunta: você treinou seu cérebro para ter uma supermemória? Existem cursos que ensinam essa habilidade, e após fazê-los, pessoas normais foram capazes de, por exemplo, recitar a Bíblia de cor usando nada mais que os genes e dons com que nasceram. Tudo depende da maneira como nos relacionamos com nosso cérebro. Estabelecendo expectativas mais altas, conseguimos um funcionamento superior.

Uma das singularidades do cérebro humano é que ele só pode fazer o que julga ser capaz de fazer. No instante em que alguém diz "Minha memória não é mais como antes" ou "Não consigo me lembrar de nada hoje", na verdade está treinando seu cérebro para satisfazer suas diminutas expectativas. Baixas expectativas significam baixos resultados. A primeira regra do supercérebro é que nosso cérebro está sempre à espreita de nossos pensamentos. O que ele ouve, ele aprende. Se nós lhe ensinamos limitações, ele será limitado. E se fizermos o contrário? E se ensinarmos nosso cérebro a ser ilimitado?

Pense em seu cérebro como um piano Steinway. Todas as teclas estão no lugar, prontas para funcionar ao toque de um dedo. Não importa se quem está tocando é um principiante ou um virtuose mundialmente famoso, como Vladimir Horowitz ou Arthur Rubinstein, o instrumento permanece fisicamente o mesmo. Mas a música que sairá dele será imensamente diferente. O principiante usa menos de 1 por cento do potencial do piano, enquanto o virtuose ultrapassa os limites do instrumento.

Se o mundo musical não tivesse nenhum artista talentoso, jamais imaginaríamos as maravilhas que um Steinway pode fazer. Felizmente, a pesquisa sobre o desempenho do cérebro está nos fornecendo magníficos exemplos de potencial brilhantemente vindo à tona. Só agora esses extraordinários músicos estão sendo estudados, com a ajuda de escâneres cerebrais, o que torna suas habilidades ainda mais surpreendentes e, ao mesmo tempo, mais misteriosas.

Vamos tomar como exemplo Magnus Carlsen, o prodigioso enxadrista norueguês. Ele atingiu o topo do *ranking*, o título de grão-mestre, aos 13 anos, tendo sido o terceiro mais jovem a alcançar esse feito na história. Nessa mesma época, em um jogo de velocidade, obrigou Garry Kasparov, o ex-campeão mundial de xadrez, a aceitar um empate. "Eu estava nervoso e intimidado", lembra Carlsen, "ou não o teria vencido." Para jogar xadrez nesse nível, um grão-mestre precisa ser capaz de acessar, instantânea e automaticamente, milhares de jogos armazenados em sua memória. Sabemos que o cérebro não está cheio de areia, mas como uma pessoa é capaz de lembrar tamanho arquivo de movimentos – muitos milhões de possibilidades – é um total mistério. Numa demonstração de sua capacidade na televisão, o jovem Carlsen, que nasceu em 1990, jogou contra dez adversários ao mesmo tempo na modalidade xadrez de velocidade – e de costas para os tabuleiros.

Em outras palavras, ele tinha que ter em mente dez diferentes tabuleiros, cada um com 32 peças, com um relógio permitindo apenas segundos para cada movimento. O desempenho de Carlsen define o limite da memória, ou uma pequena parte dela. Mesmo sendo difícil para uma pessoa normal imaginar ter uma memória dessas, a verdade é que Carlsen não está forçando seu cérebro. Ele diz que o que ele faz é totalmente natural.

Acreditamos que todo feito mental extraordinário é uma placa indicando o caminho. Não sabemos o que nosso cérebro é capaz de fazer até testar seus limites e ir além. Não importa com que ineficiência estamos usando nosso cérebro, uma coisa é certa: ele é a porta para o nosso futuro. Nosso sucesso na vida depende dele, pela simples razão de que toda experiência nos chega através do cérebro.

Queremos que *Supercérebro* seja o mais prático possível, porque este conceito pode resolver problemas que seriam muito mais difíceis, ou mesmo insolúveis, para o cérebro básico. Cada capítulo terminará com uma seção chamada "Soluções do supercérebro", cujas inovadoras sugestões o farão vencer muitos dos desafios mais comuns da vida.

CINCO MITOS PARA ESQUECER

Relacionando-nos com o cérebro de uma maneira diferente, podemos mudar a realidade. Quanto mais os neurocientistas descobrem, mais poderes ocultos o cérebro parece ter. O cérebro processa a matéria-prima da vida como um escravo de qualquer desejo ou visão que possamos ter. O mundo físico não resiste a essa força, e precisamos de novas crenças para libertá-lo. Nosso cérebro não pode fazer o que julga não poder fazer.

Cinco mitos em particular se revelaram limitantes e obstrutivos à mudança. Todos eram aceitos como verdades há pouco mais de uma ou duas décadas.

Os danos ao cérebro são irreversíveis.
Hoje sabemos que o cérebro tem um surpreendente poder de cura, do qual não suspeitávamos no passado.

Os circuitos cerebrais são imutáveis.
Na verdade, a interação entre a estrutura física e a programação do cérebro é constante, e nossa capacidade de criar novos circuitos cerebrais permanece intacta do nascimento até o fim da vida.

O envelhecimento do cérebro é inevitável e irreversível.
Contrariando essa crença antiquada, surgem todos os dias novas técnicas para manter o cérebro jovem e preservar a acuidade mental.

O cérebro perde milhões de células por dia, que não podem ser substituídas.
Na verdade, o cérebro contém células-tronco que são capazes de desenvolver novas células cerebrais ao longo da vida. Saber como perdemos e ganhamos essas células ainda é uma questão complexa. A maior parte das novas descobertas trazem boas notícias para quem tem medo de perder a capacidade mental com o envelhecimento.

Reações primitivas (medo, raiva, ciúme, agressividade) dominam o cérebro racional.
Como em nosso cérebro estão gravadas memórias genéticas de milhares de gerações, o cérebro irracional, ou cérebro reptiliano, continua conosco, gerando impulsos primitivos muitas vezes prejudiciais, como o medo e a raiva. Mas o cérebro evolui constantemente, e conquistamos a capacidade de dominar o cérebro reptiliano com a liberdade de escolha. A psicologia positiva, um novo campo da ciência, está nos ensinando a usar melhor o livre-arbítrio para promover a felicidade e vencer o negativismo.

    É muito bom que esses cinco mitos tenham sido deixados para trás. As antigas crenças faziam o cérebro parecer imutável, mecânico e sujeito a uma constante deterioração. Isso está longe de ser verdade. Você está criando a realidade neste exato minuto. Se esse processo permanecer vivo e dinâmico, seu cérebro será capaz de acompanhá-lo ano após ano.
    Agora vamos desmentir mais detalhadamente esses velhos mitos que ainda influenciam nossa experiência e nossas expectativas.

Mito 1: Os danos ao cérebro são irreversíveis

Quando o cérebro sofre um dano devido a um trauma provocado por um acidente de trânsito ou um derrame, por exemplo, células nervosas e suas conexões (sinapses) são perdidas. Durante muito tempo acreditou-se que, uma vez que o cérebro sofresse uma lesão, as vítimas estariam condenadas a usar apenas as funções remanescentes. Mas, ao longo das duas últimas décadas, foi feita uma importante descoberta, e numerosos estudos a confirmaram. Quando neurônios e sinapses desaparecem devido a um trauma, os neurônios vizinhos compensam a perda e tentam reestabelecer as conexões ausentes, o que efetivamente reconstrói a rede neural danificada. Os neurônios vizinhos intensificam seu trabalho e realizam uma "regeneração compensatória" de suas principais partes (o tronco principal, ou axônio, e os numerosos filamentos, chamados "dendritos"). Isso recupera as conexões perdidas da complexa rede neural de que cada célula cerebral faz parte.

Olhando para trás, achamos estranho que a ciência tenha negado às células cerebrais uma capacidade comum a outros nervos. Desde o fim do século XVIII, os cientistas já sabiam que os neurônios do sistema nervoso periférico (os nervos que percorrem o corpo fora do cérebro e da medula espinhal) podiam se regenerar. Em 1776, William Cumberland Cruikshank, anatomista escocês, cortou meia polegada do nervo vago do pescoço de um cão. O nervo vago se conecta com o cérebro, estendendo-se ao longo da artéria carótida no pescoço, e está envolvido em algumas importantes funções – taxa de batimento cardíaco, suor, movimentos musculares da fala – e em manter a laringe aberta para a respiração. Se as duas pontas do nervo forem cortadas, o resultado é letal. Cruikshank retirou apenas uma extremidade e descobriu que a lacuna criada era logo preenchida por um novo tecido nervoso. Quando submeteu seu artigo à Royal Society, porém, o cientista foi recebido com ceticismo, passando décadas sem ser publicado.

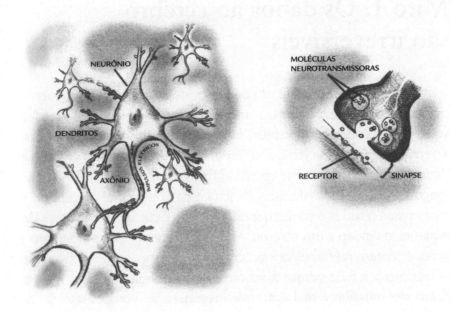

Figura 1: Neurônios e sinapses

As células nervosas (neurônios) são verdadeiras maravilhas da natureza graças à sua capacidade de criar nossa percepção da realidade. Os neurônios se conectam uns aos outros formando vastas e intrincadas redes neurais. Nosso cérebro contém mais de 100 bilhões de neurônios e até 1 quatrilhão de conexões, chamadas "sinapses".

Os neurônios projetam filamentos sinuosos, conhecidos como "axônios" e "dendritos", que carregam sinais químicos e elétricos através das sinapses. Um neurônio contém muitos dendritos para receber as informações de outras células nervosas, mas tem apenas um axônio, que pode atingir mais de 1 metro de comprimento. O cérebro de um adulto contém mais de 160.000 quilômetros de axônios e incontáveis dendritos – suficientes para dar quatro voltas à Terra.

Nessa época, outra evidência confirmava que nervos periféricos como o vago podem formar-se novamente depois de cortados. (Podemos vivenciar esse fenômeno quando um corte profundo deixa um dedo adormecido; depois de algum tempo, voltamos a senti-lo.) Mas durante séculos as pessoas acreditaram que os nervos do sistema nervoso central (cérebro e medula espinhal) não possuíam a mesma capacidade.

É verdade que o sistema nervoso central não pode se regenerar com a mesma qualidade e rapidez do sistema nervoso periférico. Entretanto, graças à neuroplasticidade, o cérebro pode se remodelar e remapear suas conexões depois de um dano. Esse novo mapeamento é a definição funcional da neuroplasticidade, hoje um assunto em voga. O termo "neuro" vem de neurônio, enquanto "plasticidade" se refere a maleabilidade. A velha teoria afirmava que os recém-nascidos constituíam suas redes neurais como parte natural de seu desenvolvimento, e que após essa fase o processo cessava e o cérebro se tornava imutável. Hoje vemos as projeções das células nervosas do cérebro como longos filamentos que se reconfiguram continuamente, reagindo às experiências, aos aprendizados e aos danos. Curar e evoluir são duas funções intimamente ligadas.

Seu cérebro está se remodelando neste exato momento. Não é necessário nenhum dano para desencadear o processo. Basta estar vivo. Podemos estimular a neuroplasticidade, principalmente, expondo-nos a novas experiências. Melhor ainda é nos prepararmos deliberadamente para aprender novas capacidades. Dar um bichinho de estimação a um idoso pode instilar nele mais disposição para viver. O fato de o cérebro estar sendo afetado faz a diferença, mas precisamos nos lembrar de que os neurônios são nossos servos. O bisturi de dissecção revela mudanças no nível das projeções nervosas e dos genes. O que de fato revigora o idoso é ter um propósito e alguém para amar.

A neuroplasticidade é a mente se tornando matéria à medida que os pensamentos geram um novo crescimento neural. No início, o fenômeno era ridicularizado, e os neurocientistas menosprezados por usar esse termo. No entanto, muitos conceitos novos que provavelmente serão aceitos daqui a décadas são julgados hoje como sem sentido e inúteis. A neuroplasticidade passou por um difícil começo antes de se tornar uma estrela.

Que a mente tenha tal poder sobre a matéria foi importantíssimo para nós, os autores, na década de 1980. Deepak estava concentrado no lado espiritual da conexão entre mente e corpo, promovendo a meditação e a medicina alternativa. Inspirava-se numa máxima com que tinha se deparado desde cedo: "Se quiser saber como eram seus pensamentos no passado, olhe para o seu corpo hoje. Se quiser saber como seu corpo será no futuro, olhe para seus pensamentos hoje".

Para Rudy, essa quebra de paradigma foi relevante quando era aluno do curso de neurociência na Faculdade de Medicina de Harvard. Trabalhando no Boston Children's Hospital, ele tentava isolar o gene que produz a principal toxina do cérebro no mal de Alzheimer, a proteína beta-amiloide, substância espessa que se acumula no cérebro e tem relação com os neurônios que vão se tornando disfuncionais e são destruídos. Rudy lia freneticamente todos os artigos que pudesse encontrar sobre essa doença e seu amiloide tóxico, que pode assumir a forma do beta-amiloide no mal de Alzheimer ou da proteína príon, presente nas doenças relacionadas à doença da vaca louca.

Um dia, Rudy leu um artigo que mostrava que o cérebro de um paciente com Alzheimer tinha acumulado o beta-amiloide no esforço de reconstruir a parte responsável pela memória de curto prazo, o hipocampo, que se localiza no lobo temporal (assim chamado porque fica abaixo das têmporas).

O fato de o cérebro poder tentar um caminho para superar um dano devastador mudou inteiramente a visão da doença que Rudy vinha estudando dia e noite em um laboratório do tamanho de um almoxarifado, no quarto andar do hospital. Entre 1985 e 1988, ele se dedicou a identificar o gene que leva o beta-amiloide a se acumular em excesso no cérebro dos pacientes com Alzheimer. Dia após dia, ele trabalhou lado a lado com sua colega Rachel Neve, ouvindo música, especialmente Keith Jarrett, considerado o melhor pianista de *jazz*.

Rudy adorava os concertos de Keith Jarrett por sua brilhante improvisação. Jarrett tinha uma palavra para isso: "extemporizar". Em outras palavras, era uma música radicalmente espontânea. Para Rudy, Jarrett expressava na música o modo como o cérebro funciona no mundo cotidiano – reagindo imediatamente de forma criativa, com base nas experiências valiosas de uma vida. A sabedoria se renovando instantaneamente. A memória encontrando vida nova. É justo dizer que, quando Rudy descobriu o primeiro gene do Alzheimer, a proteína precursora do amiloide (APP), naquele pequeno laboratório no quarto andar, sua inspiração foi Keith Jarrett.

Nesse contexto entra o artigo de 1986, que trouxe esperança de regenerar o tecido cerebral aos pacientes de Alzheimer. Era um dia intempestivamente frio, mesmo para o inverno de Boston, e Rudy estava no terceiro andar da biblioteca da Faculdade de Medicina de Harvard, respirando o perfume familiar de papel bolorento – alguns desses artigos científicos não viam a luz do dia havia décadas.

Entre os novos artigos sobre o mal de Alzheimer, um fora publicado no jornal *Science* e tinha sido escrito por Jim Geddes e seus colegas com o intrigante título de "A plasticidade do circuito do hipocampo na doença de Alzheimer". Depois de uma rápida olhada, Rudy correu para conseguir alguns trocados para comprar uma cópia da edição. (O luxo dos jornais *on-line* ainda estava no futuro.) Depois de ler o artigo atentamente com Rachel, eles se encararam surpresos, sem acreditar no que tinham lido. O mistério do cérebro que pode se curar tinha acabado de entrar em sua vida.

A essência desse estudo fundamental era a seguinte: no mal de Alzheimer, uma das primeiras coisas que se deterioram é a memória de curto prazo. No cérebro, as principais projeções neurais que permitem que as informações sensoriais sejam armazenadas são, literalmente, cortadas. (Estamos no mesmo campo de Cruikshank, quando cortou o nervo vago de um cão.) Mais especificamente, existe no cérebro um pequeno saco dilatado de células nervosas chamado "córtex entorrinal", que funciona como uma estação intermediária para todas as informações sensoriais que recebemos, confiando-as ao hipocampo para uma armazenagem de curto prazo. (Se lembramos que Rudy estava trabalhando com uma colega chamada Rachel, é o hipocampo fazendo o seu trabalho.) O nome hipocampo vem da palavra latina para "cavalo-marinho", pois sua forma lembra a do animal. Faça dois "cês" com o polegar e o indicador de cada mão, um de frente para o outro, e depois entrelace-os num plano paralelo, assim você terá a forma bastante aproximada do hipocampo.

Digamos que você volte para casa depois de fazer compras e queira contar a uma amiga que viu um par de sapatos vermelhos perfeitos para ela. A imagem desses sapatos, passando pelo córtex entorrinal, é transmitida por meio de projeções neurais chamadas "via perfurante". Agora chegamos à razão fisiológica que explica por que alguém que sofre do mal de Alzheimer não se lembrará desses sapatos. Nos pacientes com essa doença, a região exata onde a via perfurante penetra o hipocampo rotineiramente contém uma abundância de beta-amiloides neurotóxicos, que interrompem a transferência de informações sensoriais. Para piorar o dano, as terminações nervosas começam a encolher e se rompem na mesma região, danificando a via perfurante.

As células nervosas do córtex entorrinal que deviam estar desenvolvendo essas terminações nervosas logo morrem, porque dependem de que fatores de crescimento, as proteínas que garantem sua sobrevivência, substituam as terminações nervosas que antes se conectavam com o hipocampo. Depois disso, a pessoa perde a memória de curto prazo e a capacidade de aprendizado, e a demência se instala. O resultado é devastador. Como se costuma dizer, a pessoa não sabe que tem Alzheimer porque esquece onde pôs as chaves do carro. Ela sabe que tem Alzheimer quando esquece para que elas servem.

Em seu estudo embrionário, Geddes e seus colegas mostraram que, nessa área de grande perda neuronal, ocorre algo que nada mais é do que mágica. Os neurônios vizinhos sobreviventes começam a brotar novas projeções para compensar as que se perderam. Essa é uma forma de neuroplasticidade chamada "regeneração compensatória". Pela primeira vez, Rudy se deparava com uma das mais milagrosas propriedades do cérebro. Era como se uma rosa fosse arrancada da roseira e a roseira ao lado fizesse brotar uma nova rosa.

De repente, Rudy teve uma profunda constatação do poder e da resiliência do cérebro humano. "Jamais despreze a força do cérebro", ele pensou. Com a neuroplasticidade, o cérebro se tornou um órgão maravilhosamente adaptável e extraordinariamente regenerável. Havia esperança de que, mesmo em um cérebro danificado pelo Alzheimer, se diagnosticado cedo, a neuroplasticidade pudesse ser desencadeada. É uma das mais brilhantes possibilidades para futuras pesquisas.

Mito 2: Os circuitos cerebrais são imutáveis

Durante todo o tempo em que a neuroplasticidade ainda não tinha sido legitimada, a medicina poderia ter dado atenção ao filósofo suíço Jean-Jacques Rousseau, que em meados do século XVIII afirmou que a natureza não era estagnada ou mecânica, mas viva e dinâmica. Ele foi além ao propor que o cérebro estava continuamente se reorganizando de acordo com as experiências vividas. Portanto, as pessoas deveriam praticar exercícios mentais tanto quanto exercícios físicos. Essa pode ter sido a primeira afirmação de que nosso cérebro é flexível, plástico e capaz de se adaptar às mudanças do ambiente.

Muito mais tarde, em meados do século XX, o psicólogo americano Karl Lashley ofereceu evidências desse fenômeno. Lashley treinou ratos a buscar alimento em um labirinto e depois removeu uma grande porção de seu córtex cerebral, pedaço por pedaço, para descobrir quando eles esqueceriam o que tinham aprendido. Ele supunha que, dada a delicadeza do tecido cerebral e a total dependência que uma criatura tem do seu cérebro, a remoção de uma pequena parte provocaria grave perda de memória.

Surpreendentemente, Lashley descobriu que podia tirar 90 por cento do córtex de um rato, e o animal ainda conseguiria percorrer satisfatoriamente o labirinto. Ficou demonstrado que, ao aprender o caminho, os ratos criam muitos diferentes tipos de sinapses redundantes, baseadas em todos os seus sentidos. Várias e distintas partes do cérebro interagem para constituir uma variedade de associações sensoriais sobrepostas. Em outras palavras, os ratos não apenas viam o caminho até o alimento dentro do labirinto, mas também o cheiravam e o sentiam. Quando porções do córtex cerebral eram removidas, o cérebro desenvolvia novas projeções (axônios) e formava novas sinapses para tirar vantagem de outros sentidos, usando as pistas remanescentes, apesar de mínimas.

Temos assim a primeira forte pista de que a ideia de estrutura irreversível devia ser encarada com ceticismo. O cérebro tem circuitos, mas não tem fios; os circuitos são feitos de tecido vivo. E, o mais importante, são remodelados por pensamentos, lembranças, desejos e experiências. Deepak lembra um controverso artigo médico de 1980 intitulado "Será o cérebro realmente necessário?". O texto foi baseado no trabalho do neurologista britânico John Lorber, que vinha trabalhando com vítimas de um transtorno cerebral conhecido como "hidrocefalia" ("água no cérebro"). A pressão resultante do excesso de fluido esprime a vida para fora das células cerebrais. A hidrocefalia leva ao retardo, assim como a outros danos graves e até mesmo à morte.

Lorber havia escrito antes sobre dois bebês nascidos sem córtex cerebral. Apesar desse raro e fatal defeito, eles pareciam estar se desenvolvendo normalmente, sem sinais externos do dano. Um bebê sobreviveu por três meses; o outro, por um ano. Como se isso não fosse suficientemente notável, um colega da Universidade de Sheffield enviou a Lorber um jovem que tinha uma cabeça muito grande. Ele havia se formado na universidade com méritos em matemática e possuía um quociente de inteligência (Q.I.) de 126. Não apresentava nenhum sintoma de hidrocefalia e levava uma vida normal. Entretanto, uma tomografia computadorizada revelou, nas palavras de Lorber, que ele "virtualmente não tinha cérebro". O crânio era revestido por uma fina camada de células cerebrais de cerca de 1 milímetro de espessura, enquanto o resto do espaço craniano era preenchido de fluido cerebral.

Trata-se de uma doença terrível, mas Lorber foi em frente, registrando mais de seiscentos casos. Ele dividiu seus sujeitos de pesquisa em quatro categorias, dependendo da quantidade de fluido no cérebro. A categoria mais grave, correspondente a 10 por cento da amostra, era formada por pessoas cuja cavidade cerebral continha 95 por cento de fluido. Desses, metade apresentava retardo grave; a outra metade, porém, apresentava um Q.I. acima de 100.

Como era de se esperar, os céticos partiram para o ataque. Alguns disseram que Lorber provavelmente não avaliara as tomografias corretamente, mas ele lhes garantiu que suas provas eram sólidas. Outros argumentaram que ele não havia pesado a matéria cerebral remanescente, ao que ele ironicamente retrucou: "Não sou capaz de afirmar se o cérebro do estudante de matemática pesa 50 ou 150 gramas, mas não resta dúvida de que ele está longe do 1,5 quilo normal". Neurologistas mais receptivos declararam que esses resultados eram uma prova da redundância do cérebro – muitas funções são copiadas e sobrepostas. Mas outros rejeitaram essa explicação, observando que "a redundância é uma maneira de contornar algo que não se entende". Até hoje o fenômeno está envolto em mistério, mas precisamos tê-lo em mente à medida que nosso debate prossegue. Será esse um exemplo radical do poder da mente de fazer o cérebro – mesmo um cérebro drasticamente reduzido – obedecer a comandos?

Mas devemos considerar mais do que o dano cerebral. Em um exemplo mais recente de remapeamento neural, o neurocientista Michael Merzenich e seus colegas da Universidade da Califórnia, em San Francisco, treinaram sete macaquinhos a usar os dedos para pegar alimentos. Bolinhos de banana foram colocados no fundo de pequenos compartimentos, ou poços de alimentação, sobre uma plataforma de plástico. Alguns poços eram largos e rasos, enquanto outros, estreitos e fundos. Naturalmente, quando um macaco tentava pegar o alimento, tinha mais sucesso num poço largo e raso, mas com frequência fracassava no poço estreito e fundo. Entretanto, com o tempo, todos os macacos se tornaram extremamente habilidosos e passaram a ter sucesso em todas as tentativas, não importando a distância que seus dedos estavam do bolinho.

Então a equipe fez uma tomografia de uma área específica do cérebro, conhecida como "córtex somatossensorial", que controla o movimento dos dedos, na esperança de demonstrar que a experiência de aprender uma habilidade tinha alterado o cérebro dos macacos. Foi um sucesso. Essa região do cérebro se reconfigurou para outras regiões na tentativa de aumentar as chances de apanhar mais alimento no futuro. Merzenich argumentou que, à medida que as áreas do cérebro começam a interagir, criam-se novos circuitos. Na nossa vida cotidiana, se nos dispusermos intencionalmente a aprender novas coisas ou a fazer coisas conhecidas de uma nova maneira (como pegar um novo caminho para o trabalho ou tomar um ônibus em vez de usar o carro), estaremos reprogramando e melhorando nosso cérebro. O exercício físico cria músculos; o exercício mental cria novas sinapses para fortalecer a rede neural.

Muitos outros exemplos reforçam a ideia de que a doutrina tradicional, que acreditava em um cérebro estagnado e imutável, era falsa. Pacientes vítimas de derrame cerebral não precisam ficar paralisados o resto da vida pelo dano causado pelo rompimento de um vaso ou por um coágulo. À medida que as células cerebrais morrem, células vizinhas podem compensar a perda, mantendo íntegro o circuito neural. Para tornar a explicação mais pessoal, podemos afirmar que você imagina a casa onde cresceu, lembra seu primeiro beijo e ama seus amigos graças a um circuito neural altamente personalizado que levou toda a sua vida para ser criado.

Um exemplo da milagrosa capacidade do cérebro de se regenerar é o caso de um mecânico de automóveis que sofreu um grave trauma craniano num acidente. Ele ficou paralisado e só conseguia se comunicar piscando e acenando levemente com a cabeça. Depois de dezessete anos, porém, esse homem saiu espontaneamente dessa situação semicomatosa. Na semana seguinte, teve uma recuperação surpreendente, a ponto de retomar a fala fluente e alguns movimentos dos membros. No ano seguinte, uma tomografia proporcionou evidências visíveis de que ele estava regenerando novos caminhos que poderiam restaurar sua função cerebral. As células nervosas saudáveis estavam desenvolvendo novos axônios e dendritos para criar um circuito neural que compensaria a morte das células nervosas – isto é a neuroplasticidade clássica!

O resultado é que nosso cérebro não é imutável, mas incrivelmente maleável. O maravilhoso processo da neuroplasticidade nos dá a capacidade de nos desenvolvermos, em nossos pensamentos, sentimentos e ações, em qualquer direção.

Mito 3: O envelhecimento do cérebro é inevitável e irreversível

Um movimento conhecido como "nova terceira idade" está dominando a sociedade. O idoso, pela velha norma social, costumava ser passivo e triste, condenado a uma cadeira de balanço; contava-se com seu declínio físico e mental. Hoje, o contrário é verdadeiro.

Pessoas mais velhas têm altas expectativas de continuar ativas com vitalidade. Com isso, a definição de velhice mudou. Uma pesquisa perguntou a pessoas nascidas no período após Segunda Guerra quando começava a velhice. A resposta foi, em média, 85 anos. À medida que as expectativas crescem, o cérebro acompanha o ritmo e se adapta à nova terceira idade. A velha teoria de um cérebro imutável e estagnado afirmava que seu envelhecimento era inevitável. Supunha-se que as células do cérebro morriam contínua e irreversivelmente à medida que a pessoa envelhecia.

Agora que sabemos que o cérebro é flexível e dinâmico, a inevitabilidade da perda celular não é mais válida. No processo de envelhecimento – que ocorre cerca de 1 por cento ao ano depois dos 30 –, não há duas pessoas que envelheçam da mesma maneira. Até gêmeos idênticos, nascidos com os mesmos genes, terão diferentes padrões de atividade genética aos 70 anos, e seus corpos podem ser radicalmente diferentes dependendo do estilo de vida escolhido. Essa escolha não aumentou ou diminuiu os genes com que nasceram, mas quase todos os aspectos da vida – dieta, atividades, estresse, relacionamentos, trabalho e o ambiente físico – mudaram a atividade desses genes. Na verdade, nenhum aspecto do envelhecimento é inevitável. Para cada função, mental ou física, podemos encontrar pessoas que melhoram o tempo todo. Existem corretores da bolsa com 90 anos que conduzem complexas transações e possuem uma memória que só melhorou com o tempo.

O problema é que muitos de nós aderimos à norma padronizada. Quando envelhecemos, tendemos a ter preguiça e apatia em relação ao aprendizado. Qualquer mínima tensão nos perturba, e esse estresse dura muito tempo. O que costumava ser considerado uma "acomodação" natural de pessoas mais velhas, hoje está relacionado à conexão entre mente e cérebro. Às vezes o cérebro é dominante nessa parceria. Suponhamos um restaurante que esteja com dificuldades de disponibilizar mesa para seus clientes. Um jovem que está na fila de espera sente uma certa chateação, que entretanto se dissipa assim que ele se acomoda. Uma pessoa mais velha pode reagir com um ataque de raiva – e continuar chateada mesmo depois de estar na mesa. Essa é a diferença da reação de estresse pela qual o cérebro é responsável. Da mesma forma, quando pessoas idosas ficam sobrecarregadas por um excesso de estímulos sensoriais (o barulho do trânsito, uma loja de departamentos lotada etc.), seu cérebro provavelmente diminuiu a função de captar as ondas de dados do mundo agitado.

Na maior parte do tempo, porém, a mente domina a conexão entre mente e cérebro. À medida que envelhecemos, tendemos a simplificar nossas atividades mentais, muitas vezes como um mecanismo de defesa. Sentimo-nos seguros com o que sabemos e evitamos aprender qualquer coisa nova. Esse comportamento é julgado pelos mais jovens como irritabilidade e teimosia, mas sua verdadeira causa pode estar na dança entre mente e cérebro. Para muitas pessoas mais velhas, mas não para todas, o ritmo da música diminui. O mais importante é não abandonar a pista de dança, o que estaria abrindo caminho para o declínio tanto do cérebro quanto da mente. Em vez de fazer novas sinapses, o cérebro continua funcionando com as que já existem. Nessa espiral descendente de atividade mental, a pessoa idosa acabará tendo menos dendritos e sinapses por neurônio no córtex cerebral.

Felizmente, podemos tomar decisões conscientes. Você pode escolher estar consciente dos pensamentos e sentimentos que estão sendo evocados em seu cérebro a cada minuto. Pode escolher ter uma curva de aprendizagem ascendente, não importa que idade tenha. Fazendo isso, criará novos dendritos, sinapses e circuitos neurais, que melhoram a saúde do cérebro e podem até ajudar a prevenir a doença de Alzheimer (como sugerem as pesquisas mais recentes).

E quanto à irreversibilidade dos efeitos do envelhecimento? À medida que ficamos mais velhos, muitos de nós sentimos a memória falhando cada vez mais. Não conseguimos lembrar por que entramos numa sala e brincamos, na defensiva, que isso é coisa de velho. Rudy tinha um gato maravilhoso que o seguia para todo lugar como um cão fiel. Muitas vezes, Rudy levantava de sua poltrona na sala e se dirigia à cozinha com o gato a reboque, e, quando chegavam lá, os dois se olhavam, sem saber por que tinham ido parar ali. Embora possamos dizer que esses lapsos são sinais de perda de memória relacionada ao envelhecimento, eles ocorrem, na verdade, devido à falta de aprendizado – de registrar novas informações no cérebro. Quando não conseguimos lembrar um fato simples como onde colocamos as chaves, significa que não "aprendemos" ou gravamos o lugar onde as colocamos. Como usuários de nosso cérebro, não registramos ou consolidamos a informação sensorial em uma memória de curto prazo durante o processo de pôr as chaves num determinado lugar. Ninguém pode *lembrar* algo que nunca *aprendeu*.

Se nos mantivermos atentos, um cérebro saudável vai continuar a nos servir à medida que envelhecermos. Podemos contar com prontidão e vigor, em vez de medo da deficiência e da senilidade. Em nossa opinião – e Rudy fala com a autoridade de importante pesquisador do Alzheimer –, uma campanha pública que gerasse alarme sobre a senilidade teria um efeito danoso. As expectativas são um gatilho poderoso para o cérebro. Se alguém acha que vai perder a memória e observa cada mínimo lapso com ansiedade, está interferindo no ato natural e espontâneo de lembrar. Biologicamente, mais de 80 por cento das pessoas acima dos 70 anos não têm perda significativa de memória. Nossas expectativas devem corresponder a essa descoberta, e não a nosso medo oculto e, em grande medida, infundado.

Se alguém se torna apático e aborrecido com a vida, ou simplesmente não sente entusiasmo por suas experiências de cada momento, é porque seu potencial de aprendizado está enfraquecido. Como evidência física disso, um neurologista pode indicar as sinapses que devem ser consolidadas na memória de curto prazo. Mas, na maioria dos casos, um acontecimento mental precedeu a evidência física: jamais aprendemos aquilo que acreditamos ter esquecido.

Nada solidifica a memória como a emoção. Quando somos crianças, aprendemos sem esforço porque temos um entusiasmo natural por aprender. Emoções de alegria e deslumbramento, mas também de horror e medo, intensificam o aprendizado. Isso guarda a memória dentro de nós, às vezes por toda a vida. (Tente lembrar seu primeiro *hobby* ou seu primeiro beijo. Agora tente lembrar o nome do primeiro deputado em que votou, ou a marca do carro do vizinho quando você tinha 10 anos. Geralmente, as duas primeiras lembranças vêm facilmente, enquanto as duas últimas, não – a menos que você tivesse uma paixão precoce por política ou carros.)

Às vezes, o fator de entusiasmo que ocorre com as crianças também funciona com os adultos. Uma forte emoção é quase sempre uma chave. Todos nós lembramos onde estávamos quando ocorreram os ataques de 11 de setembro, assim como os idosos americanos lembram onde estavam no dia 12 de abril de 1945, quando o presidente Roosevelt morreu de repente enquanto estava de férias em Warm Springs, no estado da Geórgia. Como a memória ainda continua inexplorada, não podemos afirmar, em termos de função cerebral, por que intensas emoções podem gerar lembranças muito detalhadas. Algumas emoções fortes podem ter o efeito contrário: em caso de abuso sexual na infância, por exemplo, o trauma é reprimido e só pode ser recuperado com intensa terapia ou hipnose. Essas questões não serão solucionadas antes que algumas perguntas básicas sejam respondidas: O que é a memória? Como o cérebro armazena as lembranças? Que tipo de sinal físico – se é que existe algum – uma lembrança deixa na célula cerebral?

Até que as respostas surjam, acreditamos que o comportamento e as expectativas sejam a chave. Quando você novamente se apaixona por aprender, como quando era criança, novos dendritos e sinapses se formam, e sua memória pode voltar a ser tão boa como era na sua juventude. Da mesma forma, quando você lembra um acontecimento antigo recuperando-o ativamente (ou seja, quando sua mente vasculha o passado com atenção), você cria novas sinapses, que fortalecem as velhas, aumentando a possibilidade de voltar a lembrar esse fato no futuro. A tarefa é sua, como líder e usuário de seu cérebro. Você não é seu cérebro; é muito mais que isso. No final, esse é o único fato que vale a pena lembrar.

Mito 4: O cérebro perde milhões de células por dia, que não podem ser substituídas

O cérebro humano perde cerca de 85.000 neurônios corticais por dia, ou um por segundo. Mas essa é uma fração infinitesimal (0,0002 por cento) dos cerca de 40 bilhões de neurônios de nosso córtex cerebral. Nesse ritmo, levaríamos mais de seiscentos anos para perder metade dos neurônios de nosso cérebro! Crescemos ouvindo que, quando perdemos células cerebrais, elas jamais são substituídas. (Nós, os autores, durante a adolescência ouvimos muito esse aviso nos sermões paternos sobre os perigos do álcool.) Nas últimas décadas, porém, ficou demonstrado que não havia uma perda permanente. Paul Coleman, pesquisador da Universidade de Rochester, mostrou que o número total de células nervosas no cérebro aos 20 anos é praticamente o mesmo aos 70.

O desenvolvimento de novos neurônios é chamado de "neurogênese". Foi observado pela primeira vez há cerca de vinte anos no cérebro de certos pássaros. Por exemplo, quando o mandarim australiano está crescendo e aprendendo novos cantos para acasalar, seu cérebro cresce consideravelmente – novas células nervosas são produzidas para acelerar o processo de aprendizado. Depois que ele aprende o canto, muitas das células novas morrem, e o cérebro volta a seu tamanho original. Esse processo é conhecido como "morte cerebral programada", ou "apoptose". Os genes não apenas sabem quando é hora de novas células nascerem (por exemplo, quando nossos dentes permanentes crescem para substituir os dentes de leite, ou quando passamos pelas mudanças da puberdade), mas também a hora de as células morrerem, como quando trocamos células da pele e em vários outros casos. Muita gente fica surpresa ao saber desse fato. A morte existe a serviço da vida – podemos resistir a essa ideia, mas nossas células a entendem perfeitamente.

Nas décadas que se seguiram a essas descobertas importantes, os pesquisadores observaram a neurogênese no cérebro de mamíferos, particularmente no hipocampo, que é usado na memória de curto prazo. Hoje sabemos que milhares de novas células nervosas nascem nessa área do cérebro todos os dias. Fred Gage, neurocientista no Salk Institute, mostrou que exercícios físicos e um ambiente enriquecedor estimulam o crescimento de novos neurônios em camundongos. Vemos esse mesmo princípio em ação nos zoológicos. Gorilas e outros primatas se entristecem quando são mantidos em gaiolas sem o que fazer, mas se animam em ambientes cheios de árvores, balanços e brinquedos. Se descobrirmos como induzir a neurogênese com segurança no ser humano, poderemos tratar com maior eficiência doenças que provocam a perda ou danos graves às células cerebrais, como mal de Alzheimer, ferimento cerebral traumático, derrame e epilepsia. Também poderemos manter a saúde de nosso cérebro à medida que envelhecemos.

Sam Sisodia, pesquisador do mal de Alzheimer na Universidade de Chicago, mostrou que exercício físico e a estimulação mental protegem os camundongos da doença, mesmo quando eles foram projetados geneticamente para carregar uma mutação do Alzheimer humano em seu genoma. Outros estudos com roedores também oferecem perspectivas positivas para o cérebro normal. Praticando exercícios diariamente, você pode aumentar o número de novas células nervosas, assim como quando se dispõe a aprender coisas novas. Ao mesmo tempo, você promove a sobrevivência dessas novas células e conexões. O estresse emocional e o trauma, ao contrário, geram a produção de glucocorticoides no cérebro, toxinas que inibem a neurogênese em animais.

Portanto, é fácil descartar o mito da perda de milhões de células cerebrais por dia. Até a advertência paterna de que o álcool mata as células do cérebro se revelou apenas uma meia verdade. O uso do álcool na verdade mata um número mínimo de células cerebrais, mesmo entre os alcoólatras (que, entretanto, expõem-se a muitos riscos reais à saúde). A verdadeira perda decorrente da ingestão de bebida alcoólica ocorre nos dendritos, mas estudos parecem indicar que esse dano é em grande parte reversível. A conclusão por enquanto é que, à medida que envelhecemos, importantes áreas do cérebro envolvidas com a memória e o aprendizado continuam a produzir novas células nervosas, e que esse processo pode ser estimulado pelo exercício físico, atividades mentalmente estimulantes (como a leitura) e relacionamentos sociais.

Mito 5: Reações primitivas (medo, raiva, ciúme, agressividade) dominam o cérebro racional

A maioria das pessoas deve, no mínimo, ter ouvido falar que os quatro primeiros mitos mostrados não são verdadeiros. O quinto, porém, parece estar ganhando terreno.

O argumento de que os seres humanos são movidos por impulsos primitivos é em parte científico, em parte moral, e em parte psicológico. Esse pensamento pode ser resumido em uma frase: "Nascemos maus porque Deus está nos punindo, e até a ciência concorda com isso". Um número enorme de pessoas acredita em alguma parte dessa frase, ou nela inteira.

Vamos examinar o que parece ser a opinião racional, o argumento científico. Todos nascemos com uma memória genética que nos fornece os instintos básicos que precisamos para sobreviver. A evolução visa a garantir a propagação de nossa espécie. Nossas necessidades instintivas trabalham lado a lado com nossa necessidade emocional de coletar alimento, encontrar abrigo, conquistar poder e procriar. Nosso medo instintivo nos ajuda a evitar situações perigosas que ameaçam nossa vida e nossa família.

Assim, um argumento evolucionário é usado para nos persuadir de que nossos medos e desejos, instintivamente programados desde o útero, dominam nosso cérebro racional e mais evoluído, com sua razão e sua lógica (ignorando a óbvia ironia de que o cérebro racional inventou a teoria que o rebaixou). Não há dúvida de que as reações instintivas são parte da estrutura do cérebro. Alguns neurocientistas se convenceram do argumento de que certos indivíduos são programados para se tornar antissociais, criminosos, alcoólatras agressivos, assim como outros são programados para ter ansiedade, depressão, autismo e esquizofrenia.

Mas a ênfase no cérebro reptiliano ignora uma verdade. O cérebro é multidimensional, o que permite que *qualquer* experiência aconteça. Qual experiência será dominante não é algo automático nem geneticamente programado. Existe um equilíbrio entre desejo e contenção, entre escolha e compulsão. Aceitar que a biologia é um destino destrói o propósito do ser humano: devemos nos submeter ao destino apenas em último caso, mas o argumento da força do cérebro reptiliano faz da submissão a primeira escolha. Como compensar isso? Não aceitamos que nossos antepassados tenham se conformado com o erro humano porque lhes disseram que isso era herança da desobediência de Adão e Eva no Jardim do Éden. A herança genética corre o risco de induzir à mesma resignação, camuflada de ciência.

Mesmo que uma pessoa sinta medo e desejo todos os dias, numa reação natural ao mundo, não precisa ser governada por esses sentimentos. Um motorista parado numa autoestrada de Los Angeles e sufocado pela poluição sentirá a mesma reação de fuga ou luta de seus ancestrais quando caçavam antílopes na savana africana ou tigres no norte da Europa. Essa reação ao estresse, um impulso instintivo, está em nós, mas não faz o motorista abandonar seu veículo e sair correndo ou atacar os outros motoristas. Freud afirmou que a civilização depende do controle dos impulsos primitivos, de modo que valores mais altos possam prevalecer, o que é uma grande verdade. Mas, pessimista, ele acreditava que pagamos um alto preço por isso. Reprimimos nossos impulsos inferiores, mas nunca os extinguimos nem fazemos as pazes com nossos medos mais profundos e nossa agressividade. O resultado é a erupção da violência em massa, como ocorreu nas duas guerras mundiais, quando toda essa energia reprimida cobrou o seu preço de uma maneira horrenda e incontrolável.

Não podemos resumir os milhares de livros escritos sobre esse tema ou oferecer uma resposta perfeita. Mas, com certeza, rotular seres humanos como títeres do instinto animal está errado, em primeiro lugar porque denota uma total falta de equilíbrio. O cérebro racional é tão legítimo, poderoso e evolucionário quanto o cérebro reptiliano. Os maiores circuitos, que criam um ciclo de *feedback* entre os dois, são maleáveis. Se você é um *enforcer* no hóquei profissional, sua tarefa é provocar as brigas na quadra de gelo, e por isso você provavelmente escolheu moldar os circuitos de seu cérebro para favorecer a agressividade. Mas sempre existe uma possibilidade de escolha, e, se algum dia você se arrepender dela, pode se retirar para um mosteiro budista, meditar sobre a compaixão e moldar os circuitos cerebrais numa direção superior. As opções sempre existem.

Com raras exceções, a liberdade de escolha não é proibida na programação original. "Meu cérebro me fez fazer isso" é uma desculpa esfarrapada para quase todo comportamento indesejável. Podemos ter consciência de nossas emoções e escolher não nos identificarmos com elas. Isso é muito mais difícil para uma pessoa que sofre de transtorno bipolar, dependência de drogas ou fobia. Mas o caminho para a saúde do cérebro começa com a consciência. E também acaba com ela, pois a consciência permite cada passo do processo. No cérebro, a energia flui aonde a consciência vai.

Quando a energia para de fluir, ficamos bloqueados. Essa barreira é uma ilusão, mas, quando acontece, parece real. Vamos supor que uma pessoa tenha um medo mortal de aranhas. Fobias são reações paralisantes. Um aracnofóbico não pode ver uma aranha sem ter um acesso automático de medo. O cérebro reptiliano desencadeia uma complexa cascata química. Os hormônios correm pela corrente sanguínea, aceleram o coração e elevam a pressão sanguínea. Os músculos se preparam para a fuga ou para a luta. Os olhos se fixam, com a visão concentrada no objeto que provoca o medo. A aranha se torna enorme aos olhos da mente. Tão forte é a reação de medo que o cérebro racional – a parte racional, que sabe que as aranhas são na maioria pequenas e inofensivas – se desliga.

Esse é um exemplo excelente de alguém que está sendo usado pelo cérebro. Ele impõe uma falsa realidade. Todas as fobias são, no fundo, distorções do que é real. A altura não é necessariamente motivo para pânico, nem espaços abertos, nem voar de avião ou uma infinidade de outras coisas que os fóbicos temem. Desistindo do poder de usar o cérebro, quem tem uma fobia se vê preso numa reação paralisante.

As fobias podem ser tratadas com sucesso restabelecendo a consciência e devolvendo o controle ao usuário do cérebro. Uma técnica é fazer a pessoa imaginar o que tem medo. Um aracnofóbico, por exemplo, é solicitado a visualizar uma aranha e imaginar a imagem cada vez maior e depois cada vez menor. Depois, fazer a imagem andar para a frente e para trás. Esse simples ato de movimentar o objeto temido pode ser muito eficiente para eliminar seu poder, porque o medo congela a mente. Aos poucos, o terapeuta pode usar uma aranha numa caixa de vidro. O paciente é solicitado a se aproximar o máximo que puder sem sentir pânico. A distância pode mudar dependendo do nível de conforto do paciente, e com o tempo essa liberdade também restaura o controle. O fóbico aprende que tem outras opções além de apenas fugir.

É óbvio que o cérebro racional pode dominar até mesmo os medos mais instintivos, caso contrário não existiriam alpinistas (medo de altura), equilibristas (medo de cair) ou domadores de leões (medo da morte). O lado triste, porém, é que somos todos como o fóbico que nem consegue imaginar uma aranha sem suar frio. Cedemos ao medo, não de aranhas, mas de coisas normais: fracasso, humilhação, rejeição, velhice, doença e morte.

É uma trágica ironia que o mesmo cérebro capaz de dominar o medo também possa nos sujeitar a medos que nos perseguem por toda a vida.

As chamadas "criaturas inferiores" estão livres do medo psicológico. Quando uma onça ataca, a gazela entra em pânico e luta por sua vida. Mas, se não existe nenhum predador por perto, esse animal leva uma vida despreocupada. Os humanos, porém, passam por terríveis sofrimentos interiores, e esses sentimentos se traduzem em problemas físicos. Os riscos são muito altos se permitirmos que nosso cérebro nos use. Mas, se começarmos a usá-lo, as recompensas serão infinitas.

SOLUÇÕES DO SUPERCÉREBRO
Perda de memória

Até aqui enfatizamos que precisamos nos relacionar com nosso cérebro de uma maneira nova. Isso é especialmente verdade em relação à memória. Não podemos esperar que ela seja perfeita, e a maneira como reagimos às suas falhas é responsabilidade nossa. Se encararmos cada pequeno lapso como sinal de um inevitável declínio decorrente da idade ou de falta de inteligência, estamos preparando terreno para que isso se torne realidade. Toda vez que você se queixa de que sua memória está piorando, reforça essa mensagem em seu cérebro. No equilíbrio entre mente e cérebro, a maioria das pessoas culpa o segundo, quando deveriam estar prestando atenção a seus hábitos, comportamentos, atenção, entusiasmo e concentração, que são características primordialmente mentais.

Quando você deixa de prestar atenção e desiste de aprender coisas novas, não dá nenhum estímulo à sua memória. Um ditado popular diz que "o olho do dono engorda o gado". Portanto, para estimular sua memória a melhorar, você precisa prestar atenção à maneira como sua vida está caminhando. O que isso significa especificamente? A lista é longa, mas inclui atividades que surgem naturalmente. A única diferença quando você envelhece é que precisa fazer escolhas mais conscientes.

Programa de atenção à memória

- Tenha paixão pela vida e pelas experiências com as quais a enriquece.
- Aprenda coisas novas com entusiasmo.
- Preste atenção ao que você vai precisar se lembrar mais tarde. Lapsos de memória são, na verdade, lapsos de aprendizado.
- Recupere velhas lembranças; confie menos em ferramentas como listas.
- Acredite que sua memória permanecerá intacta. Resista a expectativas negativas de pessoas que consideram a perda de memória "normal".
- Não se culpe por lapsos ocasionais, nem tenha medo deles.
- Se uma lembrança não surge imediatamente, não a descarte considerando-a perdida. Tenha paciência e dê alguns segundos para que o sistema de recuperação do cérebro funcione. Concentre-se em coisas ou em pessoas que você associa ao que quer recordar, e provavelmente a lembrança virá. Todas as lembranças estão associadas a recordações anteriores. Essa é a base do aprendizado.
- Diversifique suas atividades mentais. Um jogo de palavras cruzadas usa uma parte da memória diferente da que você emprega para se lembrar das compras do supermercado, para aprender uma língua ou guardar o rosto de pessoas que acabou de conhecer. Exercite todos esses aspectos da memória, e não apenas os mais frequentes em sua vida.

O objetivo deste programa é manter a conexão entre mente e cérebro. Cada dia é importante. Seu cérebro nunca para de prestar atenção ao que você lhe diz, e é capaz de responder rapidamente. Um velho amigo de Deepak, editor de livros médicos, tem orgulho de sua memória desde a infância. Como ele explica, porque não tem uma memória fotográfica, "mantém as antenas ligadas".

Como presta atenção à sua vida cotidiana, é capaz de se lembrar das coisas com rapidez e confiabilidade.

Esse homem acaba de fazer 65 anos, assim como muitos de seus amigos. Eles começaram a fazer piada sobre os sinais da idade, como "Minha memória está tão boa como sempre. Só que não tenho mais um prazo de entrega rápido". Ele começou a notar lapsos ocasionais, embora não tivesse dificuldade quando fazia pesquisas para o trabalho.

"Sem me preocupar demais com isso", ele conta, "decidi começar a fazer lista de compras. Até então, jamais tinha feito uma lista. Eu simplesmente ia ao supermercado e me lembrava do que precisava. Isso ocorria mesmo quando eu tinha que encher a despensa.

"Passei a manter a lista no computador, e uma coisa espantosa aconteceu. Em um dia ou dois, não conseguia mais me lembrar do que queria comprar. Sem a lista em mãos, eu estava impotente. Percorria as gôndolas, na esperança de que, olhando os produtos, eu me lembrasse do que me levara até ali.

"No começo achei graça, até que numa semana me esqueci de comprar açúcar apesar de ter ido duas vezes ao supermercado. Agora estou tentando me livrar da lista, mas a gente fica dependente delas muito rapidamente."

Com esse exemplo, pense nas coisas que deveria prestar mais atenção em vez de usar algumas muletas. Nosso programa de atenção à memória vai guiar você, já que inclui as principais áreas dignas de atenção. As coisas mais conhecidas podem parecer sem importância, mas fazem a diferença.

Você é capaz de se livrar das listas de coisas para lembrar? Tente levá-la ao supermercado, mas não a leia. Compre o máximo que puder e só depois a consulte. Quando não estiver esquecendo mais nada, livre-se dela completamente.

Você consegue parar de se culpar por lapsos de memória? Da próxima vez que se pegar dizendo "Não consigo me lembrar de nada", tenha paciência e aguarde. Se esperar que as lembranças venham, elas quase sempre virão.

Deixe de bloquear sua memória. Recuperar uma lembrança é uma tarefa delicada: é fácil perder o rumo estando ocupado, distraído, preocupado, estressado, cansado por falta de sono ou sobrecarregado mentalmente por fazer duas ou mais coisas ao mesmo tempo. Examine esses fatores antes de culpar seu cérebro.

Cultive um ambiente favorável à memória, que seja o contrário dos obstáculos que acabamos de mencionar. Em outras palavras, esteja atento ao estresse, durma bem, tenha hábitos regulares, não se sobrecarregue mentalmente com múltiplas tarefas etc. A criação de hábitos regulares ajuda muito, já que o cérebro funciona mais facilmente com a repetição. Se você vive de uma maneira distraída e desordenada, a sobrecarga sensorial a seu cérebro é danosa e desnecessária.

Se você está envelhecendo e sente que pode estar sofrendo perda de memória, não entre em pânico nem se conforme. Concentre seus esforços nas atividades mentais que melhoram a função cerebral. Certos *softwares* de "ginástica para o cérebro" e exercícios como os incluídos em *Keep your brain alive*, de coautoria de Lawrence Katz, neurobiólogo da Universidade de Duke, foram concebidos para exercitar o cérebro de uma maneira sistemática. Os relatos de reversão moderada da perda de memória após exercícios para o cérebro ainda são episódicos, mas encorajadores.

Finalmente, encare este projeto como algo natural. Seu cérebro foi criado para obedecer à sua liderança, e, quanto mais tranquilo você estiver, melhor será para a parceria mente e cérebro. A melhor memória é aquela em que se pode confiar.

HERÓIS DO SUPERCÉREBRO

Agora que já desmentimos algumas crenças, o caminho para o supercérebro parece mais claro. Mas ainda há um obstáculo bloqueando o caminho: a complexidade. A rede neural do cérebro é o computador do corpo, mas também o computador da vida. Ela absorve e registra cada experiência, por menor que seja, compara-a com experiências passadas e depois a armazena. Você pode dizer "Espaguete de novo? Já comemos isso duas vezes na semana passada", porque seu cérebro armazena informações comparando constantemente hoje com ontem. Ao mesmo tempo, desenvolvemos gostos e aversões, ficamos aborrecidos, ansiosos por variedade e chegamos ao fim de uma fase da vida prontos para a próxima. O cérebro permite que tudo isso ocorra, conectando constantemente novas informações com o que foi aprendido no passado. Cada um remodela e refina sua rede neural segundo a segundo, assim como o mundo em que vivemos. O maior supercomputador existente não é capaz de igualar esse feito, que todos nós damos como certo.

O cérebro não se amedronta com suas infinitas tarefas. Quanto mais lhe pedimos, mais ele pode fazer. O cérebro é capaz de fazer um quatrilhão (1 milhão vezes 1 bilhão) de sinapses. Cada uma é como um telefone microscópico, conectado a outro telefone na linha com a frequência que deseja. Gerald Edelman, biólogo ganhador do prêmio Nobel, afirma que o número de possíveis circuitos neurais do cérebro é igual a um dez seguido por 1 milhão de zeros.

Considere que o número de partículas no universo conhecido é estimado em apenas um dez seguido de 79 zeros!

Você pode pensar que neste momento está lendo esta frase, ou olhando pela janela para ver como está o tempo, mas na verdade você não está. O que você, na verdade, está fazendo é ultrapassar o universo. Isso é ciência, não ficção científica. Vez ou outra, esse fato perturba a vida cotidiana com resultados surpreendentes. Quando isso ocorre, a complexidade pode ser amiga ou inimiga, e às vezes um pouco das duas coisas. Um dos clubes mais exclusivos do mundo é formado por um pequeno grupo de pessoas que partilha uma condição misteriosa, só descoberta recentemente, em 2006: a hipertimesia. Elas se lembram de tudo. Têm total capacidade de recuperação das lembranças. Quando se reúnem, fazem jogos mentais como: "Qual foi o melhor 4 de abril que você já teve?" Cada uma vasculha rapidamente seu arquivo mental, mas, em lugar das fichas, vê os acontecimentos de cada 4 de abril de sua vida. Dentro de um minuto, alguém dirá: "Ah, foi o de 1983, sem dúvida. Eu usava um vestido amarelo, e eu e mamãe bebemos um refrigerante de laranja na praia, enquanto meu pai lia o jornal. Isso foi à tarde, e às 6 horas fomos a um restaurante de frutos do mar comer lagosta".

Essas pessoas podem se lembrar de qualquer dia de sua vida com total e infalível precisão. (A palavra "hipertimesia" é formada pelas palavras gregas *thymesia*, que significa "lembrar", e *hyper*, que quer dizer "excesso".) Até hoje, as pesquisas só conseguiram localizar sete ou oito americanos com essa condição, mas não se trata de uma doença. Nenhum deles tem dano cerebral, e, em alguns casos, sua capacidade de lembrar cada detalhe da vida surge de repente, num determinado dia, quando a memória comum dá um salto quântico.

Para receber o diagnóstico de hipertimesia, a pessoa tem que passar por testes de memória aparentemente impossíveis. Uma mulher ouviu a canção-tema de um seriado de tevê que teve apenas dois episódios na década de 1980. Tendo visto um deles, imediatamente lembrou o nome do programa. Outra candidata era fã de beisebol. Foi pedido que ela se lembrasse do resultado de um certo jogo entre Pittsburgh e Cincinnati que havia acontecido anos antes. "Esta é uma pergunta capciosa", ela disse. "O avião que levava a equipe teve uma pane, e o Pittsburgh nunca chegou. O time perdeu por ausência".

Discutimos a memória no capítulo anterior, e a hipertimesia é um exemplo decisivo de uma capacidade que todo mundo tem, elevada a níveis sobre-humanos – mas que continua sendo muito humana. Quando lhe perguntaram se gostava de ter uma memória absoluta, uma mulher suspirou: "Consigo me lembrar de todas as vezes que minha mãe me disse que eu estava gorda demais". Os que têm hipertimesia concordam que revisitar o passado pode ser muito doloroso. Evitam pensar nas piores experiências de suas vidas, que são desagradáveis para qualquer pessoa, mas para eles são extraordinariamente vívidas, tão vívidas como no momento em que as viveram. Na maioria dos casos, a lembrança é incontrolável. A simples menção de uma data consegue projetar na mente um filme que corre paralelo às imagens visuais normais. ("É como uma tela dividida. Estou falando com alguém e vendo outra coisa", relata um paciente.)

Se eu e você não temos hipertimesia, o que ela tem a ver com o objetivo de alcançar o supercérebro? Aqui entra a questão da complexidade. A ciência vem estudando a memória absoluta e os centros de memória no cérebro, que muitas vezes são maiores em pessoas com hipertimesia. A causa ainda é desconhecida. Os pesquisadores suspeitam de uma ligação com o transtorno obsessivo-compulsivo, já que as pessoas com essa característica frequentemente revelam comportamentos compulsivos, assim como várias formas de déficit de atenção, já que os que possuem memória absoluta não conseguem interromper as lembranças uma vez que elas comecem a fluir. Talvez essas pessoas não tenham desenvolvido a capacidade de esquecer. Mas de uma coisa sabemos em relação ao cérebro humano: não se pode olhar para qualquer lugar sem olhar para todos os outros.

Em busca de heróis

Uma maneira de contornar o problema da complexidade é invertê-lo. Se nosso cérebro está à frente do universo, então seu potencial oculto deve ser muito maior do que se supõe. Podemos deixar esse quatrilhão de conexões para os neurocientistas. Vamos escolher três áreas em que, num cérebro saudável e normal, o desempenho máximo é alcançável. Em cada setor haverá alguém que abriu caminho. Esses são os heróis do supercérebro, embora você nunca os tenha visto dessa maneira até agora.

Herói nº 1: Albert Einstein
Adaptar-se

Nosso primeiro herói é o grande físico Albert Einstein, mas não o escolhemos por seu intelecto. Einstein – como os gênios em geral – é um exemplo de sucesso. Era uma dessas pessoas com inteligência e criatividade muito além do normal. Se conhecêssemos seu segredo, qualquer um de nós teria muito sucesso, não importa o que almejássemos. Pessoas excepcionalmente bem-sucedidas, não apenas têm sete hábitos. Elas usam o cérebro de uma maneira fundamental para o sucesso. Alguém que não leve em conta como Einstein usava o cérebro estará limitando suas possibilidades de êxito. Não se trata apenas de uma questão de "boa genética". Einstein usava o cérebro de um jeito que qualquer pessoa pode aprender.

O segredo é *adaptar-se*.

O supercérebro aproveita nossa capacidade inata de adaptação. Essa habilidade é necessária à sobrevivência. De todos os seres vivos, apenas os humanos se adaptaram a todos os ambientes do planeta. Diante dos climas mais inóspitos, das dietas alimentares mais estranhas, das piores doenças ou das mais temíveis crises causadas pelas forças naturais, nós nos adaptamos. O *Homo sapiens* faz isso tão bem que nunca pensamos sobre isso, até que apareça alguém que leve a adaptabilidade a um novo patamar, alguém como Einstein.

Einstein se adaptava enfrentando o desconhecido e conquistando-o. Seu campo era a física, mas o desconhecido confronta a todos no dia a dia. A vida está cheia de desafios inesperados. Para adaptar-se ao desconhecido, Einstein desenvolveu três forças e evitou três obstáculos:

As três forças: deixar pra lá, ser flexível e manter a calma.

Os três obstáculos: apego a velhos hábitos, manutenção das mesmas condições e estagnação.

Pode-se medir a adaptabilidade de uma pessoa pela maneira como ela consegue deixar pra lá, ser flexível e manter a calma diante das dificuldades. E pode-se avaliar a dificuldade de adaptação de uma pessoa pela predominância de velhos hábitos e costumes que a mantêm paralisada. Lembranças dolorosas de abalos e derrotas lhe dizem repetidamente o quanto ela é limitada. Einstein foi capaz de ignorar velhos hábitos de pensamento que o cercavam. Manteve a tranquilidade e permitiu que novas soluções surgissem através dos sonhos e da intuição. Estudava tudo o que fosse possível sobre um problema e depois se entregava a possibilidades desconhecidas.

Entretanto, não é assim que o público vê Einstein. As pessoas pensam na imagem de um gênio de cabeleira rebelde enchendo um quadro-negro de equações matemáticas. Mas vamos analisar sua carreira de uma perspectiva pessoal. Como ele mesmo conta, sua grande motivação era o assombro e o deslumbramento diante dos mistérios da natureza. Era um estado espiritual, e ele dizia que penetrar nos segredos do universo era como ler a mente de Deus. Vendo o cosmo como um mistério, Einstein rejeitava o hábito de vê-lo como uma máquina gigantesca cuja partes em movimento poderiam ser compreendidas e medidas. Era assim que Isaac Newton via a física. O extraordinário é que Einstein apropriou-se das noções mais básicas do sistema newtoniano, como gravidade e espaço, e as reinventou completamente.

E fez isso, como o mundo todo logo ficou sabendo, através da teoria da relatividade e sua famosa equação $E = mc^2$. A fórmula envolvia alta matemática, mas isso não era o mais importante. Einstein disse certa vez a jovens estudantes: "Não se preocupem com suas dificuldades com a matemática. Garanto a vocês que as minhas são muito maiores". Não era falsa modéstia. Seu método criativo era mais parecido com sonhar do que raciocinar. Depois que ele "viu" como funcionavam o tempo e o espaço, conceber a prova matemática foi o próximo passo, com muitas dificuldades.

Quando enfrentamos um problema novo, podemos resolvê-lo da maneira de sempre ou de uma maneira nova. A primeira opção é sem dúvida o caminho mais fácil. Pense em duas pessoas casadas há muito tempo que discutem o tempo todo. Sentem-se frustradas e reprimidas. Nenhuma delas quer ceder. O resultado é um ritual, no qual teimam em repetir as mesmas opiniões, fazem as mesmas queixas, exibem a mesma incapacidade de aceitar o ponto de vista do outro. Qual seria uma nova maneira de tirar esse casal dessa situação de sofrimento?

Em vez de ficar presos a velhos comportamentos, que estão gravados em seus cérebros, poderiam usar o cérebro seguindo as recomendações abaixo.

Como ser adaptável

- Pare de repetir o que nunca funcionou.
- Recue um pouco e peça uma nova solução.
- Pare de lutar no nível dos problemas – a solução nunca está lá.
- Trabalhe sua inflexibilidade. Não se preocupe com o outro.

- Quando as velhas tensões aparecerem, afaste-se.
- Veja a raiva justificada como ela realmente é – raiva destrutiva disfarçada para parecer positiva.
- Reconstrua os laços que foram perdidos.
- Aceite um fardo do que acha que merece.
- Deixe de brigar tanto para ter razão. No final das contas, ter razão não significa nada perto de ser feliz.

Seguir esses passos não é apenas psicologia: eles criam espaço no cérebro para a mudança. A repetição fixa velhos hábitos no cérebro; alimentar uma emoção negativa é o caminho mais eficiente para bloquear emoções positivas. Assim, cada vez que um casal revisita os mesmos ressentimentos, grava-os de maneira mais profunda no cérebro. Ironicamente, Einstein, um mestre em aplicar essa incrível capacidade de adaptação ao campo da física, considerou-se um fracasso como marido e pai. Divorciou-se da primeira mulher, Mileva, em 1919, depois de viverem separados por cinco anos. Uma filha nascida fora do casamento, em 1902, desapareceu dos livros de história. Um de seus dois filhos era esquizofrênico e morreu num hospital para doentes mentais; o outro, que era criança na época da separação, ficou afastado do pai durante duas décadas. Essas situações causaram muito sofrimento a Einstein. Mas, até mesmo para um gênio, as emoções são mais primitivas e insistentes que os pensamentos racionais. Os pensamentos se movem como um raio; as emoções se movem muito mais devagar, e às vezes quase imperceptivelmente.

Esta é uma boa oportunidade para destacar que a separação entre emoções e razão é totalmente artificial. Ambas estão misturadas. Tomografias do cérebro revelam que o sistema límbico, parte do cérebro reptiliano que desempenha um papel importante nas emoções, excita-se quando as pessoas pensam que estão tomando decisões racionais. Isso é inevitável, porque os circuitos do cérebro estão totalmente interconectados. Estudos demonstraram que, quando se sentem bem, as pessoas ficam dispostas a pagar um preço absurdo pelas coisas. (Pagar 300 dólares por um par de tênis? Por que não? Hoje eu me sinto ótimo!) Mas elas também estão dispostas a pagar mais quando se sentem deprimidas. (Pagar 6 dólares por uma barra de chocolate? Por que não? Isso vai me alegrar.) O fato é que as pessoas tomam decisões num contexto emocional, mesmo que pensem que não fazem isso.

Parte da adaptabilidade é ter consciência do componente emocional, em vez de negá-lo. De outro modo, corre-se o risco de ser usado pelo cérebro. O economista Martin Shubik concebeu um leilão incomum, no qual o objeto leiloado era uma nota de 1 dólar. Pode-se supor que o lance vencedor foi de 1 dólar, mas não foi, porque nesse leilão o vencedor levava o objeto, mas aquele que fizesse o segundo melhor lance teria que pagar a quantia ao leiloeiro. Portanto, se alguém ganhasse com um lance de 2 dólares e alguém perdesse com um lance de 1,50, o perdedor teria que pagar essa quantia sem ganhar nada.

Quando esse experimento foi realizado, o lance foi bem superior a 1 dólar. Como quase sempre acontece, dois alunos homens disputavam os lances finais. Os dois eram competitivos; cada um queria vencer o outro; nenhum queria ser o perdedor a ser castigado. Quaisquer que fossem seus motivos, fatores irracionais jogaram os lances cada vez mais para cima. (Vale perguntar por que os lances não chegaram a níveis estratosféricos, só terminando quando um dos apostadores ficasse sem dinheiro.)

Outra coisa interessante foi que, quando os pesquisadores tentaram eliminar o lado emocional da tomada de decisão, fracassaram. Ninguém ainda realizou uma pesquisa em que os sujeitos tomassem decisões puramente racionais. Pagamos um alto preço pela teimosia de nos apegarmos a nossas opiniões, baseadas em emoções, lembranças, crenças e hábitos arraigados.

Conclusão: se quiser ter sucesso em qualquer campo, seja como Einstein. Maximize a capacidade de adaptação do seu cérebro.

Você está se tornando mais adaptável quando...

- ... consegue rir de si mesmo.
- ... entende que existe mais numa determinada situação do que você percebe.
- ... outras pessoas não lhe parecem mais antagonistas simplesmente porque discordam de você.
- ... a negociação começa a funcionar, e você participa dela sinceramente.
- ... "concessão" se torna uma palavra positiva.
- ... consegue relaxar mantendo-se alerta.
- ... vê as coisas de uma maneira que ainda não tinha visto, e isso o encanta.

Herói nº 2: Um recém-nascido
Integrar-se

Nosso próximo herói não é famoso, nem gênio, nem mesmo superdotado. É qualquer recém-nascido. Os bebês são paradigmas de saúde e bem-estar. Cada célula de seu corpo está vibrantemente viva. Eles veem o mundo como um lugar de infinitas descobertas. Cada dia, se não cada minuto, é um mundo novo. Seu imenso bem-estar não é porque nasceram de bom humor. O que colabora é que seu cérebro está em constante movimento, remodelando-se à medida que o mundo se expande. Hoje será um mundo novo, seja você um bebê ou não, se seu cérebro se expandir além do que você experimentou ontem.

Os bebês não se prendem a velhas e desgastadas condições. O que seu cérebro absorveu ontem continua no lugar, enquanto novos horizontes continuam se abrindo: caminhando, falando, aprendendo a se relacionar e a sentir. Quando crescemos, temos nostalgia da inocência da infância. Sentimos uma perda. Mas o que perdemos que os bebês possuem em abundância?

O segredo é *integrar-se*.

Os seres humanos absorvem todos os possíveis estímulos e os combinam – ou seja, criamos um quadro total. Neste exato minuto, assim como um recém-nascido, você está selecionando bilhões de impulsos de informação bruta para formar um mundo coerente. Para representar essa ideia, o psiquiatra Daniel Siegel criou o termo técnico *sift* (que em inglês também significa peneirar, filtrar):

S – *Sensation* (sensação)
I – *Image* (imagem)
F – *Feeling* (sentimento)
T – *Tought* (pensamento)

Nada é real exceto através desses canais: percebemos qualquer coisa como uma sensação (dor ou prazer, por exemplo), a imaginamos visualmente, temos um sentimento emocional e um pensamento sobre ela. Essa filtragem é constante e, no entanto, misteriosa. Imagine um belo pôr do sol. Nenhum fóton de luz atinge sua retina, como ocorreria se você estivesse olhando um pôr do sol verdadeiro. Nenhuma luz excita seu córtex visual, que está submerso na mesma escuridão do resto do cérebro. No entanto, microvolts de eletricidade bombeiam os íons para a frente e para trás ao longo dos neurônios, produzindo magicamente uma imagem cheia de luz, para não falar da beleza e da série de associações com todos os outros poentes que você já viu. (Como o cérebro correlaciona, em termos físicos, essa imagem com a imaginação, é um mistério sobre a conexão entre mente e cérebro.)

Combinar os impulsos de informação para formar as imagens da realidade é um processo que atinge direto o nível celular, porque qualquer coisa que o cérebro faz é comunicada ao resto do corpo. Literalmente, quando alguém se sente deprimido, tem uma ideia brilhante ou pensa que está em perigo, as células participam. Tecnicamente, o que ocorre é um ciclo de *feedback* que integra mente, corpo e mundo exterior em um único processo. As informações que chegam estimulam o sistema nervoso. Surge uma reação. A informação dessa reação é enviada para cada célula, e as células dizem o que pensam disso.

Os bebês são perfeitas máquinas de *feedback*. Pode-se aprender com eles o que significa integrar a realidade. Basta fazer conscientemente o que a natureza faz no cérebro do bebê.

Como integrar o feedback

- Mantenha-se aberto ao máximo de informações possíveis.
- Não bloqueie o ciclo de *feedback* com críticas, crenças rígidas e preconceitos.
- Não censure as informações que surgem negando-as.
- Examine os pontos de vista dos outros como se fossem seus.
- Tome posse de tudo em sua vida. Seja independente.
- Elimine bloqueios psicológicos como a vergonha e a culpa – eles influenciam a sua realidade.
- Liberte-se emocionalmente – ser emocionalmente flexível é a melhor proteção contra a rigidez.
- Não guarde segredos – eles criam lugares escuros na psique.
- Esteja disposto a redefinir-se a cada dia.
- Não lamente o passado nem tema o futuro. As duas coisas trazem sofrimento através da dúvida.

De um modo ou de outro, você inevitavelmente cria uma realidade a partir do seu ponto de vista. Ninguém é perfeito a ponto de integrar o mundo sem ser tendencioso. Mas os bebês nos ensinam como tornar nossa realidade mais completa. Desde o nascimento, a natureza nos concebeu para acessar o mundo como um todo, e, quando fatiamos a experiência em pedaços, a totalidade se quebra. Então, em vez de viver na realidade, somos enganados por uma ilusão dela.

Pense num ditador que tenha se acostumado ao poder absoluto. Ele se mantém através do terror e da polícia secreta. Suborna seus inimigos ou os faz desaparecer no meio da noite. Em geral, esses ditadores se surpreendem quando a oposição cresce e, até o momento em que são depostos ou assassinados pela massa, julgam-se inocentes. Chegam até mesmo a fantasiar que o povo que sofre a opressão num estado policial ama seu opressor. Essa é uma ilusão da realidade levada ao extremo.

A queda de um ditador nos fascina num outro nível porque sentimos que, bem lá no fundo, o poder ilimitado poderia nos causar a mesma sensação. Uma magia negra parece tirar o véu diante dos olhos dos iludidos. Mas, quando falamos da ilusão de realidade em que todos nós vivemos, não existe magia negra. Existe apenas incapacidade de integração. Nascemos com a capacidade de criar um mundo uno, mas escolhemos a negação, a repressão, o esquecimento, a desatenção, a memória seletiva, o preconceito e velhos hábitos. É difícil vencer essas influências. A inércia trabalha a favor delas. Mas ninguém consegue se sentir equilibrado, seguro, feliz e em sintonia se não recuperar a totalidade que qualquer bebê possui naturalmente. Essa é a chave para o bem-estar, assim como para a saúde física.

Ser uma pessoa plenamente integrada significa ter três forças que refletem a maneira como o bebê acessa o mundo, e evitar três obstáculos que nos atormentam na vida adulta:

As três forças: comunicação, equilíbrio e visão ampla.
Os três obstáculos: isolamento, conflito e repressão.

Quando estamos num estado de integração, de corpo ou mente, comunicamo-nos de maneira aberta. Sabemos o que sentimos, expressamos nossos sentimentos, absorvemos sinais de todos os que nos cercam. Mas inúmeros adultos sofrem um colapso na comunicação. Sentem-se isolados de tudo: de seus sentimentos, dos outros, do trabalho que fazem. Ficam presos a conflitos e, em consequência, aprendem a reprimir o que realmente sentem e todos os seus verdadeiros desejos. Esses sentimentos não são apenas fatores psicológicos. Eles afetam o cérebro e cada célula do corpo.

Conclusão: se você quer voltar ao estado natural de saúde e bem-estar, seja como um recém-nascido. Integre totalmente suas experiências, em vez de viver isolado e em conflito.

Você está se integrando quando...

... cria um lugar seguro onde pode ser você mesmo.
... convida outros a encontrar o mesmo espaço seguro, para que possam ser eles mesmos.
... deseja se conhecer.
... observa as áreas de negação, aceita duras verdades e encara a realidade.
... faz as pazes com seu lado sombrio, deixando de vê-lo como um secreto aliado ou como um temido inimigo.
... entra honestamente em contato com a culpa e a vergonha e se cura delas.
... sente nascer um propósito mais elevado.
... sente-se inspirado.
... dispõe-se a servir aos outros.
... a realidade superior parece real e alcançável.

Herói nº 3: Buda
Expandir a consciência

Usamos nosso cérebro, antes de mais nada, para ter consciência, e algumas pessoas levam sua consciência mais longe que outras. Nossos heróis, nossos exemplos de crescimento interior, são guias espirituais da humanidade como um todo. Um desses heróis em particular, Buda, e os outros que ele representa – santos, sábios e visionários – mostram à perfeição um traço único dos seres humanos: viver por um propósito, o que gera um anseio de propósitos mais altos. O propósito vem de dentro. Vai além dos fatos crus da vida. A informação que corre pelos cinco sentidos é por si só sem sentido. Observando a vida breve e brutal dos homens da caverna do Paleolítico, ou dos primitivos caçadores e coletores, jamais suspeitaríamos de que seu cérebro era capaz de matemática, filosofia, arte ou raciocínio superior. Essas capacidades estavam escondidas, e uma figura como Buda, que viveu em meio à pobreza e lutou pela vida na Índia há mais de 2.000 anos, indica que muito mais permanece escondido dentro de nós, se pudéssemos ter acesso a nosso anseio por propósitos.

O segredo é *expandir a consciência*.

Não importa que experiência você esteja tendo, o simples fato de tê-la pressupõe que você esteja consciente. Ser humano é ser consciente – a única questão é saber o quanto. Deixando de lado todas as conotações religiosas e místicas, o estado de consciência superior de que Buda é exemplo faz parte da herança de todo mundo. Um velho ditado indiano compara a consciência a uma lâmpada colocada à porta, que ilumina a casa e o mundo exterior ao mesmo tempo. Ela nos faz conscientes das coisas "lá de fora" e "daqui de dentro" ao mesmo tempo. Estar consciente cria um relacionamento entre ambos.

Esse relacionamento é bom ou mal? O céu e o inferno concebidos pela mente humana são produtos do pensamento. "Você é tão seguro quanto seus pensamentos", diz um sábio aforismo. Mas de onde vêm os pensamentos – tanto os ameaçadores e inseguros, quanto os confiantes e tranquilizadores? Eles se originam no reino invisível da consciência. Para a mente, a consciência é o ventre da criação. Para ter uma vida cheia de propósitos e significados, é preciso descobrir como ser mais consciente. Só então alguém se torna autor de seu destino.

Como expandir a consciência

- Valorize o estar desperto, consciente e alerta.
- Resista à unanimidade. Não pense e aja como todo mundo.

- Valorize-se. Não espere a aprovação dos outros. Em vez de desejar a aprovação externa, esforce-se para ajudar os outros.
- Exponha sua mente a uma visão diferenciada através da arte, da poesia e da música. Leia escrituras profanas e textos sagrados.
- Questione suas crenças fundamentais.
- Esforce-se para reduzir as exigências do ego. Expanda-se além dos limites do "eu" e do "meu".
- Mire o maior propósito que sua vida possa ter.
- Mantenha a fé de que o crescimento interior é um processo sem fim.
- Percorra o caminho espiritual, seja como o defina, com sinceridade e esperança.

A consciência é uma coisa curiosa. Todos a temos, mas não o suficiente. No entanto, o suprimento é infinito. Por representar esse eterno desdobramento, Buda é mais que o budismo. Os maiores guias espirituais possuem três forças e evitam três obstáculos:

As três forças: evolução, expansão e inspiração.
Os três obstáculos: contração, limites fixos e conformidade.

Nenhuma dessas palavras é claramente religiosa. Elas se referem a encarar a vida com mais consciência. Diz a lenda que, quando Buda era um príncipe chamado Sidarta, um jovem perturbado em busca de algo, o rei, seu pai, queria que ele se tornasse um grande governante. Para suprimir os anseios espirituais de Sidarta, o pai o manteve preso dentro dos limites do palácio, cercou-o de luxo e não lhe permitiu qualquer contato com o sofrimento da vida cotidiana. Essa é uma parábola do que fazemos com nossa consciência. Nós nos confinamos aos domínios do ego. Recusamo-nos a olhar além dos limites mentais fixos. Perseguimos os prazeres e as posses que a sociedade de consumo nos oferece.

Uma consciência superior não é necessariamente um estado espiritual – é um estado expandido. A espiritualidade chega no devido tempo, dependendo do nível de contração que tínhamos quando começamos. Uma vida cheia de estresse e tristeza faz a consciência se contrair. É uma reação de sobrevivência, como um rebanho de antílopes que se une à aproximação de um leão. Você precisa perceber que a contração pode criar um tipo primitivo de segurança, mas à custa de tensão, medo, constante vigilância e insegurança. Só expandindo a consciência você pode ser uma lâmpada presa à porta, que vê o mundo sem medo e a si mesmo sem insegurança.

Conclusão: se você quer crescer interiormente, seja como Buda ao acessar a consciência. Expanda sua consciência e olhe além dos limites da mente.

Você está se tornando mais consciente quando...

- ... consegue expressar sua verdade.
- ... não encara mais o bom e o mau como opostos imutáveis. Ao sugirem situações intermediárias, você as aceita.
- ... perdoa mais facilmente, porque entende de onde vêm as outras pessoas.
- ... sente-se mais seguro no mundo. Percebe que o mundo é como você.
- ... sente-se menos isolado e só, o que mostra que está baseando sua felicidade em si mesmo, e não nos outros.
- ... o medo não é mais tão persuasivo como antes.
- ... vê a realidade como um rico campo de possibilidades, que você está ansioso por explorar.
- ... escapa à armadilha de "nós contra eles" quando se trata de religião, política e condição social.
- ... não se sente ameaçado nem teme o desconhecido. O futuro nasce no desconhecido, e em nenhum outro lugar.

... consegue ver sabedoria na incerteza. Essa atitude permite que a vida flua naturalmente, sem necessidade de ter controle de tudo.

... acha que estar aqui é sua recompensa.

Os heróis do supercérebro não são super-heróis. São modelos realistas de mudança. Acreditamos que o desenvolvimento contínuo do supercérebro levará a um cérebro mais saudável e a um desempenho superior. Você permitirá que suas emoções e pensamentos sirvam a seu propósito, para criar a realidade na qual deseja viver. Você não mais se identificará com padrões cerebrais cíclicos e repetitivos, nem com os comportamentos limitados que eles geram. Estará livre para experimentar uma maior consciência e um sentimento mais forte de quem você realmente é.

SOLUÇÕES DO SUPERCÉREBRO
Depressão

Neste capítulo, vamos dar mais um passo para mostrar como usar o cérebro em vez de permitir que ele nos use. A aplicação desse princípio à depressão, que aflige milhões de pessoas – é a principal causa de incapacidade nos americanos entre 15 e 45 anos –, resultará em muito bem-estar. Como disse um ex-paciente: "Era como se eu estivesse caindo e, pouco antes de atingir o solo, em vez de a queda durar um segundo, o sentimento de pânico permanecia por dias e dias, e eu nem sabia do que estava com medo". Os que sofrem de depressão sentem-se vítimas de um cérebro que entrou em colapso.

Embora a depressão seja classificada como uma doença moderada, atribuída à incapacidade do cérebro de reagir adequadamente ao estresse interior e exterior, ela afeta o corpo todo. Transtorna os ritmos corporais na forma de irregularidade do sono. Causa desinteresse sexual e perda de apetite. Pessoas deprimidas encaram a comida e o sexo com cansada indiferença. Em situações sociais, sentem-se desconectadas. Não entendem claramente o que os outros estão dizendo e não sabem expressar como se sentem – estar na companhia de outras pessoas é uma situação nebulosa e perturbadora.

O cérebro está envolvido em todos esses sintomas. Tomografias de pessoas depressivas mostram um padrão singular, no qual algumas áreas do cérebro são superativas e outras mostram baixa atividade. A depressão afeta em geral o córtex cingulado anterior (ligado a emoções negativas, mas também à empatia), a amídala (responsável pelas emoções e pela reação a situações novas – pessoas depressivas geralmente não reagem bem ao novo) e o hipotálamo (ligado a impulsos como o sexo e o apetite). Essas áreas interconectadas ligam-se numa espécie de circuito depressivo – a rede que queremos afetar positivamente para voltar ao normal.

A depressão é causada por um fato que funciona como gatilho, mas pode ser tão pequeno que passa despercebido. Uma vez acionado, o cérebro muda, e no futuro vai precisar de gatilhos cada vez menores para entrar em depressão, até que finalmente mais nenhum seja necessário. Quando isso acontece, a pessoa se torna prisioneira de emoções desenfreadas que podem provocar distúrbios de humor.

Você está deprimido? Todos nós usamos essa palavra casualmente, mas estar triste ou "pra baixo" não é o mesmo que estar deprimido. Quando uma pessoa recebe o diagnóstico de depressão, seja ela aguda (de curto prazo) ou crônica (de longo prazo), o humor deixa de seguir o padrão normal de altos e baixos. A pessoa não consegue se livrar do sentimento de tristeza, impotência, desesperança, nem se interessar por qualquer coisa. Qualquer atividade diária parece avassaladora. Freud ligou a depressão ao luto, situações que são semelhantes. Em muitos casos, assim como o luto desaparece depois de algum tempo, o mesmo ocorre com a depressão. Mas, se ela dura, a pessoa enfrenta o dia a dia sem esperança de alívio. Vê a vida como um fracasso total e pode não encontrar razão para continuar vivendo. (Cerca de 80 por cento dos suicídios são causados por um surto de forte depressão.)

Pessoas que sofrem de depressão há muito tempo em geral não conseguem identificar quando ou por que os sintomas começaram. Se a depressão é comum na família, podem achar que a causa é genética ou ter esquecido quando foi que perceberam que estavam tristes o tempo todo ou se sentiam sem esperança sem razão aparente. Ao lado do autismo, a depressão é considerada a doença de maior componente genético entre os transtornos psicológicos – mais de 80 por cento dos deprimidos têm alguém na família que sofre da doença. Mas, na maioria dos casos, os genes apenas predispõem a pessoa a distúrbios de humor, mas não determinam sua instalação. Para provocar uma doença psiquiátrica, genes e ambiente atuam em conjunto.

Muitas pessoas deprimidas dirão que seu problema não é o sentimento de depressão em si, mas a esmagadora fadiga que sentem – como dizem alguns, o contrário de estar deprimido não é apenas estar feliz, é sentir-se vivo. A fadiga, por sua vez, leva a mais depressão. Uma vez que você decida, com consciência e intenção inabalável, que você não é o seu cérebro, pode se tornar um só com suas emoções e reações ao mundo exterior. Atuando como líder de seu cérebro, você pode reprogramar sua neuroquímica e até a atividade genética, não mais ligada a distúrbios de humor.

A chave é fazer as partes bloqueadas ou desequilibradas de seu cérebro voltarem a se movimentar. Quando isso acontecer, você será capaz de trazer seu cérebro de volta ao equilíbrio natural. Esse é o objetivo para o qual gostaríamos de contribuir, e é também a abordagem mais holística.

Os três passos para a depressão

Uma vez que o cérebro seja treinado, a reação volta a ser normal. Às vezes, a pessoa que está deprimida se adaptou tão bem à doença que se surpreende quando um amigo, o médico ou o terapeuta lhe diz que ela sofre de depressão. Existem várias teorias sobre a influência genética e desequilíbrios químicos do cérebro, mas estão encobertas por uma sombra de dúvida. (Uma pesquisa revelou que pacientes deprimidos não são geneticamente diferentes dos outros. Ainda não está claro se os antidepressivos atuam para corrigir um desequilíbrio químico. Mas, quando pacientes depressivos conseguem encontrar a terapia correta e falar de seus sentimentos, seu cérebro muda de uma maneira que lembra as mudanças produzidas pelos remédios. Então, temos mais um mistério: como o ato de falar e o de tomar uma pílula produzem o mesmo resultado psicológico? Ninguém sabe.) Se um jovem tem maus hábitos à mesa, a que atribuímos esse comportamento? Provavelmente, supomos que tudo começou na infância e se tornou um hábito. Se ele persistiu, foi porque a pessoa não encontrou boas razões para mudá-lo. E se a depressão tiver o mesmo perfil? Poderemos recuperar os passos através dos quais ela se desenvolveu e então desfazê-los.

Então, vamos encarar a depressão como um comportamento arraigado. Comportamentos rígidos têm três componentes:

1. Uma causa externa antiga, geralmente esquecida desde então.
2. Uma reação a essa causa, que por alguma razão não é saudável ou não foi examinada.
3. Um hábito arraigado que se tornou automático.

Vamos desfazer em nossa mente o hábito de chamar todo tipo de depressão de doença, particularmente a moderada, a mais comum. (Com certeza, a depressão grave e crônica deve ser tratada como qualquer outra doença mental.) Se alguém fica deprimido depois de um divórcio, não está doente. Se sofre uma perda ou se sente triste depois de perder o emprego, isso não é doença. Quando uma mulher perde o marido amado, podemos dizer: "Ela está arrasada de tristeza", mas a tristeza é natural, e a depressão que surge também é natural. O que isso nos diz é que a depressão é uma reação natural, mas que pode piorar terrivelmente. Quando a depressão piora, três componentes são responsáveis:

1. *Causas externas:* acontecimentos externos podem deixar alguém deprimido. Durante a grave recessão econômica de 2008, 60 por cento das pessoas que perderam o emprego afirmaram que isso as deixou ansiosas ou deprimidas. O número é muito maior entre trabalhadores que ficaram sem ocupação por mais de um ano. Se alguém se submeter a estresse por

um longo período de tempo, a depressão será mais do que provável. O estresse de longo prazo pode ser causado por um trabalho entediante, isolamento social e doença crônica. Em certa medida, uma pessoa deprimida está reagindo a más circunstâncias, atuais ou passadas.

2. *A reação:* uma causa externa não pode deixar uma pessoa deprimida a menos que ela reaja de certa maneira. Pessoas que estão deprimidas aprenderam há muito tempo a ter uma reação distorcida quando algo dá errado em sua vida, como:

É minha culpa.
Não sou suficientemente bom.
Não vai dar certo.
Sei que não vai funcionar.
Não posso fazer nada a respeito.
Era só uma questão de tempo, ia acontecer.

Crianças pequenas que apresentam alguma dessas reações têm justificativa. Elas estão se reportando ao cérebro com um ponto de vista sobre a realidade. O cérebro se adapta à imagem da realidade que está treinado para ver. Crianças pequenas têm pouco controle sobre sua vida; são fracas e vulneráveis. A falta de amor de um dos pais pode criar qualquer um desses pensamentos, assim como um acontecimento familiar desastroso, como a morte. Mas quando um adulto tem essas reações, então o passado está minando o presente.

3. *O hábito de estar deprimido:* quando alguém tem uma reação depressiva, ela reforça a reação seguinte, enfrentando um novo estresse provocado pelo mundo exterior. Seu primeiro namorado lhe deu o fora? Então é natural ter medo de que o segundo possa fazer o mesmo. Algumas pessoas conseguem lidar com esse medo, mas para outras ele parece insuperável. Em vez de ter coragem de encontrar um segundo namorado mais amoroso e

fiel, elas se culpam e alimentam o medo. Continuam tendo reações depressivas, geradas interiormente, e depois de um tempo essas reações se tornam um hábito.

Desfazendo o passado

Uma vez que a depressão se torne um hábito, o que provavelmente acontece anos antes de a pessoa reconhecer que está triste e desesperançada, não precisa mais de um gatilho. Pessoas depressivas deprimem-se por estarem deprimidas. Uma névoa cinza encobre tudo; o otimismo é impossível. Esse estado de derrota nos diz que o cérebro formou circuitos fixos e que talvez – ou provavelmente – um elemento genético e neurotransmissores estejam envolvidos. O sistema de apoio para criar a realidade pessoal entra em cena.

Quando a reação depressiva é internalizada, é como um carvão em brasa que pode se incendiar com uma pequena fagulha. Um incidente insignificante como um pneu furado ou um cheque sem fundos deixa a pessoa sem condições de decidir se isso vai aborrecê-la ou não. A reação depressiva já está acionada. Pessoas depressivas podem inclusive se sentir tristes com boas notícias; estão sempre esperando que algo ruim aconteça porque estão presas ao hábito da depressão. O desequilíbrio do cérebro pode ser constatado através da atividade mental. Tomografias de pessoas deprimidas parecem confirmar essa conexão. Mostram que as mesmas áreas que se excitam com os efeitos benéficos dos antidepressivos também se excitam se a pessoa se submete à terapia e consegue falar de sua depressão. Falar é uma forma de comportamento.

Se o comportamento pode nos tirar da depressão, é razoável supor que também pode nos levar a ela. (Por enquanto, vamos deixar de lado o tipo de depressão com causas físicas – ou orgânicas, como dizem os médicos –, como muitas doenças, a demência senil, assim como uma dieta desequilibrada e toxinas ambientais.

Quando a causa física é corrigida, a depressão em geral desaparece automaticamente.) Como essa explicação parece razoável, as principais questões são como evitar desenvolver uma reação depressiva e como reverter a depressão depois que ela se instala. Podemos abordar a questão da prevenção e da melhora usando as mesmas três categorias que discutimos anteriormente.

Acontecimentos exteriores: as pessoas dizem "Você viu o noticiário? Estou tão deprimida com a situação do mundo". Ou "Fiquei deprimido durante muito tempo depois do 11 de setembro". Acontecimentos externos podem nos deprimir, mas na verdade são os ingredientes menos fortes para causar depressão. Perder o emprego pode ser deprimente se a pessoa está predisposta a uma reação depressiva, mas, se ela não está, pode estimulá-la a alcançar postos mais altos. Coisas ruins são inevitáveis, mas alguns fatores as tornam piores:

Quando o estresse é repetido.
Quando o estresse é imprevisível.
Quando você não tem nenhum controle sobre o estresse.

Imagine uma mulher cujo marido é um alcoólatra agressivo. Ele já a agrediu repetidas vezes; ela não pode prever quando ele vai ter um de seus acessos de raiva; ela não consegue encontrar forças para deixá-lo. Essa mulher é uma forte candidata à depressão, porque os três elementos de um profundo estresse estão presentes. A agressão é repetida, imprevisível e está além do seu controle.

Todo o seu sistema mente-corpo vai começar a se fechar se ela continuar nessa situação. Isso acontece quando camundongos recebem choques elétricos moderados. Quando os pesquisadores aumentam e espaçam o número de choques a intervalos aleatórios, e não lhes dão maneira de escapar, não faz diferença que os choques sejam inofensivos. Os camundongos logo desistem, tornam-se letárgicos e indefesos e, com o tempo, morrem. Em outras palavras, sua depressão induzida foi tão extrema que destruiu neles a vontade de viver.

O que isso significa para uma pessoa que quer evitar a depressão? Primeiro, parar de se expor a estresses contínuos. Isso pode significar um mau chefe, um marido agressivo ou qualquer outro estresse que se reforça todos os dias. Segundo, evitar a imprevisibilidade estressante. Sim, a vida é imprevisível, mas existe um limite: as incertezas devem ser aceitáveis. Um chefe que tenha acessos de raiva imprevisíveis não é aceitável. Para muita gente, o trabalho de vendedor, em que qualquer cliente pode bater a porta na sua cara, é incerto demais para suportar. Um marido ou uma esposa que talvez possa cometer uma traição é uma imprevisibilidade ruim.

Da mesma forma, você deve aumentar as rotinas previsíveis que o ajudem a se defender do estresse. Todo mundo precisa de uma boa noite de sono, de exercícios regulares, de um relacionamento estável e de um emprego confiável. Hábitos regulares não são bons de uma maneira vaga – eles ajudam a evitar a depressão, treinando o cérebro numa direção positiva.

Por sentirem-se impotentes e desesperançadas, as pessoas deprimidas tendem a ser passivas numa situação estressante. Incapazes de enxergar uma maneira proveitosa de resolver a situação, elas se negam a tomar decisões que podem funcionar; em vez disso, tendem a não tomar nenhuma decisão, o que raramente funciona. Aguentam a situação ruim por tempo demais. Quando a depressão não está presente, a pessoa geralmente sabe o que precisa ser consertado e como se livrar daquilo. São decisões básicas que devemos tomar durante toda a vida.

Se você souber que tem tendência à depressão, é importante enfrentar o problema prontamente, porque, quanto mais esperar, mais chance haverá de a reação depressiva se instalar. Estamos falando de situações comuns, como um possível conflito no trabalho, um adolescente que está excedendo o horário de voltar para casa, ou um parceiro que não está fazendo a parte dele no trabalho doméstico. A depressão torna a pessoa excessivamente sensível a pequenos gatilhos, gerando uma sensação de impotente resignação. Mas, se você agir cedo, antes de chegar a esse estágio, terá tempo de lidar com o estresse cotidiano e energia para decidir fazer isso. Saiba como tomar essas decisões prontamente, ignorando a vozinha que faz você não agir.

A reação depressiva: causas mais sutis de depressão são mais difíceis de desfazer do que o estresse exterior. Se você não quer ficar gordo, é melhor evitar ganhar uns quilos do que tentar perdê-los. O mesmo ocorre com a depressão. É mais fácil aprender a reação correta ao estresse do que consertar a reação errada. A reação correta envolve resiliência emocional, que nos permite sair do estresse. Corrigir a reação errada exige retreinar o cérebro. Da mesma forma que uma pessoa gorda consegue perder peso, um cérebro que foi treinado para reagir com depressão pode ser ensinado novamente.

Todo mundo tem reações autodestrutivas, e ninguém gosta do que elas nos causam. Substituí-las por alternativas melhores exige tempo e esforço. No caso da depressão, hoje sabe-se que mudar as crenças autodestrutivas de uma pessoa deprimida pode levá-la à recuperação. Crenças são como *softwares* que repetem os mesmos comandos, embora sejam mais perniciosas, porque vão ficando cada vez mais arraigadas a cada repetição.

Eis alguns exemplos da programação que automaticamente entram em ação quando a pessoa está deprimida, acompanhados de crenças alternativas que se contrapõem à reação depressiva:

Como substituir crenças nocivas

É culpa minha.
Em vez de pensar assim, você pode pensar: não é culpa minha, não é culpa de ninguém, a culpa ainda não foi determinada, pode não ser culpa de ninguém *ou* encontrar o culpado não resolve o problema – devemos nos concentrar na solução.

Não sou suficientemente bom.
Em vez de pensar assim, você pode pensar: sou suficientemente bom, não preciso me comparar com os outros, não se trata de ser bom ou ruim, ser "suficientemente bom" é relativo, vou ser melhor no futuro *ou* estou aprendendo cada dia mais.

Não vai dar certo.
Em vez de pensar assim, você pode pensar: algo vai me acontecer, sempre há um jeito de fazer dar certo, posso pedir ajuda, se uma coisa não funciona, sempre existe outra coisa que pode funcionar *ou* ser pessimista não me ajuda a encontrar uma solução.

Sei que não vai funcionar.
Em vez de pensar assim, você pode pensar: não, eu não sei, estou apenas imaginando, estou só ansioso, mas vai passar *ou* olhar para trás só é bom se levar a um futuro melhor.

Não posso fazer nada a esse respeito.
Em vez de pensar assim, você pode pensar: posso encontrar alguém que possa fazer, sempre tenho a opção de cair fora, preciso analisar melhor a situação *ou* ser derrotista não me ajuda a melhorar as coisas.

Era só uma questão de tempo, ia acontecer.
Em vez de pensar assim, você pode pensar: não sou fatalista, isso era imprevisível, isso também vai passar, nunca chove o tempo todo *ou* ser fatalista me tira a possibilidade de escolha.

Não estamos dizendo que todas as crenças alternativas funcionem o tempo todo. Você precisa ser flexível. O desagradável da reação depressiva é que ela é generalizadora. A pessoa se sente impotente para consertar o câmbio do carro (quem não se sentiria?), mas também para sair da cama e enfrentar o dia (um sintoma de depressão). Para se tornar flexível, você precisa derrotar a reação depressiva em seu próprio campo.

Como fazer isso? Se sua reação automática é de tristeza, impotência ou desesperança, recuse-se a aceitá-la. Permita-se um momento, respire fundo e consulte sua lista de reações alternativas. Encontre uma que funcione. Isso exige tempo e esforço, mas vale a pena. Aprender uma nova reação forma novos circuitos neurais no cérebro. Também abre portas. Que tipo de portas? Quando você está deprimido, tende a ficar isolado, solitário, apático, inativo, passivo e fechado à mudança. As novas portas têm o efeito exatamente contrário. Introduzindo uma nova reação, você resiste à tentação de voltar às velhas crenças. Em vez de se isolar, você percebe que os outros lhe fazem bem. Em vez de ser passivo, você percebe que assumir o controle também é bom para você.

Outra estratégia é quebrar a reação depressiva, que parece insuperável, em pedaços manejáveis. A melhor tática é dar um passo de cada vez, escolhendo a parte com a qual você se sente preparado para lidar. A inércia é a melhor amiga da depressão. Você sempre terá um obstáculo a ultrapassar antes de poder fazer algo realmente positivo. Portanto, não transforme um montinho num Himalaia.

Esforçar-se para vencer obstáculos menores estimula o cérebro a abandonar velhos padrões e a adotar novos. Você está expandindo sua consciência quando permite a entrada de impulsos frescos da fonte, que é seu verdadeiro eu. Por trás da máscara da depressão, um comportamento ligado a uma reação inflexível, reside sua verdadeira personalidade, o eu que pode liderar o processo de cura. Em simples palavras, só você tem o poder de se curar. A depressão cria a ilusão de que toda a força lhe foi tirada. Na verdade, uma vez descoberta uma abertura, você poderá resgatar seu verdadeiro eu, passo a passo.

O hábito da depressão: se você já viveu perto de um alcoólatra ou qualquer outro viciado, sabe que eles se comportam com oscilações previsíveis. Quando eles estão sóbrios ou livres da droga, arrependem-se sinceramente e não desejam voltar ao vício. Mas quando o viciado enfrenta a tentação de beber, de se drogar, de comer demais ou de ter um acesso de raiva (dependendo de qual seja o vício), as boas intenções somem. A força de vontade desaparece, o vício assume o controle e tudo o que importa é satisfazê-lo.

A depressão também tem um lado viciante, no qual a tristeza e a desesperança assumem o controle. "Não consigo ser de outro jeito" é o lamento tanto do viciado quanto do depressivo habitual. Em muitos casos, o "lado bom" e o "lado mau" lutam entre si. Para o alcoólatra, o mau bebe, enquanto o bom fica sóbrio. Na pessoa deprimida, o mau é triste e desesperançado, enquanto o bom é feliz e otimista. Mas, na verdade, a depressão lança sua sombra sobre tudo. Os melhores momentos são apenas o prelúdio de uma recaída. No final, o lado mau vence, e o bom é apenas seu fantoche.

A guerra não tem vencedor, porque cada vitória é apenas temporária, e o pêndulo continua oscilando de um lado para o outro. Quando uma guerra não tem vencedor, por que lutar? O segredo para se livrar de velhos hábitos arraigados é parar de lutar consigo mesmo, encontrar um lugar interior que não esteja em guerra. Em termos espirituais, esse lugar é o verdadeiro eu. A meditação abre caminho para alcançá-lo. Tradições de sabedoria de todo o mundo afirmam que todos podem ter acesso à paz, calma, silêncio, plena alegria e respeito pela vida. Quando as pessoas me dizem que não acreditam na meditação, minha resposta é que elas não devem acreditar no cérebro, porque quatro décadas de pesquisas cerebrais provaram que ele se transforma com a meditação, e hoje novas evidências indicam que o componente genético também melhora com a prática. Ou seja, os genes corretos são ligados, e os errados, desligados.

Para enfrentar a reação depressiva, não basta simplesmente voltar-se para dentro. Você precisa ativar seu verdadeiro eu e trazê-lo para o mundo. Até que consiga provar a inutilidade de novas reações e crenças, as velhas vão manter um baluarte em sua consciência. Você está muito acostumado a elas, e elas sabem a maneira mais rápida de voltar. Portanto, quebrar o hábito da depressão exige uma combinação de trabalho interior e exterior, como explicaremos a seguir.

Como trabalhar os dois lados

Trabalho interior: mude o que você pensa e sente

Medite.
Reveja suas crenças negativas.
Rejeite reações autodestrutivas diante dos desafios da vida.
Aprenda novas reações capazes de melhorar a vida.
Adote uma visão superior para sua vida e viva de acordo com ela.
Reconheça a autocrítica e a rejeite.
Pare de acreditar que não há como não ter medo só porque ele é poderoso.
Não confunda seus sentimentos com a realidade.

Trabalho exterior: mude o seu comportamento

Reduza as situações estressantes.
Encontre um trabalho gratificante.
Não se ligue a pessoas que aumentam sua depressão.
Encontre pessoas com quem goste de estar.
Aprenda a se doar. Tenha um espírito generoso.
Adote bons hábitos de sono e exercite-se moderadamente uma vez por dia.
Concentre-se nos relacionamentos, e não nas distrações e no infinito consumismo.
Aprenda a se reeducar conhecendo pessoas maduras e emocionalmente saudáveis, que saibam amar e aceitar, em vez de criticar.

Todo médico ou terapeuta conhece centenas de pessoas deprimidas que precisam desesperadamente de ajuda, mas como tomar o caminho da recuperação? A maioria põe fé num medicamento ou cai num estado de resignação. Em alguns casos, os medicamentos podem aliviar os sintomas, mas uma depressão moderada não precisa ser tratada como doença. Recentes descobertas revelaram que, em casos de depressão moderada, os antidepressivos se equiparam ao placebo (que leva à melhora de 30 por cento dos pacientes em média). Eles se tornam mais eficientes quando a depressão é mais grave.

Os três elementos já citados – causas externas, reação depressiva e hábito de estar deprimido – oferecem uma nova abordagem. Eles têm o poder de reverter as condições subjacentes da depressão. Não estamos dizendo que a causa dessa condição tenha sido descoberta, porque no fim a depressão está ligada a tudo o mais na vida, inclusive a tudo o que acontece no corpo.

Por causa disso, é preciso remodelar a vida em muitos níveis, o que se pode fazer conscientemente. Às vezes, basta pouco para sair da depressão – se deixar um emprego ruim ou um casamento nocivo pode ser visto como algo simples. Pelo menos é uma abordagem direta. Outras vezes, a depressão é como uma neblina indissolúvel. Mas a neblina pode se dissipar. A boa notícia é que o verdadeiro eu não está deprimido e nunca esteve. Tomando o caminho para encontrá-lo, você conquistará mais do que apenas a cura da depressão. Você vai emergir na luz e ver a vida de uma nova maneira.

PARTE 2

CRIANDO A REALIDADE

NOSSO CÉREBRO, NOSSO MUNDO

    Enquanto lê este livro, você verá que mente, cérebro e corpo funcionam perfeitamente juntos. A vida é um processo contínuo. Quanto mais dominarmos esse processo, mais perto estaremos do objetivo de ter um supercérebro. Um pesquisador como Rudy, ao estudar a neuroplasticidade, maravilha-se com a maneira como o cérebro cria novos caminhos. Mas o maior assombro é que a mente pode criar matéria – isso está de verdade ocorrendo no cérebro, e milhares de vezes por segundo. Tanto a emoção que alguém sente ao ganhar na loteria quanto o "descuidado deslumbramento" que o poeta Robert Browning sentia com o canto de um melro são experiências que requerem do cérebro uma representação física. O deslumbramento exige uma reação química, assim como qualquer outro pensamento, sentimento ou sensação. A neurociência demonstrou isso com segurança.
    Queremos levá-lo ao lugar onde reside o verdadeiro poder, onde o *cérebro* não se acomoda em seu compartimento material, enquanto a *mente* flutua leve, acima. A diferença entre eles é artificial e ilusória. Mente e cérebro estão fundidos, e o ponto onde nasce o supercérebro está no mecanismo de comando que você pode aprender a operar.
    É nas sutis regiões da consciência que reside o verdadeiro poder. Quando alguém recebe um Oscar de melhor filme, geral-

mente exclama "É a realização de um sonho!". Sonhos são sutis, mas poderosos. Sua visão pessoal coloca a vida em movimento. Mas antes é preciso colocar o cérebro em movimento, depois vêm a ação, as possibilidades, as oportunidades, o golpe de sorte e tudo o que é necessário para que um sonho se torne realidade. Vamos chamar esse processo de "criação da realidade". Ele se desenrola continuamente, e, embora a ciência preste atenção aos produtos do cérebro – sinapses, potenciais elétricos e fatores neuroquímicos –, essas são expressões imperfeitas. A realidade começa num nível muito mais sutil e invisível.

Como, então, controlar a criação da realidade? Veja a seguir algumas regras do jogo.

As regras da criação da realidade

- Você não é o seu cérebro.
- Você cria tudo o que sente e vê no mundo.
- A percepção não é passiva. Você não recebe simplesmente uma realidade fixa. Você a molda.
- O autoconhecimento muda a percepção.
- Quanto mais consciente você for, maior será seu poder sobre a realidade.
- A consciência tem o poder de transformar seu mundo.
- Num nível sutil, sua mente se funde às forças criativas do universo.

Vamos explicar essas regras passo a passo. Mas a criação da realidade é natural e fácil, embora ao mesmo tempo esteja quase além da crença. Para criar uma estrela, o universo vai ao mesmo lugar que você vai para imaginar uma figura com o olho da mente. Cabe a você mostrar por que essa afirmação incrível é verdadeira.

Você não é o seu cérebro

O primeiro princípio da criação da realidade é que você não é o seu cérebro. Já vimos como isso é crucial para quem sofre de depressão (assim como para quem sofre de qualquer outro transtorno de humor, como a ansiedade, tão comum quanto a depressão). Quando alguém pega uma gripe, não importa quanto esteja sofrendo, não diz "Sou gripado". Dizemos "Estou gripado". Mas a linguística é diferente na depressão. Podemos, sim, dizer "Sou depressivo", o que significa que a pessoa se identifica com a doença. Para inúmeras pessoas que estão deprimidas ou ansiosas, a expressão "eu sou" se torna extremamente forte. O humor colore o mundo. Quando você se identifica com o estado de depressão, o mundo reflete o que você sente. Quando você vê um limão, não pensa "Eu sou verde". O mesmo deveria ocorrer em relação à depressão. A mente usa o cérebro para criar o verde da mesma forma que cria a depressão. Existe uma íntima ligação no nível fisiológico, e, se você controlá-la, pode mudar qualquer coisa.

Se o cérebro dominasse nossa identidade, faria sentido alguém dizer "Sou um limão verde", assim como diz "Sou deprimido". Então, como saber a diferença? Como é que sabemos que não somos um limão verde, enquanto uma pessoa deprimida pode se identificar tanto com a doença a ponto de cometer suicídio? A diferença é em parte emocional, mas a biologia tem o seu papel. O hipocampo está intimamente ligado à amídala, que regula as lembranças emotivas e a reação de medo. Nos estudos de imagem, quando os sujeitos veem um rosto assustador ao serem submetidos a uma ressonância magnética (o melhor aparelho que mostra a atividade do cérebro em tempo real), a amídala se acende como uma árvore de Natal. A reação de medo emana do cérebro racional, que leva um tempo para perceber que imagens assustadoras não justificam essa sensação. Medos incontroláveis, que não têm nenhuma causa real, podem gerar ansiedade e depressão crônicas.

Reações biológicas podem contrabalançar esse efeito. Recentes estudos indicam que novas células nervosas no hipocampo são capazes de inibir as emoções negativas despertadas na amídala. Atividades capazes de aliviar o estresse, como praticar exercícios físicos ou aprender coisas novas, provocam o surgimento de novas células nervosas, que, como vimos, promovem a neuroplasticidade – novas sinapses e novos circuitos neurais. A neuroplasticidade pode regular o humor e prevenir a depressão. Portanto, o nascimento de novas células nervosas no hipocampo adulto ajuda a superar desequilíbrios neuroquímicos que provocam distúrbios de humor como a depressão.

Na neurociência, essa é uma ideia nova, mas na vida real muita gente descobriu que correr pode dissipar um estado de humor sombrio. Como um limão verde não pode desencadear reações emocionais, enquanto a depressão pode, descobrimos uma importante diferença no nível cerebral. Alguns estudos mostraram que antidepressivos como o Prozac podem funcionar pelo menos parcialmente para aumentar a neurogênese (aparecimento de novas células nervosas) no hipocampo. Confirmando essa ideia, camundongos que tomaram antidepressivos mostraram mudanças positivas no comportamento, mudanças que podem ser impedidas de acontecer bloqueando-se deliberadamente a neurogênese no hipocampo.

Um leitor atento poderá observar que parecemos estar argumentando contra nós mesmos. Se o Prozac faz alguém se sentir melhor, que mal faz tomar uma pílula para provocar efeitos desejáveis ao cérebro? Antes de mais nada, as drogas não curam distúrbios de humor, apenas os aliviam. Quando o paciente deixa de tomar o antidepressivo ou o tranquilizante, o transtorno retorna. Em segundo lugar, todas as drogas têm efeitos colaterais. Em terceiro lugar, os efeitos benéficos das drogas se desgastam com o tempo, exigindo doses mais altas para obter o mesmo benefício. (Com o tempo, pode não haver mais nenhum benefício.) Finalmente, estudos mostraram que os antidepressivos não são tão eficazes quanto alegam seus fabricantes, e, nos casos mais comuns de depressão, a psicoterapia pode alcançar os mesmos benefícios. Nossa cultura está viciada em ver nas pílulas uma solução milagrosa, mas na verdade encontrar um caminho para sair da depressão é uma atitude curativa, enquanto as drogas não o são.

Quando o cérebro muda, a realidade também muda. Pessoas deprimidas não vivem com humor triste, mas num mundo triste. A luz do sol se tinge de cinza; as cores perdem luminosidade. Mas aqueles que não têm distúrbios de humor permeiam o mundo de energia. Um sinal de trânsito é vermelho porque o cérebro o torna vermelho, enquanto uma pessoa daltônica vê o mesmo sinal como cinza. O açúcar é doce porque o cérebro o faz doce, mas quem perdeu as papilas gustativas não sente nenhuma doçura no açúcar. Qualidades mais sutis também estão em ação. Adicionamos emoção ao gosto do açúcar se ele nos lembra que podemos ter predisposição ao diabetes, da mesma forma que adicionamos emoção a um sinal vermelho se ele evoca lembranças desagradáveis de um acidente automobilístico. Aquilo que é pessoal não pode ser separado dos "fatos" da vida cotidiana. Os fatos são, na verdade, pessoais. A parte radical é que nada escapa ao processo de criação da realidade.

Tudo o que existe no mundo exterior existe porque você cria. Seu cérebro não é o criador, mas uma ferramenta de tradução. O verdadeiro criador é a mente.

Não é fácil se convencer de que você cria toda a realidade. Surgem dúvidas devido à falta de conhecimento de como a mente interage com o mundo "lá de fora".

Tudo depende do sistema nervoso que está tendo a experiência. Como nós, humanos, não temos asas, não temos a menor ideia de como é a experiência de um beija-flor. Olhar pela janela de um avião não é o mesmo que voar. Um pássaro mergulha e se equilibra no ar, olha em todas as direções e assim por diante. O cérebro do beija-flor coordena a velocidade da asa em até 80 batidas por segundo, e seu batimento cardíaco é de mais de 1000 pulsos por minuto. Um humano não pode viver essa experiência – em essência, um beija-flor é um giroscópio vibrante equilibrado em meio a um redemoinho de asas. Se consultar uma tabela de recordes mundiais de pássaros, você ficará surpreso. O menor pássaro que existe, o beija-flor-abelha, de Cuba, pesa 1,8 grama, mas tem praticamente a mesma fisiologia básica da maior ave do mundo, o avestruz africano, que pesa cerca de 160 quilos.

Para explorar a realidade, o sistema nervoso precisa monitorar a nova experiência e controlar o resto do corpo. O sistema nervoso das aves explora a experiência no horizonte distante do voo. As aves aquáticas, por exemplo, são programadas para mergulhar. O pinguim-imperador chega a mergulhar a uma profundidade de 500 metros. O mergulho mais veloz já medido pertence aos falcões-peregrinos estudados na Alemanha – dependendo do ângulo do mergulho, atingiram uma velocidade entre 250 e 340 quilômetros por hora. A estrutura física das aves se adaptou para ultrapassar esses limites. Seu sistema nervoso é a chave, e não suas asas ou seu coração. Portanto, o cérebro das aves criou a realidade do voo.

Esse argumento pode ser estendido ao cérebro humano, porque nossa mente tem o livre-arbítrio, enquanto a consciência de uma ave (até onde sabemos) funciona apenas por instinto. Para os humanos, um imenso salto na criação da realidade é possível.

Mas, primeiro, uma observação sobre algo pelo qual Deepak é especialmente apaixonado. Não é correto dizer que o cérebro "cria" um pensamento, uma experiência ou uma percepção, da mesma forma que não é correto dizer que um rádio cria Mozart. O papel do cérebro é oferecer a estrutura física para o pensamento, assim como os transístores de um rádio nos permitem ouvir música. Quando vemos uma rosa, sentimos seu perfume e tocamos suas pétalas aveludadas, todos os tipos de correlações ocorrem em nosso cérebro. Elas são visíveis num exame de ressonância magnética, mas nosso cérebro não está vendo, cheirando ou tocando a rosa. Essas são experiências que só a pessoa pode ter. Isso é essencial, porque nos faz maiores do que nosso cérebro.

Eis um exemplo para mostrar a diferença: na década de 1930, um médico pioneiro em cirurgias cerebrais, chamado Wilder Penfield, estimulou a área do cérebro conhecida como "córtex motor" e descobriu que, aplicando uma minúscula carga elétrica nele, provocava o movimento dos músculos. (Uma pesquisa posterior expandiu essa descoberta. Cargas elétricas aplicadas nos centros de memória podem fazer a pessoa ter lembranças vívidas, e, se aplicadas aos centros emocionais, podem provocar explosões de sentimentos.) Penfield percebeu, porém, que a distinção entre mente e cérebro era crucial. Como o tecido cerebral não sente dor, a cirurgia de cérebro pode ser feita com o paciente acordado. Penfield estimulou uma área do córtex motor, fazendo o braço do paciente se elevar. Quando perguntou ao paciente o que tinha acontecido, ele disse: "Meu braço se mexeu". Então Penfield pediu que levantasse um braço. Quando lhe perguntou o que tinha acontecido, o paciente disse: "Levantei meu braço". Dessa maneira simples e direta, Penfield mostrou algo que todo mundo sabia instintivamente. Existe uma enorme diferença entre ter o braço levantado e levantá-lo por vontade própria. A diferença reside na misteriosa lacuna entre mente e cérebro. Mover um braço é uma ação da mente, enquanto o movimento involuntário é uma ação desencadeada no cérebro – e não se trata da mesma coisa.

A distinção pode parecer insignificante, mas no final será imensamente importante. Por enquanto, lembre-se apenas de que você não é o seu cérebro. A mente, que dá ordens ao cérebro, é o único criador verdadeiro, assim como Mozart é o verdadeiro criador da música que toca no rádio. Em vez de aceitar passivamente qualquer coisa do mundo "lá de fora", reivindique seu papel ativo como criador. Esse é o começo para aprender a criar a realidade.

A criatividade baseia-se em criar coisas novas. Pablo Picasso frequentemente colocava dois olhos do mesmo lado do rosto, o que não guarda semelhança com a natureza (a menos que estejamos falando de peixes como o linguado ou o halibute, cujos girinos nascem com um olho de cada lado da cabeça mas, quando amadurecem, os dois olhos ficam em um só lado). Algumas pessoas podem ter acusado Picasso de errar. Uma piada conta que uma professora de escola primária levou seus alunos a um museu de arte moderna, parou diante de uma pintura abstrata e disse: "Isso deveria ser um cavalo". Do fundo do grupo, um menininho perguntou: "Então, por que não é?".

Mas os pintores abstratos cometem "erros" para criar algo novo. Picasso via o rosto humano de uma nova maneira. Como a percepção é infinitamente adaptável, se você der a Picasso uma chance, vai permitir-se ver distorcido. Uma perturbação surge e, de repente, você pode rir, tremer de nervoso ou apreciar o estilo abstrato. A nova forma o estimula; você se torna parte dela. O cérebro permite a qualquer pessoa criar coisas novas. Se o cérebro fosse um computador, ele armazenaria informações, as classificaria de diferentes maneiras e faria cálculos com extrema velocidade.

A criatividade vai além disso. Ela transforma a matéria bruta da vida em algo inteiramente novo, em algo nunca visto. Se você comer hambúrguer cinco dias seguidos, poderá ficar enjoado, queixar-se e se perguntar por que a vida não muda. Ou poderá criar algo novo. Agora mesmo, neste exato momento, você está juntando as partes de seu mundo como um quebra-cabeça, no qual cada peça está sob seu controle.

Criando o novo

Como transformar suas percepções

- Assuma a responsabilidade por suas experiências.
- Não acredite em reações imutáveis – suas ou de qualquer outra pessoa.
- Confronte velhos condicionamentos. Eles podem levar a um comportamento inconsciente.
- Tenha consciência de suas emoções e de onde elas nascem.
- Reveja suas crenças fundamentais. Analise-as sob uma nova luz e descarte as que o mantém paralisado.
- Pergunte-se qual parte da realidade você está rejeitando. Analise livremente os pontos de vista das pessoas que o cercam. Respeite a opinião delas.

- Pratique a empatia de modo a experimentar o mundo pelos olhos dos outros.

Todos esses pontos se baseiam na autoconsciência. Quando fazemos qualquer coisa – tomamos o café da manhã, fazemos amor, pensamos sobre o universo, escrevemos uma canção –, nossa mente pode estar em um dos três seguintes estados: inconsciente, consciente ou autoconsciente. Quando estamos inconscientes, nossa mente está recebendo de forma passiva a corrente constante de informações do mundo exterior, com reações mínimas e nenhuma criatividade. Quando estamos conscientes, prestamos atenção a essa corrente de informações. Selecionamos, decidimos, classificamos, processamos e assim por diante, escolhendo o que devemos aceitar ou rejeitar. Quando estamos autoconscientes, acessamos o que estamos fazendo e perguntamos "Como isso é para mim?". Em dado momento, os três estados coexistem. Não sabemos se isso ocorre com criaturas como o beija-flor. Quando o coração dele acelera a mais de 1000 batimentos por minuto, será que está pensando "Estou cansado"? Essa pergunta brota da autoconsciência. Estará ele pensando "Meu coração bate muito, muito rápido"? Essa é uma afirmação de simples consciência. Não sabemos, mas supomos que um beija-flor não seja autoconsciente, e talvez não seja nem consciente. Sua vida pode ser vivida inconscientemente.

Inconsciente, consciente e autoconsciente

Os seres humanos vivem nos três estados. Qual deles vai predominar num dado momento depende de cada um. Para ter um supercérebro precisamos saber reduzir nossos momentos inconscientes e aumentar a consciência e a autoconsciência. Considere o quarto item da lista anterior: "Tenha consciência de suas emoções e de onde elas nascem". A primeira parte da frase diz respeito à consciência, e a segunda, à autoconsciência. "Estou com raiva" é um pensamento consciente, ao passo que ter um acesso de fúria é inconsciente. É por isso que não interferimos quando alguém tem um acesso de raiva depois de um acidente de carro. Não levamos a sério o que a pessoa diz até que a raiva passe e ela se acalme. Alguns sistemas jurídicos perdoam a inconsciência nos chamados "crimes passionais". Se você encontrar sua mulher na cama com outro homem e reagir estrangulando-o, estará agindo inconscientemente.

É bom ter consciência, mas estar autoconsciente é ainda melhor. "Estou com raiva" leva você longe só se seu objetivo for controlar a raiva. Saber de onde vem a raiva adiciona o componente da autoconsciência. Permite que você observe um padrão no seu comportamento. Leva em conta que acessos passados não funcionaram. Talvez sua mulher o tenha abandonado por causa disso, ou alguém tenha chamado a polícia. Quando você introduz a autoconsciência, a realidade muda. Você começa a assumir o controle, e o poder de mudar está começando.

A consciência irrefutavelmente penetra o mundo animal. Os elefantes se reúnem ao redor de um elefante bebê que morreu. Permanecem ali e até chegam a voltar aos locais onde ocorreram mortes um ano depois. Eles se aconchegam em volta da mãe que perdeu o filhote. Se a empatia existir fora da definição humana, os elefantes parecem se preocupar uns com os outros. Pelo que sabemos, um minúsculo beija-flor que migra por milhares de quilômetros do México a Minnesota pode ter consciência da rota que está percorrendo, inclusive de sinais visuais, do movimento das estrelas e até do campo magnético da Terra.

No entanto, atribuímos a autoconsciência apenas a nós. (Mas esse orgulho pode acabar. Quando repreendemos um cão por ter feito xixi no tapete, ele dá a impressão de estar envergonhado. Essa seria uma reação autoconsciente.) Nós temos consciência de ter consciência. Em outras palavras, nosso nível de autoconsciência transcende o simples aprendizado e a capacidade de memória do cérebro.

A neurociência reducionista não explica como a consciência pode permitir nos separarmos da atividade do cérebro. O reducionismo reúne dados e revela fatos. Em sua pesquisa, Rudy assume uma posição reducionista, uma vez que seu principal campo de pesquisa é o mal de Alzheimer e os genes ligados a essa doença. Mas a neurociência reducionista não explica quem na verdade experimenta sentimentos e pensamentos. Existe uma lacuna entre consciência e autoconsciência. "Recebi o diagnostico de Alzheimer" é uma afirmação que parte da consciência. Alguém que estivesse inconsciente não perceberia que algo está errado com sua memória. "Odeio e tenho medo do Alzheimer" é uma afirmação que brota da autoconsciência. Portanto, os fatos da doença envolvem os três estados – inconsciente, consciente e autoconsciente –, sem explicar como nos relacionamos com eles. O cérebro simplesmente faz o que faz. Para relacionar os fatos, a mente é necessária.

Naturalmente, essa "consciência de estar consciente" também é possibilitada pelo cérebro. Não alegamos saber, em termos reducionistas, onde a consciência e a autoconsciência podem estar localizadas no cérebro. Elas provavelmente não estão confinadas a uma região específica. Ninguém ainda decifrou esse enigma. Enquanto o cérebro produz sentimentos e pensamentos com os quais nos identificamos, o supercérebro apela para nossa capacidade de sermos o observador, ou a testemunha, distanciado dos pensamentos e sentimentos produzidos pelo cérebro.

Se uma pessoa sujeita a acessos de raiva não é capaz de dar um passo atrás e observar o que acontece durante o acesso, é porque sua raiva está fora de controle. Ela não tem consciência de onde a raiva vem, nem do que fazer com ela, até adquirir um certo grau de distanciamento. Nos exames de imagem, vários centros do córtex cerebral se acendem ou se ofuscam, dependendo de a pessoa ter ou não controle sobre suas emoções. Para muitas pessoas, talvez a maioria, a ideia de se distanciar de suas emoções provoca uma visão assustadora de uma existência estéril e sem paixão.

Mas as emoções mudam dependendo do nosso estado.

Inconsciência: nesse estado, as emoções estão sem controle. Surgem espontaneamente e seguem seu curso. Os hormônios são despertados, levando quase sempre a uma reação de estresse. Se permitidas, as emoções descontroladas criam um estado de desequilíbrio no cérebro. Os centros superiores de tomada de decisão ficam enfraquecidos. Impulsos de medo e raiva não têm quem os controle. Daí pode resultar um comportamento destrutivo, e hábitos emocionais condicionam os circuitos neurais fixos.

Consciência: nesse estado, a pessoa é capaz de dizer "Estou sentindo X", que é o primeiro passo para equilibrar X. O cérebro racional oferece a capacidade de julgamento, colocando a emoção em perspectiva. A memória nos diz se essa emoção funcionou bem ou mal no passado. Segue-se então uma afirmação mais integrada, com a contribuição dos circuitos superiores e inferiores do cérebro. Quando a pessoa deixa de se descontrolar emocionalmente e é capaz de dizer "Estou sentindo X", alcançou o primeiro grau do distanciamento.

Autoconsciência: quando alguém está consciente, pode ser qualquer pessoa. Mas, quando está autoconsciente, torna-se uma pessoa única. "Estou sentindo X" transforma-se em "O que acho de X? Aonde isso está me levando? O que isso significa?". Alguém que esteja com raiva pode controlá-la, fazendo até pouco uso da autoconsciência. Um chefe irritado que dá bronca em seus subordinados ano após ano com certeza tem consciência de que se enraivece. Mas, sem autoconsciência, não consegue ver o que está causando a si mesmo e aos outros. Pode voltar para casa um dia e ficar surpreso de ver que a esposa o deixou. Quando a autoconsciência desponta dentro de você, as perguntas que você se faz sobre o que pensa e sente não têm limite. Perguntas decorrentes da autoconsciência são fundamentais para fazer a consciência se expandir, e, quando isso acontece, as possibilidades são infinitas.

As emoções não são inimigas da autoconsciência. Cada emoção tem o seu papel no todo. Elas são necessárias para dar significado aos acontecimentos. A emoção faz uma lembrança se fixar na mente. É muito mais fácil lembrar o primeiro beijo do que o preço da gasolina pago naquela mesma noite. Como "grudam", as emoções não são desapaixonadas. Mas o distanciamento permite que nos afastemos de nossas emoções (razão pela qual nem todo primeiro beijo leva a gerar um bebê). Isso pode parecer friamente clínico, mas o distanciamento tem suas alegrias. Uma vez que nossas experiências não ficam tão "grudadas", podemos transcendê-las e atingir um nível mais alto de experiência, no qual tudo o que existe na vida é importante. Atentos a nossos pensamentos e sentimentos, começamos a criar novos caminhos, que registram não apenas raiva, medo, felicidade e curiosidade, mas sentimentos espirituais de bem-aventurança, compaixão e deslumbramento. A criação da realidade não tem limite. Quando partimos do pressuposto de que a realidade é um prêmio, o que estamos aceitando na verdade não é o mundo "lá de fora", mas nossas limitações "aqui de dentro".

Como o ego interfere

Se a autoconsciência tem um inimigo, ele é o ego, que limita gravemente a consciência quando vai além da função para a qual foi designado. Essa função é vital, como um rápido olhar ao cérebro imediatamente mostra. Enquanto bilhões de neurônios remodelam trilhões de sinapses numa rede neural em constante desenvolvimento, nosso ego nos faz acreditar que tudo é estático e calmo dentro de nosso crânio, o que não é verdade. Sem esse senso de permanência, estaríamos expostos ao tumultuoso processo de remodelação do cérebro em reação a cada experiência, fosse ela andar, dormir ou sonhar. (O cérebro é extremamente ativo durante o sono, embora essa atividade continue sendo em grande parte um mistério.)

Uma vez que novas experiências são registradas no cérebro, o ego as assimila. Cada pessoa é o *eu* a quem novas coisas acontecem, aumentando o estoque de prazeres e dores, medos e desejos que vem sendo construído desde a infância. Saber que a remodelação do cérebro está sempre tendo um efeito é importante, mesmo que o ego nos dê a ilusão de que tudo está igual.

Rudy e sua mulher, Dora, decidiram que no primeiro ano de infância de sua filha Lyla nunca a deixariam ficar chorando sem atenção. Outros pais criticaram essa decisão, dizendo que isso deixaria a menina mimada e transformaria Dora e Rudy em zumbis insones, mas eles mantiveram a promessa que tinham feito entre si. Na infância são criadas as fundações da rede neural, tanto para Lyla quanto para todos nós. Embora o processo ocorra de modo invisível, uma visão de mundo está sendo moldada. Anos depois, sempre que uma nova experiência de prazer ou dor ocorrer, será comparada com as antigas antes de encontrar seu lugar na memória.

Dora e Rudy queriam oferecer ao cérebro de Lyla uma base de felicidade, segurança e aceitação, e não de descontentamento, abandono e rejeição. Naturalmente, essa abordagem exigiu mais trabalho do que simplesmente pegar a bebê no colo quando ela chorava. Na infância, a realidade do bebê são seus pais, e, quando crescesse, Lyla teria uma forte razão para ver o mundo como um lugar de aceitação e cuidado. O mundo não é imutável. Ele existe à medida que o experimentamos e o absorvemos em nossa visão de mundo. Portanto, a objeção de que Lyla estaria despreparada para a dura realidade da vida não era válida. Como todos nós, ela iria encarar o mundo de acordo com a imagem que construiu em seu cérebro. (Lyla se revelou uma criança feliz, que irradia o amor que recebe.)

O ego é absolutamente necessário para essa função de integrar todos os tipos de experiências, mas tende a ir longe demais. *Egoísmo* é a palavra mais usada para definir uma atitude extremamente autocentrada, mas não se trata disso. Todo mundo é pego numa situação paradoxal com o ego. Ninguém pode funcionar sem ele, mas tornar tudo pessoal pode se tornar uma ilusão do ego. O "eu" e o "meu" superam qualquer outra consideração. Em vez de ter um ponto de vista e fortes valores pessoais (o lado bom do ego), o egoísta defende suas inclinações e preconceitos só porque os sustenta (o lado ruim do ego). O ego finge ser o *self*, mas o verdadeiro *self* é a consciência. Quando descartamos algum aspecto da experiência dizendo "Isso não sou eu", "Não quero pensar nisso" ou "Isso não tem nada a ver comigo", excluímos algo de nossa consciência, construindo uma imagem baseada no ego, em vez de nos abrirmos às infinitas possibilidades da criação da realidade.

Essa mentalidade estreita tem um preço: uma atividade cerebral reduzida ou desequilibrada, que pode ser constatada nos exames de imagem. Novas experiências significam novas redes neurais. Elas provocam a remodelação que mantém o cérebro saudável. Mas, quando as pessoas dizem "Não mostro minhas emoções" ou "Não gosto de pensar demais", trancam essas regiões do cérebro. O ego faz essas racionalizações para restringir a consciência da pessoa, que por sua vez limita a atividade cerebral. Alguns homens acreditam que a frase "Sou um homem" significa "Um homem não mostra suas emoções". Deixando de lado a rica existência que as emoções oferecem, essa atitude vai contra a evolução. O cérebro usa as emoções para atender a nossas necessidades instintivas, destinadas a garantir a sobrevivência. Você deve usar suas emoções para fortalecer sua paixão por alcançar objetivos pessoais. Deve utilizar seu intelecto para montar uma estratégia e, finalmente, precisa distanciar sua consciência para adquirir a sobriedade necessária para atingir esses objetivos. Em outras palavras, você precisa circular entre a paixão gerada por seus medos e desejos e os pensamentos racionais ligados ao autocontrole e à disciplina. Charles Lindbergh tinha que possuir energia e entusiasmo para tentar cruzar o Atlântico em tempo recorde, mas ao mesmo tempo precisava ser frio e objetivo para manter seu avião na rota durante o voo. Somos todos como ele.

O cérebro é fluido e dinâmico. Mas perde o equilíbrio quando recebe ordem para ignorar ou mudar seu processo natural. Quando você limita sua consciência, restringe o cérebro e congela sua realidade em padrões fixos.

Bloqueios do ego

Pensamentos típicos que limitam a consciência

- Não sou o tipo de pessoa que faz tal coisa.
- Quero ficar em minha zona de conforto.
- Isso vai me fazer parecer mau.
- Simplesmente não quero; não preciso de uma razão para isso.
- Outra pessoa que faça isso.
- Sei bem o que penso. Não tente mudar minha opinião.
- Sei mais do que você.
- Não sou suficientemente bom.
- Mereço coisa melhor.
- Vou viver para sempre.

Observe que alguns desses pensamentos fazem a pessoa parecer melhor, enquanto outros a diminuem. Mas em todos eles uma imagem está sendo defendida. A verdadeira função do ego é ajudar a construir um *self* forte e dinâmico (num próximo capítulo veremos como fazer isso), mas, quando ele interfere para nos proteger desnecessariamente, mascara o medo e a insegurança. Um homem de meia-idade que de repente compra um carro esporte vermelho pode estar se sentindo inseguro, bem como uma mulher de meia-idade que corre em busca de uma cirurgia plástica assim que a primeira ruga aparece ao redor dos olhos. Mas defender o ego é muito mais sutil do que isso: as barreiras que erguemos geralmente nos passam despercebidas. Em vez de perseguir o projeto de criação da realidade, fortalecemos a mesma e velha realidade que nos deixa seguros. Para algumas pessoas, o egoísmo é seguro, para outras, a segurança está na humildade. Você pode se sentir diminuído por dentro e disfarçar esse sentimento com uma bravata exterior, ou pode encobrir o mesmo sentimento com timidez. Não existe uma fórmula. Se você se fecha a certas experiências, não sabe o que está perdendo.

Mas a experiência individual conta menos do que a assombrosa agilidade do cérebro para receber, transmitir e processar experiências. Mesmo que você não participe, as coisas que você se recusa a fazer vão afetá-lo, mas o efeito será inconsciente. Todos nós conhecemos pessoas que não mostram nenhum pesar quando alguém próximo morre. A dor continua existindo, mas tudo ocorre longe da vista, na forma de um conflito subterrâneo que continua, apesar de o ego ter decidido que não quer senti-la.

A criação da realidade é uma via de mão dupla. Você a cria, enquanto ela cria você. No nível neurobiológico, neurotransmissores excitatórios, como o glutamato, estão envolvidos num constante equilíbrio do tipo *yin* e *yang*, com neurotransmissores inibitórios, como a glicina, enquanto as emoções e o intelecto executam a dança que cria a personalidade e o ego. Tudo isso lhe dá um senso do que você é e qual sua reação à vida em qualquer dado momento. Além disso, desde o útero materno, cada experiência sensorial cria sinapses que consolidam nossas lembranças, lançando as bases de nossa rede neural. Essas primeiras sinapses estão nos moldando. Pense em sua reação a uma aranha comum. Teoricamente, você pode ter qualquer resposta, mas na realidade sua reação está entranhada e parece natural porque você a gravou. "Não gosto de aranhas", "Não me importo com aranhas" ou "Tenho um medo mortal de aranhas" são opções pessoais que a pessoa moldou, mas que também moldaram a pessoa. Isso é completamente natural. O problema surge quando o ego intervém e transforma a reação pessoal num fato: "aranhas são desagradáveis", "aranhas são inofensivas" ou "aranhas são assustadoras". Como afirmação de um fato, esses comentários não são nada confiáveis, porque transformaram um juízo pessoal numa realidade "objetiva".

Agora substitua a palavra "aranha" por "católicos", "judeus", "árabes", "negros", "polícia", "inimigo" e assim por diante. O preconceito é afirmado como fato ("Toda essa gente é igual"), mas no fundo existe medo, ódio e uma atitude defensiva. Apesar de suas sutis manipulações, o ego pode ser contestado com uma simples questão. Pergunte-se:

Por que penso dessa maneira?
O que na verdade está me motivando?
Será que não estou repetindo a mesma coisa que sempre digo, penso ou faço?

A importância de se questionar é que você continua em movimento. Renova suas reações, permite que a autoconsciência se afirme o máximo possível. Ter mais a processar estimula o cérebro a se renovar, e a mente, com mais reações a seu dispor, expande-se além de limites imaginários. Tudo o que é fixo é limitado; tudo o que é dinâmico lhe permite expandir-se além de suas limitações. Ter um supercérebro é remover totalmente as limitações. Cada passo nos leva para mais perto de nosso verdadeiro *self*, que cria a realidade de maneira livre.

SOLUÇÕES DO SUPERCÉREBRO
Excesso de peso

O excesso de peso é um problema oportuno para começar a usar o cérebro de uma maneira nova. Mais de um terço dos americanos está acima do peso, e mais de um quarto é obeso. Deixando de lado questões médicas, essa epidemia é causada pelas escolhas que fazemos. Numa sociedade que consome, *per capita*, em média 68 quilos de açúcar por ano, faz um décimo de todas as refeições no McDonald's e a cada década se acostuma a porções cada vez maiores, as más opções são tão evidentes que deveríamos correr para revertê-las. Mas não fazemos isso, e as campanhas de saúde pública não parecem estar ajudando. A obesidade cresce além do razoável porque a razão não é eficiente para detê-la.

O que o cérebro básico está fazendo de errado? A causa costumava ser considerada moral. Estar acima do peso era sinal de fraqueza, um remanescente da inclusão medieval da gula entre os sete pecados capitais. No fundo da mente, muitos obesos se acusam de falta de força de vontade. Se pelo menos pudessem deixar de ser indulgentes consigo mesmos, se conseguissem parar de se punir ingerindo calorias, deixariam de alimentar o círculo vicioso em que comer acarreta mais quilos, que levam a uma autoimagem pior, e, sentindo-se mal consigo mesma, a pessoa vê nisso uma boa razão para se consolar comendo ainda mais.

As decisões são conscientes; os hábitos, não. Nessa simples afirmação, podemos ver a obesidade sob a perspectiva do cérebro. As partes inconscientes do cérebro foram treinadas para exigir uma quantidade de comida que o cérebro racional não deseja.

A oscilação entre comer demais, sentir remorso e comer demais tem uma contraparte na fisiologia. Os hormônios que funcionam como sinais naturais de satisfação da fome ou são suprimidos ou são contrabalançados por outros hormônios que assinalam um apetite voraz. A comida em si não é o problema. Por mais tentadores que sejam um sorvete ou um filé, não são substâncias que causem dependência.

Qual é o problema, então? São tantos os fatores que interferem numa dieta saudável que, não importa para onde se olhe, sempre há um novo culpado. Segundo os especialistas, as pessoas engordam devido a:

- baixa autoestima
- histórico familiar de obesidade
- predisposição genética
- maus hábitos alimentares adquiridos na primeira infância
- ingestão de *fast food* e alimentos processados carregados de aditivos e conservantes
- pouca ingestão de alimentos integrais
- valorização pela sociedade de um corpo "perfeito", inatingível para a grande maioria
- fracasso de constantes dietas e efeito sanfona

Quando enfrentamos tal acúmulo de fatores desencorajadores, o cérebro básico fica sobrecarregado. Isso gera um padrão conhecido de comportamentos autodestrutivos. O fracasso de uma dieta leva a outro, resultando em frustração e confusão. O fracasso provoca mais frustração, mas também nos torna propensos a estratagemas e soluções rápidas: a pressão irracional da fome, do hábito e das fantasias diminui a capacidade do cérebro racional de tomar decisões.

Como o supercérebro pode mudar esses padrões arraigados? Primeiro, precisamos declarar uma trégua à gordura. O cérebro básico não ganhou a guerra. Estudos mostram que muitos dos que fazem dieta perdem peso, mas quase 100 por cento não conseguem manter o peso por dois anos. Aqueles que mantêm a perda de peso contam que estão preparados para vigiar cada caloria dia a dia, pelo resto da vida. A química cerebral tem seu papel nisso. Quem faz dieta em geral sente mais fome depois que perde alguns quilos. Pesquisadores australianos acreditam que a razão disso é uma mudança biológica. O estômago dos que começam a recuperar o peso mostrou níveis 20 por cento mais altos de grenila, o chamado "hormônio da fome", do que antes de os pacientes se submeterem à dieta. Uma matéria do jornal *The New York Times* de dezembro de 2011 afirma: "Seu corpo ainda rechonchudo funcionava como se estivesse passando fome e trabalhando além da conta para recuperar os quilos perdidos". O cérebro é responsável por regular o equilíbrio metabólico através do hipotálamo, e a dieta parece afetar esse equilíbrio. Pessoas que atingem um peso normal precisam de 400 calorias a menos por dia do que aquelas que se mantiveram em seu peso ideal ao longo dos anos.

O que uma pessoa obesa precisa para romper com a atitude autodestrutiva é de um novo cérebro, um equilíbrio metabólico melhor e hormônios equilibrados. Ou seja, a resposta não está nesses atores – eles são secundários a algo maior: equilíbrio. O desequilíbrio nos circuitos do cérebro ocorre quando as áreas de comportamento impulsivo são fortalecidas, enquanto as áreas de tomada de decisões racionais se enfraqueceram. A repetição de padrões negativos também prejudica a tomada de decisões porque, quando alguém se culpa ou se sente um fracasso, as partes inferiores do cérebro estão novamente sobrecarregando o córtex cerebral. Restaura-se o equilíbrio mental fazendo escolhas melhores, como parar de buscar comida como um vício emocional. Uma vez restaurado o equilíbrio, o cérebro tenderá naturalmente a preservá-lo. Esse equilíbrio, conhecido como "homeostase", é um dos mecanismos mais poderosos do sistema nervoso involuntário ou autônomo. O que torna o cérebro único é que ele funciona com duplo controle. Os processos ocorrem no piloto automático, mas, se a pessoa o instrui a funcionar como ela quer, a vontade e o desejo assumem o controle. Mas não é uma questão de força de vontade, pois força de vontade implica força. A pessoa deseja comer um segundo pedaço de torta ou atacar a geladeira no meio da noite, mas, por pura determinação, resiste.

Isso não é vontade; é resistência. Tudo aquilo a que se resiste persiste. Essa é a dificuldade. Quanto mais a pessoa se engaja numa guerra interna entre o que deseja e o que sabe que faz bem, mais a derrota é inevitável. Em seu estado natural, a vontade é o contrário da resistência. Se você vai com a corrente, a vontade da natureza, que tem bilhões de anos de evolução por trás dela, leva você. A homeostase é a maneira como o corpo quer ir; cada célula foi concebida para se manter em equilíbrio (motivo pelo qual, por exemplo, uma célula armazena apenas alimento suficiente para durar alguns segundos. Ela não tem necessidade de armazenar alimento extra porque, no equilíbrio geral do corpo, toda célula pode esperar ser continuamente nutrida).

Ter um supercérebro é estar no controle do que o cérebro faz. Nosso *slogan* é "Use o cérebro, não deixe que ele o use". A área do peso inclui pacientes que sofrem de distúrbios alimentares. Uma garota gravemente anoréxica pode se olhar no espelho, ver uma figura magra, com as costelas expostas, cotovelos e joelhos grotescamente pontiagudos e um rosto que parece uma máscara fina esticada sobre os ossos. Entretanto, o que ela vê é "Eu sou gorda". As informações que entram em seu córtex visual são irrelevantes. Para uma pessoa que sofre de distúrbio alimentar, o corpo que ela vê está na sua cabeça. O mesmo ocorre com todo mundo. A única diferença é que contrapomos o reflexo normal no espelho com a imagem normal em nossa cabeça. Na periferia da normalidade, milhões de pessoas se acham "gordas demais" quando veem um corpo que está confortavelmente dentro do âmbito normal. Naturalmente, a negação pode se instalar e, depois de certo ponto, podemos ter que admitir um excesso de peso. (Em uma inteligente charge da *New Yorker*, uma mulher pergunta ao marido: "Diga a verdade. Este corpo me faz parecer gorda?")

A chave é colocar o cérebro em equilíbrio e depois usar sua capacidade para equilibrar tudo – hormônios, fome, desejos e hábitos. Seu peso está todo na sua cabeça, porque, em última instância, seu corpo está na sua cabeça. Ou seja, o cérebro é a fonte de todas as funções corporais, e a mente, a fonte do cérebro.

Ter um supercérebro requer que a pessoa se relacione com seu cérebro de uma nova maneira. A maioria das pessoas está em desequilíbrio porque seu cérebro é muito adaptável. Ele compensa tudo o que acontece com o corpo. Pessoas realmente obesas contornam sua obesidade, levando uma vida normal dentro de certos limites, criando uma família, desfrutando de um relacionamento amoroso. Num outro nível, porém, elas são infelizes. O desequilíbrio gera mais desequilíbrio, perpetuando o círculo vicioso. Elas precisam parar de se adaptar à obesidade e se relacionar com o cérebro como a solução, não o problema.

Consciência da perda de peso

- Pare de lutar consigo mesmo.
- Ignore a contagem de calorias.
- Abandone alimentos dietéticos.
- Restaure o equilíbrio onde você sabe estar seu maior desequilíbrio (por exemplo, emoções, estresse, sono). Enfrente as coisas que lhe roubam o equilíbrio.
- Concentre-se em atingir um ponto de virada.
- Deixe que seu cérebro cuide do reequilíbrio físico.

Você só pode mudar um hábito quando sente a necessidade de atuar sobre ele. Comer não é diferente. Você se vê procurando uma pizza ou um sorvete no meio da noite. O que está acontecendo nesse momento? Se você conseguir responder a essa pergunta, terá uma abertura para a mudança.

1. Você está faminto ou aplacando um sentimento?
São opções básicas. Quando você vai atrás de comida, pergunte-se qual destas duas opções você está escolhendo:

"Estou com fome": Se isso é verdade, então comer é uma necessidade normal, que é satisfeita assim que a fome desaparece (o que ocorre muito antes de você se sentir empanturrado). Algumas centenas de calorias serão suficientes para matar uma fome passageira. Uma refeição tem cerca de 600 calorias.

"Estou aplacando um sentimento": Se isso é verdade, então o sentimento estará tão presente quanto a fome. Mas você tem o hábito de passar por cima do sentimento. Ou ele pode estar camuflado. Seja como for, pare e observe como você está, se está se sentindo:

- sobrecarregado e exausto
- frustrado
- pressionado
- distraído
- ansioso
- chateado
- inseguro
- inquieto
- zangado

Uma vez identificado o sentimento, nomeie-o, preferivelmente em voz alta. Por exemplo, "Estou me sentindo frustrado" ou "Estou me sentindo exausto".

2. Depois de saber o que está sentindo, vá em frente e coma.
Não lute consigo mesmo. A batalha interna entre "Eu não deveria comer isto" e "Preciso comer isto" não tem fim. Se tivesse fim, um lado teria vencido há muito tempo. Portanto, observe se você está com fome ou aplacando um sentimento. E depois coma.

3. Espere uma abertura.

Se você persistiu em perguntar "O que estou sentindo?" antes de comer, um dia sua mente lhe dirá algo novo. "Não preciso comer isto" ou "Não estou realmente com fome; então por que comer?" Não force esse momento. Mas esteja preparado e atento. A necessidade de se livrar do hábito é real. Acontece que, por enquanto, ela não é tão forte quando o hábito de comer.

Quando essa abertura surgir, trabalhe essa nova necessidade e depois a esqueça.

4. Aprenda maneiras melhores de lidar com o problema.

Quando você aplaca um sentimento, ele desaparece temporariamente, mas sempre volta. Você está comendo para lidar com sentimentos. Existem outras maneiras de fazer isso, e, quando você as aprender, a necessidade de comer vai diminuir, porque seu corpo e sua mente saberão que não há apenas um mecanismo para lidar com isso.

As habilidades incluem:

- Dizer o que sente sem medo de crítica.
- Abrir-se com a pessoa certa, alguém que tenha empatia, que não seja crítico e que tenha certo distanciamento. (Abrir-se com pessoas que dependem de você para ter dinheiro, conseguir uma condição social ou uma promoção nunca é uma boa ideia.)
- Confiar em alguém o suficiente para seguir sua orientação. A autossuficiência é solitária e leva facilmente a percepções distorcidas.
- Encontrar uma maneira de dissipar a energia subjacente do medo ou da raiva. Esses dois sentimentos negativos básicos alimentam qualquer comportamento viciado.
- Levar a vida interior com a mesma seriedade dedicada à vida exterior.
- Sentir-se bem a ponto de não ter que ceder aos desejos. Sentir-se mal é o que tenta você a ser condescendente. Não é a boa comida que o tira do bom caminho.

5. Crie novas redes neurais.
Hábitos são canais mentais que dependem de redes do cérebro. Uma vez estabelecidos, eles atuam automaticamente. Quando uma pessoa luta contra a necessidade de comer demais, o cérebro está "lembrando" que comer demais é o que se espera que ele faça. Ele segue os canais automaticamente e com força. Portanto, você tem que dar a seu cérebro um novo caminho a seguir, o que significa construir novas redes neurais. Não é possível construí-las quando a necessidade de comer o assalta, mas há muitos momentos e maneiras de formar novos padrões cerebrais.

Ninguém gosta de ter que pacificar seus sentimentos. Dá a sensação de fracasso, porque nos lembra de nossa fraqueza. Mas sentimentos também não gostam de ser aplacados. Eles querem ser satisfeitos. Você satisfaz seus sentimentos positivos (amor, esperança, otimismo, aprovação) conectando-se com outras pessoas, expressando o seu melhor. Você satisfaz seus sentimentos negativos satisfazendo-os. Todo o seu sistema reconhece esses sentimentos negativos como nocivos. É inútil reprimi-los, contorná-los, ignorá-los ou tentar superá-los. A negatividade cessa ou persiste – não existe outra alternativa.

Quando você satisfizer as emoções, seu cérebro vai mudar e formar novos padrões, o que é o objetivo global.

Você também precisa dar uma trégua ao conflito e à confusão interior que mantêm seus impulsos em luta, sejam eles bons ou maus. É nisso que a meditação ajuda. Ela dá ao cérebro um lugar de descanso. Deixando de lado todas as implicações espirituais, encontrar um lugar de verdadeiro repouso, em que nenhum aspecto de seu *self* esteja lutando com nenhum outro, é imensamente reconfortante. Ela dá ao cérebro uma base para a mudança. Na meditação, você não segue canais, padrões ou velhos condicionamentos. Quando seu cérebro perceber isso, vai querer experimentar essa sensação mais vezes. Portanto, em vez de ter velhas necessidades, você vai começar a ter mais momentos de equilíbrio, clareza e liberdade.

Seu cérebro precisa se tornar seu aliado. Se não fizer isso, continuará sendo seu adversário.

Clareza é a chave. Você pode mudar o que vê. O que você não vê continua com você. Como nunca perdemos a capacidade de enxergar, estamos sempre abertos à mudança.

O objetivo desse programa não se mede em quilos. Com o tempo, quando você tiver treinado seu cérebro a reconhecer as emoções, os impulsos e a insatisfação ligados à necessidade de comer em excesso, atingirá um ponto em que terá confiança de usar o cérebro, em vez de permitir que ele o use. Você escolherá facilmente não comer demais. Com um propósito claro, fará naturalmente o que sempre foi bom para você. Vamos tratar desses dois temas – aprender a usar o cérebro em vez de ser seu escravo e aprender a não forçar novos comportamentos – muitas vezes ao longo deste livro. São princípios fundamentais para evoluir em direção ao supercérebro.

NOSSO CÉREBRO ESTÁ EVOLUINDO

Todas as escolhas benéficas que fazemos são maneiras de desenvolver o cérebro. Num certo nível, a evolução é lenta: centenas de milhões de anos foram necessários para que o cérebro dos animais mais primitivos se tornasse o espetacularmente sofisticado cérebro humano. Em termos darwinianos, não existe outro tipo de evolução a não ser essa, que depende de mutações aleatórias de genes ao longo de eras. Mas argumentamos que, como as escolhas criam novos circuitos neurais e sinapses, e também novas células cerebrais, os seres humanos passam por um segundo tipo de evolução, que depende da escolha pessoal. Impulsionado por aquilo que desejamos da vida, nosso crescimento pessoal atua remodelando o cérebro. Se você escolhe crescer e se desenvolver, está guiando sua própria evolução.

O supercérebro é o produto da evolução com consciência. A biologia se funde com a mente. Até chegarmos aos 20 anos, a natureza cuida de nosso desenvolvimento físico, que acontece mais ou menos automaticamente. Não escolhemos perder os dentes de leite ou aprender a focar os olhos. Mas muito mais depende do encontro entre mente e genética. Aos 3 anos, a maioria das crianças não está pronta para ler. (Algumas crianças excepcionais estão: uma condição conhecida como "hiperlexia" pode criar a capacidade de ler antes dos 2 anos.) Por volta dos 4 ou 5 anos, as crianças estão ansiosas para aprender a ler, e seu cérebro está pronto. A criança descobre que pontos pretos sobre uma página significam alguma coisa. Aprender línguas estrangeiras também tem uma idade mais adequada, que se situa no fim da adolescência.

No tempo em que os neurocientistas acreditavam que o cérebro era imutável e estável, aprendizado não significava o mesmo que evolução. Mas, se o cérebro muda à medida que aprendemos, as duas palavras são sinônimos. Recentemente, foi publicada na imprensa a história de Timothy Doner, um adolescente de 16 anos e aluno de uma escola secundária de Nova York que, depois de seu *bar mitzva*, em 2009, decidiu aprender hebraico moderno. Um professor foi contratado, e as aulas correram bem. Timothy já estava discutindo política israelita com seu professor, o que lhe deu vontade de aprender árabe (considerada uma das línguas mais difíceis do mundo), e para isso fez um curso de verão em uma universidade.

A matéria do jornal dizia: "Ele levou quatro dias para aprender o alfabeto, uma semana para ler fluentemente. Então, mergulhou no russo, italiano, persa, suaíle, indonésio, híndi, ojíbua, afegão, turco, hauçá, curdo, iídiche, croata e alemão, aprendendo sozinho, principalmente em gramáticas e aplicativos do seu iPhone!". Timothy começou a postar vídeos em outras línguas e logo ganhou admiradores internacionais. Descobriu que era um poliglota, alguém que domina várias línguas estrangeiras. Além desse estágio estão os hiperpoliglotas, pessoas obcecadas por aprender dezenas de línguas. "Timothy se inspirou num vídeo de Richard Simcott, hiperpoliglota britânico, no qual ele fala em dezesseis línguas."

O fato de o prefixo "hiper" ou "excessivo" aparecer com frequência neste livro (hipertimesia em relação à memória, hiperlexia em relação à leitura, hiperpoliglota em relação ao aprendizado de línguas estrangeiras) atesta o baixo nível que ainda estabelecemos para o cérebro. Mas não existe razão para considerar um desempenho excepcional excessivo, palavra que implica algo extravagante, quando não desordenado. Nossa visão é que hoje, mais do que nunca, podemos evoluir para um padrão mais alto. A evolução consciente leva ao supercérebro, que não é de forma alguma excêntrico, desordenado ou anormal. Pontos pretos sobre uma página devem ter deixado perplexos nossos remotos ancestrais, mas o cérebro desses primeiros *Homo sapiens* já tinha evoluído o suficiente para permitir o desenvolvimento da linguagem e da escrita. Do que eles precisavam era de tempo e do surgimento de culturas que fomentassem a linguagem. Que coisas surpreendentes estaremos fazendo rotineiramente no futuro com, essencialmente, o mesmo cérebro? Hoje já temos uma vida de inconcebível complexidade em comparação a duas gerações anteriores.

De quem é este rosto?

O fato de Timothy ser capaz de aprender os fundamentos de uma nova língua em um mês e até adquirir um sotaque decente em híndi ou alemão, mostra que o cérebro, quando treinado no tempo oportuno, pode dar um salto quântico numa habilidade que já lhe é intrínseca. Mas o que exatamente a integrou? A ciência encontra algumas respostas por vez, quase sempre em consequência de um problema médico.

Um exemplo assombroso é a prosopagnosia, também chamada de "cegueira para feições", ou incapacidade de reconhecer rostos. Alguns soldados da Segunda Guerra Mundial que tinham sofrido ferimentos na cabeça não eram capazes de reconhecer o rosto dos familiares nem de nenhuma outra pessoa. Conseguiam descrever com precisão cada característica – cor dos cabelos, olhos, forma do nariz –, mas, quando lhe perguntavam "E então, você sabe quem é essa pessoa?", respondiam meneando a cabeça, desnorteados.

A princípio, os cientistas ligaram essa incapacidade a ferimentos traumáticos; médicos dos séculos XVIII e XIX haviam observado estranhos déficits mentais em seus pacientes. Mas, nas últimas cinco décadas, ficou claro que a cegueira para feições podia ser fruto de uma predisposição – pouco mais de 2 por cento da população sofre desse transtorno. Em casos extremos, a pessoa não consegue reconhecer nem o próprio rosto. (O famoso neurologista Oliver Sacks, que escreveu um livro sobre o assunto, revelou que tem prosopagnosia. Uma vez, ele se desculpou por ter trombado em alguém e logo descobriu que estava pedindo desculpas a seu reflexo num espelho!)

Seja por trauma ou por genética, as pessoas que têm essa incapacidade apresentam deficiência no giro fusiforme, parte do lobo temporal ligada não apenas ao reconhecimento de rostos, mas também de formas corporais, cores e palavras. Estranhamente, a pessoa pode levar anos para notar que tem essa deficiência. Usando a desculpa de que não é fisionomista, apoia-se em pistas sensoriais, como o som da voz de um amigo ou a maneira como ele se veste. Um homem contou que, quando sua melhor amiga no trabalho mudava o corte de cabelo, passava por ela como se fosse uma estranha.

A prosopagnosia parece ter origem numa área pequena do cérebro, de localização precisa. É fato bem documentado que nosso cérebro é programado para nos permitir reconhecer rostos. Cinco partes na parte posterior do cérebro registram imagens inconscientemente. Para que possamos vê-las conscientemente, essas imagens devem ser retransmitidas para o córtex cerebral, na fronte. Quando esse circuito não funciona adequadamente, o reconhecimento não ocorre. (Outra parte específica nos permite reconhecer lugares. Quando a pessoa tem um defeito aí, pode ser capaz de descrever uma casa em todos os seus detalhes, mas não consegue reconhecer que está diante de sua própria casa.) Os animais possuem uma adaptação básica. A evolução lhes deu algumas incríveis habilidades de reconhecimento: os pinguins da Antártica que voltam para o seu hábitat com alimento para a prole são capazes de reconhecer um filhote em meio a milhões de outras aves. (A explicação é que o pai gravou o choro do filhote, mas outros sentidos podem estar envolvidos.) Porém, a cegueira para feições tem outra característica. Algumas pessoas dispõem da habilidade oposta: têm a capacidade de reconhecer rostos superdesenvolvida, um fenômeno ainda pouco estudado.

Essas pessoas se lembram de praticamente todos os rostos que viram. São capazes de encontrar alguém na rua e dizer "Lembra-se de mim? Você me vendeu um par de sapatos pretos na Macy's dez anos atrás". Naturalmente, a pessoa que está sendo abordada quase nunca se lembra. Tão impressionante é essa capacidade que as pessoas muitas vezes são acusadas de perseguição – estar sendo seguido é uma explicação mais aceitável. O tempo não engana essas pessoas. Quando veem fotos de crianças de 7 ou 8 anos que se tornaram astros ou estrelas de Hollywood, imediatamente as reconhecem. Quando lhe perguntaram como fazia isso, uma mulher explicou: "Para mim, um rosto que envelhece muda superficialmente, como passar de loira a morena ou usar um corte diferente de cabelo". As rugas profundas de um octogenário não escondem a semelhança com a criança que aparece numa foto de escola.

Se a cegueira para feições é um defeito do cérebro, o que é essa supercapacidade de reconhecer rostos? Para responder, precisamos saber como as pessoas reconhecem um rosto. Uma coisa que não usamos são as pistas que as pessoas com cegueira para feições utilizam para compensar sua deficiência. Quando você encontra uma mulher de certa idade, você não faz uma conferência item por item – olhos, cabelo, nariz, boca – e então diz: "Ah, é minha mãe". Você a reconhece instantaneamente – uma habilidade que remonta à predisposição que um bebê tem desde o nascimento. Se as mães são casos especiais, isso não torna o mistério mais fácil. O cérebro forma imagens completas, conhecidas como "*Gestalt*", de modo que a biologia sustenta nossa capacidade de reconhecer rostos de imediato, e não por partes.

O fato é que os fótons de luz que estimulam as células da retina e os sinais que são transmitidos ao córtex visual não transmitem nenhuma imagem. O nervo óptico transforma uma imagem numa mensagem neural que não tem forma nem luminosidade.

A informação passa pelo menos por cinco ou seis fases de processamento. Regiões de luz e sombra são destacadas, contornos são detectados, padrões são decodificados etc. O reconhecimento ocorre muito perto do fim do processo. Mas, quando você diz "Ah, é minha mãe!", ninguém tem a mais leve ideia de como seu cérebro a reconheceu. As seis fases do processo não contam a história inteira. Especialistas em computação que trabalham no campo da inteligência artificial tentam capacitar máquinas para reconhecer rostos usando várias pistas padrão. Os resultados são, no mínimo, rudimentares. Se virmos a foto de um rosto conhecido ligeiramente fora de foco, não teremos dificuldade de saber quem é, mas mesmo o computador mais avançado não tem essa facilidade.

Mas, se pegarmos a foto de um rosto e a virarmos de cabeça para baixo, perdemos a capacidade de reconhecê-lo, mesmo que o rosto pertença a alguém de nossa família, a uma celebridade ou a nós mesmos. Você pode comprovar isso abrindo qualquer revista de celebridades e virando-a de cabeça para baixo – aqueles rostos famosos se tornam quebra-cabeças indecifráveis. No entanto, para um computador construído para o reconhecimento facial, não importa que a imagem esteja de cabeça para baixo. Ele pode ser facilmente programado para os dois casos. Por que a evolução nos dá o potencial de um reconhecimento rápido, mas não de rostos que estejam de cabeça para baixo?

Nossa resposta será especificamente cerebral. Diríamos que a mente nunca precisou reconhecer rostos de cabeça para baixo, e por isso o cérebro não desenvolveu essa capacidade. Um darwiniano consideraria essa afirmação absurda. Em termos estritamente darwinianos, não existe mente, nem condução da evolução, nem propósito – nada é herdado a não ser através de mutações aleatórias no nível genético. É quixotesco para Rudy, um pesquisador genético, permitir que a mente entre na equação. Mas ele está convencido de que o cérebro cresce e se desenvolve de acordo com o que a mente deseja. Como prova, apontamos para a imagem rapidamente mutável da conexão mente-cérebro. Se a neuroplasticidade prova que comportamentos e escolhas de estilo de vida podem mudar o cérebro, não é forçado chamar esse processo de "evolucionário". À medida que evoluímos, lentamente surgem variações em nosso cérebro e em nossos genes.

No atual estágio da neurociência, porém, a predisposição é um quadro misto, com aspectos confusos. Não achamos mais que a natureza esteja separada da educação no desenvolvimento humano. Em alguns casos, a natureza domina – alguns prodígios musicais começam a dedilhar fugas de Bach ao piano aos 2 anos de idade. Mas a música também pode ser aprendida, é aí que entra a educação. O lado que afirma que todas as predisposições são genéticas é apenas em parte verdadeiro. O lado oposto, que diminui a importância do talento inato, alegando que 10.000 horas de prática podem duplicar a capacidade de um gênio, também só está com metade da razão.

Vamos voltar aos poliglotas que ficam obcecados por aprender dezenas de línguas. Para aprender a linguagem, o ser humano depende dos genes, assim como de certas características vagamente definidas como inteligência e atenção; também depende de educação, que inclui a prática necessária para treinar o cérebro na nova habilidade. Mas onde se encaixam características como paciência, entusiasmo, paixão e até mesmo um interesse qualquer? As pessoas desenvolvem interesses muito específicos e peculiares, será que existe um gene para cada um?

Um mistério muito maior é como um cérebro que sofreu algum dano pode ter um desempenho melhor que um cérebro saudável. É o caso do savantismo, ou síndrome de sábio (*savant* em francês), hoje considerada uma forma de autismo, mas relacionada a danos do lobo temporal direito. Os que sofrem dessa síndrome (que costumam ser chamados de "idiotas sábios") não possuem capacidades simples e de uso cotidiano, mas têm habilidades extraordinárias. "Sábios" musicais, por exemplo, são capazes de tocar ao piano uma peça que ouviram apenas uma vez, inclusive complexas peças da música clássica, mesmo sem ter tido uma única aula de piano. "Sábios" do calendário são capazes de dizer instantaneamente em que dia da semana caiu ou cairá qualquer data, inclusive o dia 23 de janeiro de 3323, por exemplo. Existem "sábios" da linguagem também. Um menino que sofre dessa síndrome não conseguia se cuidar ou andar pelas ruas da cidade sem companhia. Entretanto, foi capaz de aprender línguas estrangeiras sozinho com livros, capacidade que só foi descoberta quando ele se perdeu numa excursão pelo campo. Seus monitores entraram em pânico, mas acabaram localizando o garoto, que estava calmamente servindo de tradutor para dois estrangeiros, um chinês e o outro finlandês. Assim como o árabe, essas duas línguas estão entre as cinco mais difíceis do mundo. Ainda mais surpreendente é o fato de que o garoto aprendera a ler chinês num livro que segurava de cabeça para baixo!

Exemplos espetaculares como esse podem ser assustadores, mas a evolução é universal, disponível para todos. O cérebro é o único entre todos os órgãos do corpo capaz de evoluir pessoalmente, aqui e agora. Uma criança de 5 anos que aprende a ler está evoluindo, do ponto de vista da fisiologia do cérebro. Um cérebro adulto está evoluindo quando a pessoa aprende a controlar a raiva, a pilotar um jato ou a ter compaixão. A rica possibilidade de mudança demonstra como a evolução funciona realmente.

O cérebro quádruplo

Atualmente, o equilíbrio científico pende na direção do cérebro sobre a mente. A neurociência usa as duas palavras indiferentemente, como se "Mudei minha mente" fosse o mesmo que dizer "Mudei meu cérebro". Mas o cérebro, ao contrário da mente, não tem vontade nem intenção. O cérebro também não tem livre-arbítrio, embora o cérebro racional organize escolhas e decisões. A neurociência tenta simplificar as coisas atribuindo todo comportamento humano ao cérebro. Vemos artigos jornalísticos sobre "O cérebro apaixonado" ou "Deus nos neurônios", que partem da falsa suposição de que o cérebro é responsável pelo amor e pela fé.

Para nós, isso é um erro. Quando ouvimos Beethoven no rádio, e ocorre estática, não dizemos "Há alguma coisa errada com Beethoven". Sabemos a diferença entre a mente (de Beethoven) e o receptor que traz a mente para o mundo físico (o rádio). Neurocientistas são intelectuais, às vezes pessoas brilhantes. Por que não reconhecem essa diferença básica?

O motivo é em boa parte o materialismo, visão de mundo que insiste que todas as causas são físicas. A mente não é física, mas, colocando-a de lado, podemos estudar o cérebro numa base puramente material. Esperamos estar conseguindo convencer você de que o cérebro existe para ser usado pela mente. Entretanto, devemos aceitar que a evolução, trabalhando através dos genes, estruturou o cérebro, dando-nos um instrumento receptor dividido em partes definidas. Confiamos que podemos guiar nossa evolução, mas nesse caminho devemos dar crédito a toda a evolução física já ocorrida.

Para simplificar, vamos dividir as funções do cérebro em quatro fases:

- instintiva
- emocional
- intelectual
- intuitiva

Essas são as quatro maneiras como nossa mente funciona, na forma como as descreveu Satguru Sivaya Subramuniyaswami em *Merging with Siva*, livro que inspirou e causou uma forte impressão em Rudy quando ele começou a explorar a maneira como as antigas tradições da mente podem se relacionar com o que sabemos atualmente sobre o cérebro. Na jornada humana, a evolução começou com as partes instintivas do cérebro (o cérebro reptiliano, que tem centenas de milhões de anos), continuou com o aparecimento da parte do cérebro responsável por todas as emoções (o sistema límbico) e, mais recentemente, desenvolveu-se para alcançar as funções superiores do pensamento (representadas pelo neocórtex, que apareceu pela primeira vez nos mamíferos). Nos humanos, o neocórtex forma 90 por cento do córtex. O neurocientista Paul D. MacLean foi o primeiro a propor a teoria do "cérebro trino", na década de 1960. Ninguém ainda conseguiu localizar a estrutura do cérebro que abriga a intuição, e muitos neurocientistas preferiram varrer o problema para baixo do tapete. É inconveniente para a pesquisa do cérebro que Deus não esteja, de fato, nos neurônios, nem tampouco a música, a arte, o sentido de beleza e de verdade, além de muitas outras de nossas experiências mais valiosas. Entretanto, como essas experiências vêm sendo valorizadas desde a aurora da civilização, nós as incluímos em nosso esquema quádruplo. Se quisermos decifrar o cérebro em todos os níveis de consciência, elas vão de reações instintivas reprogramadas a visões de mestres iluminados que mudaram o mundo.

A fase instintiva do cérebro

Organismos unicelulares de bilhões de anos de idade podem reagir a seu ambiente. Muitos, por exemplo, nadam em direção à luz. A partir desse início se desenvolveu a fase mais antiga do cérebro, o cérebro instintivo. Ele corresponde ao comportamento que está expressamente programado em nosso genoma para a sobrevivência. Centenas de milhões de anos de evolução refinaram esse instinto. Quando existiam os enormes dinossauros, seu comportamento só requeria um cérebro estúpido, não maior do que uma noz ou um damasco.

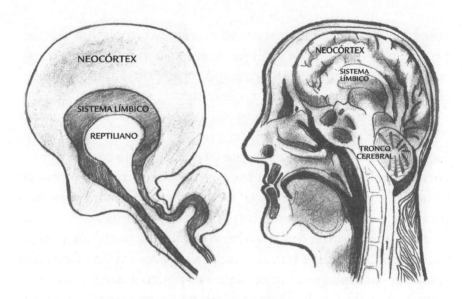

Figura 2: O cérebro trino

No modelo trino do cérebro, a parte mais antiga é o cérebro reptiliano, ou tronco cerebral, concebido para a sobrevivência. Ele abriga centros de controle vital, que controlam a respiração, a deglutição e os batimentos cardíacos, entre outras coisas. Também incita a fome, o desejo sexual e a reação de fuga ou luta.

O sistema límbico foi o próximo a se desenvolver. Ele abriga o cérebro emocional e a memória de curto prazo. Emoções de medo e desejo se desenvolveram para servir aos impulsos instintivos do cérebro reptiliano.

O desenvolvimento mais recente foi o do neocórtex, região do intelecto, da tomada de decisões e do raciocínio superior. Enquanto nosso cérebro reptiliano e nosso sistema límbico nos impulsionam a fazer aquilo de que precisamos para sobreviver, o neocórtex representa a inteligência para alcançar nossos fins, mas colocando limites a nossas emoções e impulsos instintivos. A mais importante parte para o supercérebro, o neocórtex é o centro da autoconsciência, do livre-arbítrio e das escolhas, tornando-nos usuários plenos e potencialmente senhores do nosso cérebro.

As criaturas que só possuem essa fase do cérebro, como os pássaros, podem apesar disso revelar um comportamento muito complexo. Por mais reptiliano que seja seu cérebro, o papagaio-cinzento africano é capaz de repetir centenas de palavras, e, se as atuais pesquisas estiverem corretas, entender o significado delas. Mas, se olharmos nos olhos de um lagarto ou de um avestruz, de um sapo ou de uma águia, não detectaremos nenhuma emoção. Essa ausência pode parecer assustadora, porque a igualamos ao bote cruel de uma cobra ou ao ataque de um predador à presa. O instinto precedeu a emoção na escala evolucionária.

Esse cérebro instintivo fornece os impulsos naturais do corpo físico que garantem a sobrevivência, como fome, sede e sexualidade. (Alguém escreveu, referindo-se ao desejo sexual como "fome de pele", uma franqueza bastante precisa em se tratando do cérebro instintivo.) Ele inclui também processos inteiramente inconscientes, como a regulação do sistema digestório e circulatório – basicamente todas as funções corporais que ocorrem automaticamente.

A ansiedade que permeia a sociedade moderna nasce em parte de nosso cérebro instintivo, que incansavelmente nos impele a prestar atenção ao impulso de medo, já que nossa sobrevivência depende dele. Ninguém morre em uma visita ao dentista, e, como outras partes do cérebro intervêm, o medo não nos impele a pular da cadeira do dentista e fugir. Mas o cérebro instintivo só sabe liberar o impulso, e não avaliá-lo.

Se você se observar, verá que a trégua que estabeleceu com o cérebro instintivo é incômoda. Tentar ignorar nossos impulsos nos torna agitados, inseguros e ansiosos. Rudy lembra de seus primeiros anos de universidade, pouco depois que perdeu o pai, vítima de um ataque do coração. Ele escrevia incessantemente em seu diário sobre os avassaladores sentimentos de ansiedade e desejo que dominam nossa adolescência. Quando surgiram os hormônios pós-pubescentes, Rudy ficou frustrado diante de sua incapacidade em ignorá-los. (A famosa escritora americana gastronômica M. F. K. Fisher conta a história de um homem que, arrasado pela morte súbita da mulher, percorreu a autoestrada da costa do Pacífico de cima a baixo, parando em cada restaurante de estrada para pedir um filé.)

Rudy sabia intelectualmente que sua ansiedade em festejar com os amigos a cada ano que começava vinha de uma necessidade irracional de aceitação social, de validação por seus pares. Mas não conseguia resistir à necessidade de confraternizar quando devia estar estudando. Cada início de ano letivo se transformava numa batalha aparentemente infinita de encontrar disciplina para permanecer na biblioteca estudando, enquanto seu cérebro instintivo saía vitorioso da maioria das batalhas.

A ansiedade levou vantagem até que a situação atingiu seu ponto crítico em 1979, durante seu último ano na universidade. Era noite de ano-novo na Times Square. Rudy fazia parte da multidão. O clima era tenso. O aiatolá Khomeini mantinha 52 reféns americanos no Irã. Bandos de jovens gritavam ofensas contra o Irã e atiravam garrafas de cerveja. Rudy se afastou de seus colegas de fraternidade e sentou-se na calçada, recostado contra as grades da estação de metrô, sentindo a ansiedade aumentar com a agressividade à sua volta.

Nesses momentos de crise pessoal, exatamente quando o cérebro instintivo parece levar vantagem, uma mudança radical pode ocorrer. Soldados em batalha podem experimentar uma repentina calma e silêncio interior enquanto as bombas explodem à sua volta. Naquele momento na Times Square, Rudy percebeu que toda a sua ansiedade tinha na origem impulsos de medo e desejo. O medo gerava dúvidas sobre sua segurança. O desejo criava apetites que requeriam satisfação, mesmo quando as circunstâncias eram inadequadas.

Sem saber ainda que os circuitos cerebrais estão ininterruptamente integrados (essa descoberta só foi feita décadas depois), Rudy sentiu que isso era verdade. O medo e o desejo não são estranhos – eles estão ligados. O medo alimenta o desejo de atividades capazes de aliviá-lo; reciprocamente, o desejo cria o medo de não poder, ou não dever, obter o que os apetites demandam.

Recorremos a cientistas e poetas para validar os conflitos que essa fase instintiva do cérebro cria. Freud falou da força de impulsos inconscientes por sexo e agressividade, formas inominadas primitivas que ele chamou de "id". O id é poderoso, e a máxima que Freud criou para curar seus pacientes foi: "Onde o id está, o ego deve estar". O mundo testemunha constantemente a força destrutiva de nossos impulsos primitivos. O medo e a agressividade estão à espreita para derrubar as portas da razão.

Shakespeare sabia que corria atrás de mulheres e chamou sua luxúria de "desperdício de espírito". Um de seus sonetos pode servir de lição sobre a anatomia do cérebro, uma vez que descreve o conflito entre impulso e razão.

O desperdício de espírito em um deserto de desonra
É a luxúria em ação; e, enquanto não é ação, a luxúria
É perjura, homicida, sanguinária, cheia de culpa,
Selvagem, extrema, rude, cruel, traiçoeira.

Poucas descrições dos impulsos primitivos, e de como as pessoas se comportam quando o sexo supera todo o resto, seriam tão perfeitas. Se dois carneiros selvagens batendo cabeça no cio escrevessem poesia, assim descreveriam suas necessidades descontroladas. Mas, sendo humano, Shakespeare via a luxúria com remorso:

Apenas desfrutada, logo se deprecia;
Loucamente perseguida; e assim que possuída,
Loucamente odiada, como isca engolida.

Ele se compara a um animal que foi atraído a uma armadilha. A satisfação da luxúria trouxe uma nova perspectiva, uma perspectiva de autocensura. (Não temos provas de que Shakespeare tivesse uma amante, mas ele era um homem casado, com uma filha e dois gêmeos recém-nascidos, quando deixou a família em Stratford para tentar a sorte em Londres, em 1585.)

Por que a armadilha foi lançada? Shakespeare não culpa as mulheres. Diz que a armadilha foi colocada pela nossa natureza, para nos enlouquecer:

Louco na perseguição, e também na posse...
Uma felicidade na prova e, provada, uma verdadeira desgraça.

Ele saiu do cérebro instintivo para o cérebro emocional, que se desenvolveu em seguida. Os poetas elisabetanos revelavam sempre fortes paixões, fossem de amor ou ódio. Mas Shakespeare tinha se entregado demais a seus sentimentos, e agora o cérebro racional era invocado. Ele vê toda a loucura e profere uma triste moral:

Tudo isso o mundo sabe, e no entanto ninguém sabe
Evitar o céu que conduz o homem a esse inferno.

Nos momentos em que estamos divididos, o cérebro pode representar fisicamente cada aspecto de nossa guerra mental. Para Rudy, naquele momento na Times Square, a causa de medo e de desejo que controla o comportamento lhe pareceu cristalinamente clara. Os jovens descontrolados que gritavam contra o Irã e atiravam garrafas também eram ele, que se mantinha um observador passivo. O medo e o desejo os impulsionavam. Um desejo instintivo de poder e *status*, como qualquer bom psicólogo nos dirá, cria uma ansiedade impulsionada pelo medo da rejeição e de perda de poder. Um forte desejo de sucesso gera um medo ainda mais forte de fracasso, e, se o medo surge, pode criar o fracasso. O cérebro instintivo nos prende numa armadilha entre querer muito alguma coisa e não consegui-la.

Como qualquer outra fase do cérebro, os instintos podem se desequilibrar.

Se você é impulsivo demais, sua raiva, seu medo e seu desejo vão se descontrolar. Isso leva a atos irrefletidos e ao arrependimento posterior.

Se você controla demais seus impulsos, sua vida se torna fria e reprimida. Isso produz uma falta de laços com os outros e com os seus impulsos básicos.

Pontos essenciais: seu cérebro instintivo

- Entenda que os instintos são uma parte necessária de sua vida.
- Tenha paciência com o medo e a raiva, mas não se entregue a eles.
- Não tente discutir com seus impulsos.
- Não reprima pensamentos e sentimentos por culpa.
- Esteja consciente de seus medos e desejos. A consciência ajuda a equilibrá-los.
- Só porque você é impulsivo, não aja sempre por impulso. As partes superiores do cérebro também devem ser consultadas.

SOLUÇÕES DO SUPERCÉREBRO
Ansiedade

A ansiedade cria uma falsa imagem do mundo, vendo ameaças em situações que na verdade são inofensivas. A mente cria o medo. Se ela puder desfazer a percepção dele, o perigo desaparece.

Para começar, a vida não pode existir sem medo, mas ele gera paralisia e sofrimento. Os dois aspectos, um positivo e o outro negativo, encontram-se dentro do cérebro. Para pessoas que sofrem de transtorno de ansiedade generalizada (uma das queixas mais comuns na sociedade moderna), a solução de curto prazo é química: tranquilizantes. Já alertamos sobre os efeitos colaterais das drogas químicas, mas o maior problema é que elas não curam desordens de humor, entre elas a ansiedade. Assim como a tristeza é universal, enquanto a depressão é anormal e prejudicial, o medo é universal, enquanto a ansiedade generalizada consome a alma. Como pontuou Freud, nada é mais indesejável que a ansiedade. Estudos médicos revelaram apenas algumas coisas a que o sistema mente-corpo não consegue se adaptar: uma é a dor crônica, do tipo que não tem remissão (como o câncer ósseo avançado), e a outra é a ansiedade.

Diz-se que a ansiedade é "generalizada" porque aquilo de que temos medo não é uma ameaça específica. Em circunstâncias normais, a reação ao medo é física e tem alvo certo. Vítimas de algum crime contam que, durante o ato, enquanto a arma do assaltante permanecia em seu campo visual, elas entravam num estado de extrema vigilância, com o coração batendo acelerado. Esses aspectos da reação de medo brotam automaticamente do cérebro reptiliano, e acredita-se que aquilo que nos causa preocupação e ansiedade está programado na amídala. Porém, isso não nos diz muita coisa. Uma vez que a pessoa fica ansiosa num sentido errático – como acontece, por exemplo, com preocupações crônicas –, todo o cérebro se envolve. O medo tem alvo certo e específico; a ansiedade é errática e misteriosa. As pessoas que sofrem de ansiedade não sabem por quê.

O que elas sentem é como um mau cheiro presente na periferia da consciência, por mais que tentem fingir que ele não existe. Para curar a ansiedade, elas não podem atacá-la como uma coisa; o mau cheiro se infiltrou por toda parte. Em outras palavras, sua criação da realidade está distorcida. Nada desencadeia a ansiedade. As pessoas ansiosas sempre têm medo de alguma coisa, uma nova preocupação ou uma nova ameaça. Para encontrar uma solução, elas devem aprender a não lutar contra o medo, mas deixar de se identificar com seus medos.

Esse distanciamento só é possível se a pessoa entender o que torna o medo tão aderente. Em seu estado natural, positivo, o medo se dissipa assim que a pessoa se afasta do tigre feroz ou mata o mamute. Não existe um componente físico. Em seu estado errático, negativo, o medo persiste, e essa aderência tem vários aspectos.

Como a ansiedade se torna permanente

- A mesma preocupação volta sempre. A repetição cola a reação de medo no cérebro.
- O medo é convincente. Quando se acredita na voz do medo, ele toma conta.
- O medo excita a memória. Aquilo que nos dá medo lembra algo ruim do passado, o que traz de volta a velha reação.
- O medo leva ao silêncio. Por vergonha ou culpa, não se fala dele, e por isso ele cresce.

- O medo é uma sensação ruim e por isso se empurra a dor para longe. Mas sentimentos reprimidos permanecem. Aquilo a que se resiste persiste.
- O medo é incapacitante. A pessoa se sente fraca demais para fazer alguma coisa contra ele.

Já explicamos como um comportamento depressivo se torna um hábito. Essa é uma maneira de explicar como as emoções persistem. As questões que levantamos sobre a depressão também se aplicam à ansiedade. O que vamos acrescentar é o aspecto multidimensional. O medo se instala com muitos tentáculos, e todo apego é prejudicial. Para dissipar o medo, precisamos romper com sua realidade. É possível lidar com cada parte dela individualmente. Você pode desmontá-la pela simples razão de que você está no centro da criação de realidade.

1. A mesma preocupação volta sempre. A repetição cola a reação de medo no cérebro.
A repetição aprofunda o sulco que mantém qualquer reação fixa. Se temos que caminhar por um bairro perigoso da cidade à noite, essa caminhada repetida faz o perigo parecer maior. Às vezes nos acostumamos a isso. Crianças que vivem com pais raivosos são capazes de prever quando outra explosão virá. Mas a repetição nunca é simples. Essas mesmas crianças descobrirão, em geral muitos anos mais tarde, que a agressão dos pais as afetou profundamente. No caso da ansiedade, elas interiorizam a repetição. Você incorpora o agressor, gerando ininterruptamente a mesma mensagem de "tenha medo".

Convém perceber que você está desempenhando um duplo papel: de agressor e de agredido. Os preocupados crônicos sabem disso. Repetem as mesmas preocupações ("Será que tranquei a porta de casa?", "E se eu perder meu emprego?", "E se meu filho se envolver com drogas?") e acreditam que elas são úteis. As reações irritadas de familiares e amigos não põem fim ao engano. Na verdade, a pessoa intensifica suas preocupações porque ninguém está prestando atenção. É sua responsabilidade se preocupar pelos outros.

Presa dentro de si mesma, a mente não pode ver que a preocupação crônica não faz nenhum bem. Não percebe que o assalto repetido e obsessivo do medo é negativo. Ele se torna um vício. A pessoa suporta uma dorzinha irritante para evitar grandes perigos que poderiam causar um desastre. Nisso também está presente uma espécie de pensamento mágico: o preocupado crônico faz maquinações, que supõe capaz de manter afastado o perigo. ("Se eu me preocupo com a possibilidade de perder todo o meu dinheiro, talvez isso não aconteça".)

Para pôr fim à influência da repetição, a consciência deve entrar em ação e ter pensamentos conscientes, como os seguintes:

Estou fazendo isso de novo.
Sinto-me mal quando estou preocupado.
Preciso parar neste exato momento.
O futuro é desconhecido. Preocupar-me com ele é inútil.
Não estou fazendo nenhum bem a mim mesmo.

Uma mulher presa a um mau casamento temia constantemente por seu futuro. Tinha medo de ficar sozinha em caso de separação. Tinha medo de que os filhos ficassem do lado do marido, que ele destruísse sua reputação junto aos amigos e que o divórcio afetasse seu trabalho. Disso resultou um estado de forte ansiedade. Ela se via assaltada todos os dias com preocupações crescentes.

Mas os fatos se mostraram muito diferentes. Os filhos e colegas de trabalho a amavam. Ela realizava um bom trabalho. O marido, embora quisesse o fim do casamento, pagou-lhe uma boa pensão sem se queixar. Não falou mal dela nem obrigou os amigos a tomar partido. O problema verdadeiro era muito mais simples do que parecia, e, no entanto, ela ficava ansiosa cada vez que pensava no futuro. Felizmente, ela tinha uma confidente que percebeu seu padrão mental. Não importava que preocupação ela lhe contasse, a confidente sempre dizia: "Você fica com medo sempre que pensa no futuro. Pare com isso. Eu a conheço há muito tempo. Tudo que a preocupava há dois, cinco, dez anos, não aconteceu. Dessa vez será igual".

Naturalmente, a princípio a mulher não se convenceu. Sua preocupação repetida se tornara um hábito. Tendo as mesmas preocupações indefinidamente, ela sentia ter algum controle sobre o medo. Mas sua confidente persistiu. Por maior que fosse a ansiedade da amiga, ela sempre dizia: "Você fica com medo quando antecipa o futuro. Pare com isso". Meses depois, a tática funcionou.

Pessoas presas a preocupações autodestrutivas sabem que o velho padrão não funciona desde o princípio. Elas rompem esse padrão quando aprendem a parar o processo mental, superando-o com uma consciência emergente que diz: "O medo não é real. Sou eu que o crio". A mulher ansiosa ganhou consciência de que estava fazendo mal a si mesma com aquele medo autoinduzido. Aprendeu a se conter quando o carrossel de preocupações começava a girar.

2. O medo é convincente. Quando se acredita na voz dele, ele toma conta.
Se acreditamos que alguma coisa é verdadeira, ela se cola a nós. Isso é óbvio. Todo mundo quer acreditar nas palavras "Eu te amo" se elas vêm da pessoa certa. A memória pode nos confortar por anos, se não por toda a vida. Mas convencer-se não é o mesmo que reconhecer a verdade. A suspeita é um bom exemplo. Se você desconfia de que seu marido a está enganando, nada a convencerá do contrário. Você está totalmente convencida por sua suspeita. O ciúme é a desconfiança levada a um extremo patológico. Quando amantes estão dominados pelo ciúme, todos são infiéis, e quando essa fixação existe não importam os fatos verdadeiros.

A ansiedade é a emoção mais convincente, em parte porque a evolução a gravou no cérebro para reagir com fuga ou luta. Se você está numa batalha, de frente para a boca de um canhão, seu coração disparado lhe diz sem nenhuma dúvida o que deve ser feito. Mas quando você está transtornado por uma ansiedade generalizada, a voz do medo não lhe diz a verdade. Ela usa seu poder para convencer, mesmo quando não há o que temer. O distanciamento tem capacidade curativa nesses casos. Se você puder dizer a seu medo "Não acredito em você. Não o aceito", seu poder de convencimento vai diminuir.

Nesse caso, a mente deve guiar o cérebro. Se o cérebro está exposto a um terrível acontecimento externo (por exemplo, um acidente aéreo ou um ataque terrorista), reage com medo, mas imagens desse acontecimento ou qualquer outro estímulo forte que o traga à lembrança vão evocar a mesma reação. Reações reflexas têm voz e falam conosco. Mas a mente existe para separar o real do irreal. Quando a mente está guiando o cérebro para longe da ansiedade, tem pensamentos como os seguintes:

- Nada está acontecendo comigo. Posso lidar com a situação.
- O pior é extremamente improvável. E este não é o caso.
- Não estou só. Posso pedir ajuda, se necessário.
- Minha ansiedade é apenas um sentimento.
- Esse sentimento faz sentido?
- Está tudo bem, e também estou bem neste momento.

Colocando a voz do medo no lugar dela, você a enfraquece. Toda vez que fizer isso, a repetição atuará em seu benefício em vez de minar sua confiança. A cada avaliação realista, a próxima será mais fácil. A ansiedade não tem o poder de convencer quando você vê que a realidade não corresponde ao alarme dado.

3. O medo excita a memória. Aquilo que nos dá medo lembra algo ruim do passado, o que traz de volta a velha reação.
A criação da realidade ocorre aqui e agora, mas ninguém vive isolado. Quando se tenta viver no presente, nosso cérebro armazena e aprende com todas as experiências, comparando-as com o pas-

sado. A memória é imensamente útil – ela nos permite montar numa bicicleta e pedalar sem ter que aprender a cada vez. Esse é um uso natural, e positivo, da memória. O lado destrutivo, que alimenta a ansiedade, faz de nós prisioneiros do passado. Impressões de velhas feridas e traumas não deviam ter um componente psicológico tão forte. Mas têm, daí seu poder de se fixar. (Como disse com perspicácia Mark Twain, "O gato, depois de se sentar na chapa quente do fogão, jamais vai se sentar numa chapa quente de novo. Mas também não vai se sentar numa chapa fria".)

Substitua a palavra "gato" por "cérebro", que pode ser treinado da mesma forma. Uma vez exposto a uma experiência dolorosa, o cérebro oferece um caminho privilegiado para lembrar a dor se ela aparecer no futuro. É um traço evolucionário útil, motivo pelo qual uma criança não coloca a mão no fogo uma segunda vez. Mas o reflexo é impensado, de modo que velhas lembranças se misturam com a experiência presente à qual não pertencem. Por exemplo, psicólogos infantis fazem distinção entre dizer a uma criança o que fazer e lhe dizer o que ela é. A criança esquece facilmente afirmações do primeiro tipo – quem de nós se lembra de olhar para os dois lados ao atravessar a rua? Mas afirmações do segundo tipo permanecem. Quando se diz a uma criança "Você é preguiçosa", ou "Ninguém nunca vai amar você", ou "Você é má", ela vai ficar com essas palavras na cabeça talvez por toda a vida. Confiamos que nossos pais nos digam quem somos quando somos pequenos, e, se o que eles dizem for destrutivo, não há como escapar a isso sem curar conscientemente as velhas lembranças.

Conscientizar-se da permanência das memórias requer novos pensamentos, como os seguintes:

- Estou agindo como uma criança.
- Era assim que eu me sentia há muito tempo.
- O que eu posso sentir agora que seja mais adequado à situação atual?

- Posso ver minhas lembranças como um filme, sem me identificar com a história que ele conta.
- Isso que me assusta é apenas uma lembrança.
- O que existe realmente à minha frente?

A memória é a história da sua vida em andamento, e não há por que continuar reforçando-a inconscientemente. Você precisa intervir e acrescentar algo novo, mesmo que pequeno. A memória é incrivelmente complexa, mas tende a provocar uma reação simples:

- "A" está acontecendo.
- Lembro de "B", algo desagradável do passado.
- Estou tendo a reação "C", como sempre faço.

Este simples padrão se repete em todas as situações, como visitar a família no Natal, ver um político do partido contrário na tevê ou ficar preso num congestionamento. Saiba que, mesmo que você não tenha nenhum controle sobre o acontecimento "A" e a lembrança "B", tem chance de interferir na reação "C". Enquanto está tendo a reação, você pode examiná-la, abandonar os sentimentos negativos que estão sendo evocados e não fugir do confronto enquanto não sentir que está tendo a reação que queria ter. Na reação em cadeia, "A", "B" e "C" podem atacar ao mesmo tempo, mas ainda assim você pode intervir conscientemente para romper a cadeia. Quando fizer isso, a lembrança já não estará mais tão arraigada.

4. O medo leva ao silêncio. Por vergonha ou culpa, não se fala dele, e por isso ele cresce.
Há uma crença antiquada de que se deve guardar o medo para si mesmo. Os homens particularmente relutam em admitir que têm medo, por medo de não serem suficientemente masculinos aos olhos de outros homens. Graças à aceitação social, as mulheres são

mais propensas a falar de seus sentimentos. Mas partilhar também tem suas armadilhas, já que as pessoas são pressionadas a manter suas confissões ou queixas dentro de limites socialmente aceitos. As coisas mais difíceis, tingidas pela culpa ou pela vergonha, raramente são expressas.

Não devemos nos surpreender, portanto, que frequentemente crianças vítimas de abuso fiquem caladas e sofram em silêncio. O abuso se apoia nessa relutância em se expressar. A vítima sente que deve ter feito alguma coisa errada simplesmente pelo fato de ter sido vitimada. Substitua o abuso pela ansiedade e você verá que a mente desempenha um duplo papel: acusa a criança de fazer alguma coisa errada e ao mesmo tempo lhe diz que ela está sendo violentada, o que coloca a culpa em quem abusa. Isso é um duplo vínculo. Vamos examinar melhor como essa armadilha paralisa a criança. Suponha que uma mãe esteja furiosa com o filho, queira bater nele e diga "Venha com a mamãe" com um sorriso sedutor. A criança ouve as palavras, mas ao mesmo tempo percebe que a mãe está com raiva e vai puni-la. Duas mensagens contraditórias se chocam, e isso é um duplo vínculo.

Expressar o medo desfaz o vínculo. Uma criança pequena que não queira apanhar pode simplesmente se recusar a se mexer. Ela não tem idade suficiente para dizer "Você está me dando medo, apesar de fingir ser boazinha". Se você está ansioso, pode se desenredar de seus sentimentos sem ajuda, mas, por definição, expressar o medo requer outra pessoa. Você precisa mais do que um ouvinte. Precisa de um confidente, alguém que tenha passado pelo mesmo tipo de medo. Essa pessoa deve estar no mínimo alguns passos à sua frente. Precisa ter empatia e lhe mostrar que o medo pode ter fim. Em outras palavras, ela percorreu o caminho. Amigos bem-intencionados não são necessariamente confidentes ideais. Podem reagir com críticas, apontando para a culpa ou a vergonha. ("Você queria que seu bebê não tivesse nascido? Nossa, como assim?")

A maturidade emocional começa por saber que esses pensamentos não são atos. Ter um mau pensamento não é o mesmo que torná-lo realidade. A culpa não reconhece essa diferença. Portanto, para sair do silêncio, você precisa aprender, observando a reação de outra pessoa, que não há mal em ter qualquer pensamento, seja ele qual for. A questão é se livrar da ansiedade que o pensamento provoca. Para chegar ao ponto de encontrar um confidente maduro, você precisa cultivar pensamentos como os seguintes:

- Não quero viver com essa culpa.
- O silêncio está piorando a situação.
- Por mais que eu espere, minha ansiedade não vai desaparecer por si só.
- Existe alguém que já passou por isso.
- Nem todo mundo vai me achar tão ruim como estou me achando. Deve haver alguém que me compreenda.
- A verdade tem o poder de me libertar.

Uma das descobertas mais curiosas da psiquiatria é que pessoas que estão na lista de espera para a terapia muitas vezes melhoram antes de ter a primeira sessão, e essa melhora pode ser a que elas esperam receber de um psiquiatra. Antes de trabalhar a coragem para procurar terapia, essas pessoas venceram a pressão interior de manter silêncio. Esse passo tem o poder de curar.

5. O medo é uma sensação ruim, e por isso se empurra a dor para longe. Mas sentimentos reprimidos permanecem. Aquilo a que se resiste persiste.
É eficaz evitar a dor. Homens não são ratos. Se seus amigos duvidam de que você pule dentro de uma piscina vazia, você não tem que fazer isso. Mas a tática de evitar a dor é um tiro que sai pela culatra dentro do cérebro. Você talvez já tenha ouvido a frase "Não pense num elefante". A simples menção de "elefante" faz

pensar no animal e provoca associações no cérebro. Isso é essencial para a existência humana – é como aprendemos: por associação. Neste exato momento você associa as palavras desta página com todas as palavras que você já leu, e assim pode decidir aceitar ou não o que está lendo.

O medo associa dor com dor. Essa associação causa uma sensação ruim, e, quando alguém menciona a palavra, você tentará com todas as forças tirar a dor do seu caminho. Freud, assim como muitos outros estudiosos da mente, acreditava que afastar, ou seja, reprimir sentimentos, lembranças e experiências não funciona. Carl Jung, seguindo a orientação de Freud, acreditava que criamos uma névoa de ilusão para evitar que a vida seja dolorosa demais. Ele chamava de "sombra" todo medo, raiva, ciúme e violência escondidos num compartimento secreto da psique.

Nesse aspecto, parece que Freud estava errado. A maioria das pessoas tem facilidade em negar. Elas não enfrentam verdades dolorosas. Bloqueiam todas as experiências que nunca gostariam de ter tido. Mas a sombra libera mensagens no escuro. Sentimentos reprimidos surgem como fantasmas. Às vezes uma pessoa se sente ansiosa porque o medo está tentando vir à tona. Mas a repressão é ardilosa. A pessoa pode se sentir ansiosa porque está preocupada em guardar um segredo, ou porque sabe que um dia ele será revelado, ou porque a dor de evitar a dor é grande demais.

Os antídotos da repressão são dois: abertura e honestidade. Se você está aberto a todos os seus sentimentos, e não apenas aos bons, não precisa reprimir nada. Se você é honesto, pode mencionar seus sentimentos, por mais indesejáveis que eles sejam. Mas ninguém é perfeito nisso. Freud anunciou para um mundo chocado que todos os bebês escondem uma atração sexual pela mãe ou pelo pai. Se esse é um segredo universal (e pode não ser), então a repressão é epidêmica. Não precisamos resolver essa profunda questão psicológica aqui. O importante é a cura. Para encontrar coragem para trazer à tona seus segredos, você precisa de distanciamento. Uma criança de 1 ano que faz xixi na cama está distanciada da culpa, porque nenhuma culpa é associada a molhar a cama nessa idade. Já uma criança de 4 anos que fizer o mesmo e for repreendida tentará esconder o fato quando acontecer de novo. Uma criança de 4 anos que faz xixi na cama pode ficar constrangida.

Quando expressamos a alguém sentimentos que estiveram reprimidos há anos, o maior risco é que a pessoa a quem os confiamos reaja com crítica, porque daí podemos nos arrepender de tê-los revelado. Por outro lado, a culpa tem uma maneira maldosa de nos fazer procurar a pessoa errada quando queremos desnudar nossa alma. Isso ocorre porque ainda desempenhamos os velhos papéis de agredido e agressor. Não procuramos alguém que acaba se revelando crítico; procuramos determinada pessoa *porque* sabemos que ela vai nos criticar. Então, você deve preparar o terreno com os seguintes pensamentos:

- Sei que estou escondendo alguma coisa, e isso dói.
- A revelação me dá medo, mas isso vai me curar.
- Quero me sentir sem este peso.
- Este sentimento me persegue e me deixa muito ansioso.

Quando alguém guarda segredos, especialmente emoções secretas que não aprova, é difícil perceber que o perdão é possível. O perdão está muito distante. Parece imaginário se comparado à ansiedade sentida no presente. Lembre que o perdão é o último passo, não o primeiro. O caminho se faz passo a passo. Sua responsabilidade para consigo mesmo é apenas querer se perdoar e depois imaginar o próximo passo, por menor que seja, para chegar à cura. A atitude inicial pode ser ler um livro, manter um diário ou juntar-se a um grupo de apoio *on-line*. Seja qual for, a importância de dar o primeiro passo é sempre a mesma. Você deixa de prestar atenção no medo e aprende a aceitar seus sentimentos como eles são: acontecimentos naturais que pertencem à sua vida.

6. O medo é incapacitante. A pessoa se sente fraca demais para fazer alguma coisa contra ele.

Quando alguém está assustado, pode ficar paralisado de medo. Um soldado subindo a montanha na batalha de Gettysburg ou um bombeiro diante de uma casa em chamas podem sentir o mesmo medo, medido fisicamente pelas mudanças em seus cérebros. Mas se o soldado ou o bombeiro forem veteranos, o medo não os imobiliza. Eles se relacionam com esse sentimento de uma maneira diferente de um soldado que nunca enfrentou um canhão ou de um bombeiro que nunca entrou num incêndio. Em outras palavras, ficar paralisado de medo depende de algo mais do que apenas a reação corporal ao medo.

A capacidade que o medo tem de paralisar é misteriosa e mutável. Um alpinista experiente pode estar desfrutando uma escalada, sem nenhum risco especial à sua frente, quando de repente estaca, não consegue se mexer. Ele congela na face da rocha porque sua mente, em vez de aceitar como natural o risco de cair, pensa "Meu Deus, vejam onde estou!". O medo de cair toma conta dele, e não importa quantas vezes tenha escalado a mesma parede rochosa. Ele computou a experiência de uma maneira diferente.

A maneira como escolhemos reinterpretar uma informação bruta pode trabalhar em nosso benefício. É assim que você decide enfrentar a gozação no pátio da escola ou voltar a montar o cavalo que o atirou no chão. Seu cérebro não é você, nem tampouco suas reações. Franklin Roosevelt declarou uma verdade universal quando disse que "a única coisa que temos a temer é o próprio medo". A maneira de nos livrarmos de qualquer medo é superar seu poder de nos assustar. (Como os economistas não incluem o fator medo em suas equações, muitos se assustaram com o repentino e total colapso da economia americana depois da bolha imobiliária do fim de 2008 e quando os bancos começaram a ruir. Segundo dados disponíveis, a economia era forte o suficiente para manter muitos milhões de empregos, mas isso não aconteceu. Esse foi um exemplo de que os dados não importam. As pessoas se deixaram dominar pelo medo. Uma ansiedade controlável se transformou em pânico.)

Mente, cérebro e corpo estão conectados. Ter medo do medo gera todos os tipos de sintomas, como fraqueza muscular, fadiga, perda de entusiasmo e energia, esquecimento de que um dia não se tinha medo, falta de apetite e de sono – a lista é grande. Imagine que no meio da noite você se descubra pendurado num penhasco. Na escuridão, você fica apavorado com a ideia de despencar e morrer. Então alguém se aproxima e diz: "Não se preocupe, a queda é de apenas 1 metro". Imediatamente, você se relaciona com sua reação ao medo de uma maneira nova. É fácil sentir pânico e impotência quando se está pendurado num penhasco, mas, quando o medo desaparece, o corpo todo muda. Mesmo que o medo permaneça, saber que você está seguro envia um sinal ao cérebro para restaurar seu estado normal.

Quando a ansiedade nos diz que corremos um grande risco, o corpo não funciona como um reostato – capaz de controlar a reação de medo para cima e para baixo –, ele apenas liga e desliga. Até o medo do número treze, conhecido como "triscaidecafobia", pode provocar uma sensação de risco de morte. Um tratamento brusco, mas eficaz, contra fobias usa a saturação para combater o medo exagerado.

Um paciente tinha um medo mortal de veneno de rato e de fios elétricos. A simples visão de um desses objetos o fazia entrar em pânico. Durante esses ataques, o medo o deixava irracional. Seu terapeuta colocou-o numa cadeira e o sedou. Quando ele pegou no sono, o terapeuta amarrou caixas vazias de veneno de rato no seu pescoço e o enrolou em fios elétricos. Assim que despertou e viu o que tinha acontecido, o paciente gritou loucamente. Sua reação fóbica lhe dizia que ele ia morrer. Os fóbicos fazem qualquer coisa para evitar o medo, mas dessa vez ele não podia escapar. Entrou num surto de medo. Mas, à medida que os minutos passavam, ele encontrou uma saída. A fobia já não o dominava totalmente porque o terror diminuíra.

Não estamos recomendando a saturação. Não é essa a nossa mensagem. Mas é preciso neutralizar o medo que o medo provoca.

Para livrar-se do medo de ficar ansioso, você precisa cultivar pensamentos como os seguintes:

- Por mais assustador que isso seja, não vou morrer.
- Preciso enfrentar minha sensação exagerada de perigo.
- Como sei que vou sobreviver, posso me arriscar a não fugir do medo.
- Posso encarar o medo e fazer coisas que me assustam.
- Quanto mais eu enfrentar o medo, mais domínio terei sobre ele.
- Quando eu tiver controle total sobre ele, meu medo desaparecerá.

Esse é o passo final para se livrar da ansiedade permanente. Mas você pode resolver o problema começando por qualquer um dos passos que analisamos. O objetivo é sempre o mesmo: encontrar uma posição mais distanciada. As fobias provam que a realidade não é suficientemente forte para vencer o medo. Você pode colocar aranhas inofensivas em alguém que tenha um medo mortal delas, e seu pânico pode induzir um ataque cardíaco. O que é mais forte que a realidade? Saber que é você quem cria a realidade. Esse é o ponto crucial. Uma vez recuperada a clareza que nasce de saber como a realidade é criada, você estará livre. Você invadiu o território do cérebro e declarou que está no comando. O criador voltou.

O CÉREBRO EMOCIONAL

O medo e o desejo são criados no cérebro instintivo, mediados pelo cérebro emocional e negociados pelo cérebro intelectual. Essas estruturas satisfazem a exigência da mente de processar a luxúria, a paixão cega, a raiva, a avidez, o ciúme, o ódio e o nojo. Todos esses sentimentos estão fadados a sobreviver no curso da evolução. A reação de luta ou fuga nos répteis implica um cérebro de circuitos fixos. Os humanos não evoluíram para libertar-se dos mesmos circuitos, ou mesmo para anulá-los (da mesma forma como, por exemplo, a cauda dos primitivos mamíferos encolheu e se transformou num osso na ponta da coluna vertebral).

Ao contrário, o cérebro humano vai colocando camadas novas sobre as velhas. (No caso do córtex cerebral, a camada mais externa do cérebro, as camadas são como a cortiça numa árvore. *Cortex* significa "cortiça" ou "casca" em latim.) Nessa disposição, as camadas se mantêm integradas com as anteriores em vez de serem descartadas. Assim como lembranças de dor e desconforto geram medo, lembranças de prazer e alegria geram desejo. A evolução empurra e puxa ao mesmo tempo. É impossível dizer onde começa o desejo de prazer ou a fuga da dor. Shakespeare podia ter vergonha de sua luxúria, mas não pediu que ela lhe fosse tirada. As emoções que se baseiam no medo e no desejo funcionam lado a lado. Por exemplo, o medo de ser rejeitado pelo grupo social se encaixa no desejo de poder e sexo, sustentando o indivíduo e a espécie ao mesmo tempo.

As emoções nos parecem tão urgentes quanto os instintos, mas um novo desenvolvimento está ocorrendo. Freud chamou os impulsos instintivos de id porque eram primitivos demais para serem nomeados. As emoções têm nome, como inveja, ciúme e orgulho. Quando um poeta declara que o amor é como uma rosa vermelha, está expressando nosso fascínio por dar nome às emoções e construir um mundo ao redor delas. Portanto, as emoções são um passo na direção da consciência.

O conflito entre instintos e emoções nos ensina que os humanos evoluíram – com muito sofrimento e confusão – para aprender. Precisamos estar atentos a nossos medos e desejos. Eles não têm um controle inerente, nem o cérebro reptiliano. O complexo sistema límbico é nosso centro das emoções, mas também de coisas obscuramente relacionadas, como a memória de curto prazo e o olfato. Um perfume ou o cheiro de chocolate são suficientes para despertar lembranças (no caso do escritor Marcel Proust, foi o ato de mergulhar uma *madeleine* no chá), porque o sistema límbico une olfato, memória e emoção. Ele se desenvolveu depois do cérebro reptiliano, mas ainda assim bem cedo. Todos os animais de quatro patas, inclusive os primitivos anfíbios, parecem ter um sistema límbico desenvolvido. As emoções, ao contrário do olfato, podem ser um desenvolvimento recente. Ou talvez elas não tenham podido existir até que a linguagem lhes desse nomes.

Nossa tendência de ver o cérebro reptiliano como primitivo é um erro. Podemos "cheirar" um problema com uma certeza de fazer inveja ao cérebro racional. O cérebro reptiliano não tem dúvidas ou arrependimentos. Ninguém fala da sabedoria do impulso sexual, mas nossas emoções instintivas são definitivamente sábias. Elas representam o tipo de consciência que nos leva à felicidade. Antes que o termo *nerd* fosse inventado, as universidades começaram a atrair jovens brilhantes e obsessivos por computadores. Eles passavam dias e noites criando códigos. A era digital foi construída em muitas madrugadas de estudo. Mas então houve uma rápida reviravolta nesses jovens, e, quando perguntaram ao reitor de uma importante universidade por quê, ele suspirou: "Não conseguimos impedir que eles atravessassem o pátio. Assim que esbarravam numa garota, desapareciam".

A perda dos códigos binários foi um ganho para a humanidade. Com a emergência do cérebro emocional, a consciência começou a libertar-se da sobrevivência física. As várias áreas do sistema límbico, como o hipocampo e a amídala, foram precisamente mapeadas e podem ser relacionadas a todas as funções através de um exame de ressonância magnética. Se essa precisão tenta os neurocientistas a afirmar que o sistema límbico nos usa para seus propósitos, assim como faz o instinto, essa alegação deve ser contestada. Como evoluiu a partir da sobrevivência, o cérebro instintivo precisa nos usar. Quem gostaria de ter que pensar em digerir a comida após cada refeição? Quem gostaria de ver o carro da frente perder o controle e ter que pensar um instante antes de reagir? Grandes áreas da vida devem estar no piloto automático, e estão.

Mas as emoções, mesmo quando brotam espontaneamente, significam algo, e o significado é um departamento que todos nós queremos controlar. "Não posso evitar. Toda vez que vejo o final de *Casablanca*, eu choro", alguém pode dizer. Sim, mas escolhemos ir ao cinema, e uma das razões para isso é poder sentir fortes emoções sem se arriscar. Tudo bem um homem chorar com o fim de *Casablanca* ou quando o cão de *Meu melhor companheiro* leva um tiro, embora se acredite que homens não choram. Os filmes são o paraíso do sistema límbico – não porque o cérebro precise chorar, mas porque, em determinadas circunstâncias, nós precisamos chorar. O cérebro emocional não tem emoções. Nós temos emoções quando o usamos.

Ligado à fase emocional do cérebro, porém, há um novo conflito, ao qual já nos referimos: a memória. A memória é a maneira mais poderosa de fazer uma emoção se fixar e, uma vez arraigada, é difícil removê-la. Já discutimos a permanência de uma emoção, a ansiedade. O carma, ou *samskara,* em sânscrito, é a impressão deixada por experiências passadas. É uma palavra estrangeira, mas toda a tradição espiritual do Oriente tem raízes em um dilema universal: a luta para romper velhos condicionamentos, que criam sofrimento no presente pela lembrança da dor passada. O processo de impressões cármicas é um aspecto inextricável do cérebro emocional.

Acreditar ou não em carma não faz diferença. Estamos depositando impressões em nosso sistema nervoso o tempo todo. Cada gosto ou desgosto ("Odeio brócolis", "Adoro aspargos", "Eu o odeio", "Eu a amo") se deve a impressões passadas. Isso é mais do que processamento de dados. Qualquer um que compare o cérebro humano a um computador deveria saber responder se os computadores gostam de brócolis ou odeiam o fascismo. As emoções orientam as preferências, e os computadores não têm emoções. Como esse acúmulo de impressões se faz sem esforço, poderíamos supor que seria fácil removê-las. Às vezes é. Se você diz algo errado, pode se corrigir dizendo "Esqueça o que eu disse", e seu ouvinte esquecerá. Mas impressões duradouras não podem ser removidas nem com muito esforço. O trauma permanece. Como ainda entendemos pouco a memória, seus sinais não podem ser detectados no sistema límbico. E, no entanto, lembranças vívidas se fixam por natureza.

Precisamos ter uma vida emocional aberta e valorizar nossos sentimentos. Mas, quando a emoção tem supremacia, precisamos evoluir mais. Em particular, acreditamos que devemos ser testemunhas de nossas emoções. Isso não significa que se deva dar um passo atrás e observar enquanto enlouquecemos ou entramos em pânico. As emoções seguem seu curso; como os instintos, elas querem o que querem. Mas não se deve alimentá-las em excesso. A raiva, por exemplo, já é por si só forte e inflamável.

Não precisa que se jogue querosene em cima dela. Observando a raiva, criamos uma certa distância entre nós e nossa emoção. Se você faz uma observação como "Esse sou eu ficando com raiva", o "eu" e a "raiva" ficam separados. Nesse pequeno ato de distanciamento, a emoção perde força. Sempre temos a opção de usar qualquer parte do cérebro como parceira. As condições da parceria somos cada um de nós quem estabelece.

Como acontece com qualquer fase do cérebro, as emoções podem se desequilibrar. Quem for muito emocional, perderá a perspectiva. Seus sentimentos o convencem de que são a única coisa que importa. Emoções excessivas são exaustivas e enfraquecem todo o sistema mente-corpo. Se a pessoa der vazão a suas emoções por muito tempo, pode se tornar sua prisioneira.

Mas se controlar demais suas emoções, perderá contato com sua vida emocional. Isso cria a ilusão de que só o intelecto basta. Ignorando o poder de uma emoção reprimida, corre-se o risco de ter comportamentos inconscientes. Reprimindo as emoções, o indivíduo pode ficar sujeito a doenças.

Pontos essenciais: seu cérebro emocional

- Deixe que os sentimentos cheguem e partam. Essas idas e vindas são espontâneas.
- Não alimente sentimentos negativos com a justificativa de que você está certo e o outro errado.
- Observe seus pontos fracos emocionais. Você se apaixona com muita facilidade, perde o controle muito depressa, apavora-se diante de riscos triviais?
- Comece a observar suas deficiências quando elas surgirem.
- Pergunte-se se precisa ter a reação que está tendo. Se sua resposta for não, o sentimento indesejável vai começar a recuperar o equilíbrio.

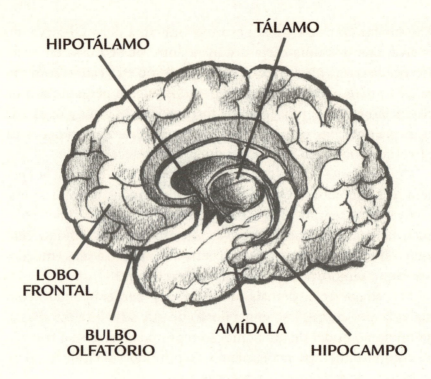

Figura 3: O sistema límbico

O sistema límbico (sombreado) fica escondido sob o córtex cerebral. Ele abriga nossas emoções, sentimentos de prazer associados à comida e ao sexo, e a memória de longo prazo. Nele se situam duas áreas, o tálamo e o hipotálamo, assim como a amídala e o hipocampo, que controla a memória de curto prazo.

A amídala determina quais lembranças serão armazenadas com base na reação emocional que uma experiência provoca. O hipocampo é responsável pela memória de curto prazo e por enviá-la às partes do córtex cerebral adequadas à armazenagem de longo prazo. Essa região é particularmente afetada no mal de Alzheimer. O sistema límbico está estreitamente conectado ao bulbo olfatório, que processa o olfato. É por isso que um certo aroma pode desencadear fortes lembranças.

Antes do salto

Agora, vamos dar um salto na evolução, com a entrada do cérebro racional. O questionamento sobre o significado da vida nasceu no córtex cerebral, que se acomoda como um rei acima do cérebro reptiliano. Mas mesmo reis podem ceder, e com o cérebro acontece o mesmo. O cérebro reptiliano sempre faz exigências instintivas, às vezes primitivas. A evolução ainda não deu nenhum salto maior – na Terra ou no cosmos – do que aquele feito para criar o córtex cerebral.

Vamos dar a essa parte do cérebro um capítulo inteiro. Mas primeiro vamos voltar ao cérebro instintivo e ao cérebro emocional. Eles merecem respeito pela complexidade de sua reação ao mundo. Se você for perseguido por um tigre, o cérebro instintivo imediatamente liberará neuroquímicos específicos que lhe permitirão enfrentar melhor o ataque.

Esse coquetel neuroquímico, composto primordialmente de adrenalina, levou milhões de anos para ser aperfeiçoado. A adrenalina é o início de uma cascata química no cérebro. Ela provoca atividade eletroquímica em sinapses específicas, mandando você fugir enquanto otimiza seu batimento cardíaco e sua respiração para o máximo desempenho físico. Também otimiza sua concentração para suportar a caçada e escapar do tigre. Deixará você alerta, diminuindo sentimentos preexistentes de fome, sede ou mesmo a necessidade de ir ao banheiro.

Essas possíveis distrações se dissolvem instantaneamente, para que toda atividade física e mental possa se concentrar em fugir e sobreviver. Na escola, se alguém nos desafiasse tentando roubar o dinheiro do nosso lanche, partíamos para a briga sem pensar. Ou, se o "ladrão" fosse muito maior, fugíamos sem pensar.

A evolução acentuou a aliança entre o cérebro instintivo e o cérebro emocional para garantir nossa sobrevivência, mas, se usada em excesso, essa aliança pode se tornar nossa pior inimiga. Isso porque o cérebro instintivo e o cérebro emocional são "reativos" – induzem automaticamente a um estado de excitação. Qualquer forte estímulo externo – um tiro, o carro à sua frente que de repente quebra, o olhar de uma linda moça ou de um homem atraente – desencadeia automaticamente uma reação que provoca a aliança entre instinto e emoção.

Rudy lembra uma experiência de *bullying* na infância, que é um ótimo gancho para o próximo assunto: o cérebro racional. Quando criança, ele era muito tímido e fisicamente desajeitado para os esportes. Sua irmã gêmea Anne, ao contrário, era uma atleta por natureza. Quando os colegas o agrediam no pátio da escola, Anne vinha em seu socorro. Era frustrante ser defendido por uma menina, e uma menina mais forte do que ele.

Mais importante era a frustrada reação de luta ou de fuga, porque nenhum dos lados vencia. Fugir faz um menino pequeno perder seu senso de orgulho; ser derrotado era uma humilhação. No entanto, de uma estranha maneira, Rudy estava repetindo um problema evolucionário primitivo. Os humanos primitivos tinham que imaginar como viver juntos; não poderiam constituir uma sociedade se fugissem cada vez que a adrenalina determinasse uma luta, nem entregar-se a um combate sangrento cada vez que ela mostrasse seu outro lado e determinasse uma fuga. Rudy teve que encontrar uma maneira de resolver o mesmo dilema social. Pouco a pouco, quando os outros garotos o agrediam, ele passou a usar cada vez mais o intelecto.

A princípio, a principal ajuda foi tática. Uma vez, no quarto ano, uma agressão provocou uma luta. O agressor saltou nas costas de Rudy, socando-o. Anne observava a distância, pronta para entrar na briga. Mas, em vez de entrar em pânico e tentar atirar longe o agressor, Rudy teve uma ideia. Notou um enorme carvalho atrás deles e correu de costas o mais depressa que pôde, batendo o agressor contra a árvore. O menino caiu no chão e desmaiou. Com essa lembrança gravada no cérebro, aquele garoto nunca mais se meteu com ele. Em outras palavras, enquanto os cérebros instintivo e emocional o advertiam da urgência da situação, pela primeira vez seu cérebro intelectual imaginou uma tática diferente, que não era nem de luta nem de fuga.

Podemos imaginar os primeiros humanos fazendo descobertas semelhantes. Uma vez que seu oponente começa a pensar, você precisa fazer o mesmo. Táticas de luta levam inevitavelmente à guerra. A necessidade de sentar-se ao pé do fogo e partilhar os frutos da caçada e da coleta cria razões para ser social. Estímulos externos não foram a única causa do salto quântico representado pelo intelecto. Cada célula do corpo tem uma inteligência inata. Não podemos limitar o efeito de amplo alcance da inteligência celular, que foi crucial para fazer do corpo o que ele é hoje. As células vivem juntas, cooperam, sentem-se e se comunicam constantemente. Se uma célula se torna antissocial e ameaçadora, o sistema imunológico intervém e, se falhar, pode se desenvolver um câncer – o comportamento antissocial por natureza do corpo. Em certo sentido, o cérebro racional estava apenas fazendo o que toda célula sabe fazer. Seja como for, o salto para o cérebro intelectual aumentou em mil vezes as possibilidades da vida humana.

SOLUÇÕES DO SUPERCÉREBRO
Crises pessoais

Muitas pessoas reagem a uma crise pessoal com medo, o que é instintivo. Mas é possível ter uma abordagem mais integrada usando o cérebro racional e o cérebro reptiliano juntos. Uma crise pessoal é apenas um desafio de proporções drásticas, e os desafios fazem parte da vida de todo mundo. Ninguém escapa a momentos difíceis, quando o desafio se transforma numa crise. Muitas grandes mudanças surgiram de um desastre iminente.

O resultado de sua vida depende de como você lida com esses momentos difíceis. Serão fontes de mudança ou retrocessos? Aqui entra o que chamamos de sabedoria, porque a maioria das pessoas toma decisões por impulso ou por hábito. Sentem a pressão das emoções, que é muito mais forte quando a mente está tumultuada. Não há como negar a famosa primeira frase do livro *A trilha menos percorrida*, de M. Scott Peck: "A vida é difícil". Mas a sabedoria pode ser um incentivo para vencer dificuldades, transformando a frustração e a derrota em mudanças e descobertas.

Sempre que a situação for difícil, faça a si mesmo três perguntas, concebidas para transformar um tumulto mental em um processo ordenado que o cérebro pode acompanhar e organizar fisicamente.

Pergunte-se

1. Esse é um problema que posso resolver, que devo suportar ou do qual preciso fugir?

2. Quem posso consultar que já tenha conseguido resolver o mesmo problema?
3. Como encontrar uma solução dentro de mim?

Por outro lado, existem três perguntas que você nunca deve se fazer, porque são ineficazes e promovem o caos mental.

Não se pergunte

1. O que está errado em mim?
2. Quem posso culpar?
3. Qual é o pior cenário?

A situação em que essas perguntas podem surgir são inúmeras, desde um mau relacionamento a um grave acidente de carro, do diagnóstico de uma doença grave à prisão de um filho por drogas. A triste verdade é que milhões de pessoas se fazem constantemente as perguntas erradas, enquanto apenas uma pequena fração faz as perguntas corretas, que levam às ações corretas. Vamos ver se podemos melhorar essa situação.

1. Esse é um problema que posso resolver, que devo suportar ou do qual preciso fugir?
A primeira coisa a fazer é analisar a situação de uma perspectiva razoável. Pergunte-se: "Esse é um problema que posso resolver, que devo suportar ou do qual preciso fugir?" A menos que possa responder a essa pergunta com clareza e de maneira racional, sua visão estará perturbada por reações emocionais. Sem saber disso, você estará sujeito a uma aliança entre instinto e emoção. Você pode ceder à impulsividade ou recair em velhos hábitos, quando na verdade precisa de algo novo, uma solução que resolva a crise.

Situações difíceis frequentemente induzem a más decisões. Portanto, para fazer boas escolhas, você deve clarear sua confusão interior. Pare para pensar – consultando pessoas em quem confia – em um plano de ação que comece com a busca por uma solução. Se a solução não for fácil, pergunte por quê. A resposta pode ser que você precisa ter paciência e suportar a situação difícil, ou então que precisa se afastar, porque em seu lugar ninguém encontraria uma solução. Problemas financeiros às vezes podem ser resolvidos, mas às vezes você precisa suportá-los, a menos que a situação piore a ponto de você precisar se afastar para evitar a falência. Observe que essa sequência tem que existir. A sociedade teve um retrocesso quando as dívidas foram transformadas em um fracasso moral e os devedores foram atirados na prisão. Eles foram privados dos meios para resolver o problema ou desistir.

Não se deixe envolver em atitudes moralmente críticas ou punitivas. Geralmente, como é difícil encontrar uma solução e se afastar é arriscado, a maioria das pessoas suporta uma situação difícil, mesmo uma crise, como um marido agressivo e violento ou sinais graves de uma doença cardíaca causada pela obesidade. Só uma pequena porcentagem de pessoas (menos de 25 por cento) busca ajuda profissional para seus problemas emocionais, enquanto a maioria (mais de 70 por cento) relata ter tentado resolver problemas emocionais vendo televisão por mais tempo.

As alternativas funcionariam se as pessoas não hesitassem quando as coisas vão mal. Um dia, elas esperam por uma solução e talvez deem alguns passos em direção a ela. No dia seguinte, sentem-se passivas e vítimas, e por isso suportam a situação. No terceiro dia, ficam cansadas de sofrer e simplesmente querem desistir. O resultado geral é o sentimento de derrota. Não se pode encontrar uma solução correndo em três direções diferentes. Portanto, esclareça sua situação e aja pensando nos fatos.

Ações: quando se sentir mais calmo, sente-se e examine a crise. Enumere por escrito as alternativas, distribuindo-as em três colunas: *resolver, suportar* e *se afastar*. Anote as razões para cada uma. Reflita sobre elas cuidadosamente. Peça a alguém em quem confie para comentar sua lista. Uma vez que decida o que fazer, apegue-se a essa decisão, a menos que fortes indicações apontem em uma nova direção.

2. Quem posso consultar que já tenha conseguido resolver o mesmo problema?

Ninguém resolve sozinho uma situação difícil, mas as reações emocionais sem dúvida nos isolam. Ficamos com medo e deprimidos. Nós nos fechamos. Alimentamos a vergonha e a culpa, e, uma vez que esses sentimentos corrosivos tomam conta, temos mais razões para nos fechar. Portanto, você deve se perguntar: "Quem posso consultar que já tenha conseguido resolver o mesmo problema?"

Encontrar alguém que já tenha passado pela mesma crise que você está enfrentando resolve várias coisas de uma vez. Oferece um exemplo a seguir, um confidente que entende sua situação e uma alternativa para sair do isolamento. Vítimas sempre se sentem sós e impotentes. Portanto, procure alguém que tenha passado pessoalmente pela experiência e lhe ensine que você não precisa se sentir vítima diante de seu problema.

Não estamos falando em partilhar o sofrimento, nem em terapia. Essas coisas podem ser benéficas (ou não), mas nada é melhor do que conversar com alguém que já entrou em um túnel escuro e conseguiu sair. Onde encontrar essa pessoa? Informe-se. Quando você está se sentindo sobrecarregado e estressado, há mais pessoas que querem ajudar do que você imagina. A internet pode ampliar sua busca, já que oferece fóruns nos quais a crise pode ser discutida em tempo real e *links* para fontes interconectadas. Mas assegure-se de não estar entrando numa sessão de lamentações, seja *on-line* ou pessoalmente. Diante da intensidade de nossos sentimentos, tendemos a nos apoiar em qualquer pessoa que nos dê ouvido.

Pare e dê um passo para trás. Você está tendo o retorno correto? Trata-se de algo positivo, algo que possa usar? Essa outra pessoa tem verdadeira empatia por seu problema? (Se estiver atento, você consegue enxergar a falsidade.) Partilhar emoções é apenas o começo. Precisamos de sinais de que nossas emoções estão se curando e de que uma verdadeira solução para a crise está começando a aparecer.

Ações: Encontre um confidente a quem contar sua história. Busque um grupo de apoio. Procure na internet blogues e fóruns – as possibilidades hoje são enormes. Não pare até encontrar não só um bom conselho, mas uma verdadeira empatia de alguém em quem confie. Anote a solução sugerida. Atualize essas anotações frequentemente, até que a solução comece a funcionar. Caso contrário, volte atrás e procure um conselheiro melhor.

3. Como encontrar uma solução dentro de mim?
Finalmente, pode não haver alguém que tenha passado pela mesma crise. Mas cabe a você transformar uma coisa ruim numa coisa boa. Ninguém está disponível o tempo todo, e a verdade é que as crises consomem muita atenção. Você está enfrentando um mundo interior repentinamente cheio de perigos, medos, ilusões, desejos, rejeições, distrações e conflitos. O mundo "lá de fora" não vai mudar enquanto o mundo "aqui de dentro" não mudar. Portanto, pergunte-se: "Como encontrar uma solução dentro de mim?"

Você está tentando entrar nos domínios do cérebro racional, onde o intelecto e a intuição podem ajudá-lo. Mas antes deve se dar permissão para isso, o que significa uma disposição para mergulhar fundo em seu próprio ser. Ainda não falamos muito sobre o cérebro racional. Como uma primeira lição, pense numa simples verdade na qual os autores acreditam profundamente: o nível da solução nunca é o nível do problema. Sabendo disso, você pode escapar de muitas armadilhas.

O que existe no nível do problema? Pensamentos repetitivos que não levam a lugar algum. Velhos condicionamentos que continuamos aplicando a opções desgastadas e velhas. Montes de comportamentos improdutivos e obsessivos, e ações inúteis. Precisamos ir em frente. Mas o mais importante é que temos mais de um nível de consciência, e, num plano mais profundo, possuímos um manancial intocado de criatividade e percepção.

Nosso cérebro racional contém o potencial de criar novas soluções, mas precisamos cooperar. Muita gente diz "Preciso pensar nisso", o que pode ser um bom primeiro passo. Mas num nível mais profundo, o que importa é o processo. Precisamos encontrar uma maneira de relaxar, o que é extremamente difícil numa crise. Constantes pressões geram constantes preocupações. Deixar a ansiedade crescer alimenta o cérebro reptiliano, amplificando suas reações. Só o cérebro racional é capaz de distanciar a mente de reações instintivas e emocionais.

Então, como permitir que o cérebro funcione melhor? Confiança e experiência ajudam. Se você teve, no passado, momentos surpreendentes em que uma solução surgiu de maneira espontânea, pode acreditar que isso vai ocorrer novamente. Se você valoriza o *insight*, isso também ajuda. Crie as circunstâncias adequadas para uma revelação: fique em silêncio num determinado momento do dia. Feche os olhos e acompanhe a respiração até que seu corpo comece a se acalmar. O estresse físico bloqueia o cérebro racional. Esteja bem descansado, se possível. Mantenha-se afastado de circunstâncias estressantes e de pessoas que o deixem vulnerável.

Nessa quietude, peça uma resposta. Para algumas pessoas, isso significa orar a Deus, mas não é necessário. Você pode pedir a seu ser superior ou simplesmente manter a intenção claramente focalizada. Depois, relaxe. Respostas sempre vêm, porque a mente sempre mantém canais de comunicação. Fazer uma pergunta ao universo, como diriam alguns, estimula o universo a responder. Em qualquer caso, gerações de sabedoria acreditam que soluções criativas surgem espontaneamente.

- No primeiro estágio, o medo diminui; você se sente forte para enfrentar a crise.
- No segundo estágio, você vê o que fazer.

- No terceiro estágio, você vê sentido em toda a experiência. O cérebro racional facilita esse desdobramento natural, se você permitir.

Ações: Crie um espaço de calma interior. Distancie-se das preocupações; não se envolva no caos. Nessas condições propícias, você atinge o nível da solução, distanciando-se do nível do problema.

As três perguntas que você não deve fazer vão persegui-lo a menos que você as afaste conscientemente. Todo mundo sente a necessidade de se culpar ou culpar os outros pelas adversidades, e de imaginar um desastre total. É isso que as três perguntas erradas fazem, e, quando você lhes dá espaço, elas causam um dano incomensurável à vida cotidiana. Em seus momentos de clareza, lembre-se de que isso é autopunição. Abra uma brecha no pensamento de modo a excluir as reações instintivas e emocionais que querem dominar a situação.

Não sabemos exatamente o que de ruim está acontecendo a você. Apenas o aconselhamos a deixar de fazer parte da maioria que vive em confusão e conflito. Junte-se à minoria que vê um caminho claro para sair da escuridão, que nunca se entrega ao medo e ao desespero. Isso ajuda a conduzir qualquer pessoa para fora de uma crise e em direção a um futuro luminoso.

DO INTELECTO À INTUIÇÃO

Se o cérebro humano tivesse parado de se desenvolver depois da fase emocional, ainda seria uma maravilha. Temos emoções extremamente sutis que nos unem. Mas o cérebro não parou por aí, porque a mente humana queria mais. Não basta amar alguém ou sentir ciúme, admiração, gratidão, possessividade e todos os outros sentimentos que costumam se misturar ao amor. Não basta o amor oscilar entre a terna afeição à paixão arrebatadora. A mente quer viver no amor, lembrar quem, quando e por que amamos. Somos as únicas criaturas capazes de escrever "Como eu te amo? Deixa-me contar as maneiras". Trata-se de um jogo puramente intelectual? Não, é uma maneira de adicionar uma nova camada de riqueza em nossa vida.

A fase intelectual do cérebro

Quando alguém pergunta "Por que amo X?" ou "Por que odeio Y?", entra em cena um elemento altamente evoluído: o intelecto. O intelecto foi a estratégia que o cérebro desenvolveu para enfrentar as obsessões baseadas em medos e desejos. O pensamento racional nos permite criar uma estratégia para obter o que desejamos, uma atividade que domina a vida de qualquer pessoa. Mas ele também contrabalança o domínio das emoções. Nossas emoções e nosso intelecto desempenham seu papel no nível neurobiológico, já que neurotransmissores excitatórios, como o glutamato, estão engajados em um constante movimento *yin* e *yang* com neurotransmissores inibitórios, como a glicina.

No campo da experiência pessoal, a inter-relação inconstante entre emoção e intelecto cria um discurso interno que é transmitido ao cérebro durante todos os momentos em que a pessoa está acordada. Para alguns, esse discurso assume a forma de um monólogo interior, no qual o cérebro faz toda a "fala", que extrai de velhas lembranças, hábitos e condicionamentos. Para outros, o discurso é mais um diálogo interno, no qual velhas e novas ideias se enfrentam. Uma pessoa precisa decidir qual delas vai aceitar: as reações gravadas no cérebro ou reações desconhecidas. Esse pode ser o problema.

A luta é tão difícil que algumas pessoas tentam viver uma vida de puro intelecto, negando seu lado emocional. Jesse Livermore foi um famoso investidor no mercado de ações durante os anos 1920. Nascido em Massachusetts, em 1877, ele nos encara com um olhar impassível e severo nas velhas fotografias. Ele está entre os primeiros financistas que nunca tiveram outro trabalho a não ser manipular números. Viveu para os números e regulou sua vida com absoluta precisão. Saía de casa exatamente às 8h07 todas as manhãs e, numa época em que os sinais de trânsito eram controlados manualmente por um policial numa cabine, o surgimento de sua limusine fazia todos os sinais da Quinta Avenida abrirem.

No dia 29 de outubro de 1929, a desastrosa "Quinta-Feira Negra", quando ocorreu o *crash* da bolsa, a mulher de Livermore supôs que ele tivesse perdido toda a sua fortuna, como ocorrera com todos os amigos. Ela ordenou aos criados que tirassem todos os móveis da mansão. Quando voltou para casa, Livermore encontrou-a vazia. Mas, na verdade, ele tinha ouvido o que os números lhe diziam e conseguira ganhar mais dinheiro naquele dia do que nunca antes. Essa pode parecer uma história do triunfo do intelecto puro, mas, durante a década de 1930, novas normas chegaram a

Wall Street. Foi o fim da época dos aventureiros, quando uns poucos investidores ricos podiam manipular as ações a seu bel prazer. Livermore teve dificuldade de se adaptar. Seus negócios ficaram imprevisíveis. Ele se desestimulou, ficou deprimido e, nos anos 1940, trancou-se no banheiro de seu clube particular e deu um tiro na cabeça. Nunca foi revelado o que aconteceu a seus milhões.

É natural para o nosso intelecto fazer perguntas e esperar as respostas. A mente humana tem uma fome infindável de conhecimento. Vivemos em duas trilhas paralelas. Numa delas experimentamos tudo o que nos acontece, enquanto na outra questionamos essas experiências. O córtex cerebral cuida do pensamento em todos os seus aspectos, inclusive nas tomadas de decisões, críticas, cogitações e comparações. Para um neurologista, o córtex é a parte mais enigmática do cérebro. Como os neurônios aprendem a pensar? E, ainda mais misteriosamente, como aprendem a pensar sobre o pensamento?

Porque isso é o que fazemos todos os dias. Temos um pensamento e depois refletimos sobre o que esse pensamento significa. Como isso parece muito abstrato, vamos dar uma explicação da perspectiva do cérebro:

Instintivo: "Estou com fome."
Emocional: "Hum, uma torta de banana seria uma delícia agora."
Intelectual: "Posso ingerir todas essas calorias?"

Na fase intelectual, fazemos infinitas escolhas. Podemos nos perguntar "Quem faz uma boa torta de banana?", ou "É isso o que realmente quero?", ou "Isso significa que estou grávida?". Podemos pensar qualquer coisa, inclusive as mais esquisitas ("Será que as bananas sentem dor quando são cortadas do pé?"), as mais imaginativas ("Gostaria de escrever um livro infantil sobre um menino que encontra uma torta de banana falante") ou qualquer outra coisa.

Nós, seres humanos, temos orgulho de nosso intelecto a tal ponto que, até recentemente, negávamos que qualquer animal inferior tivesse algum tipo de inteligência. Isso está mudando rapidamente.

Poucos pássaros permanecem na margem norte do Grand Canyon no inverno nevoso, por exemplo, e aqueles que o fazem passam os meses de outono enterrando sementes no solo. Eles colhem pinhas e enterram cada uma num local, aparentemente aleatório, até que centenas sejam enterradas. Quando chega o inverno, esses locais ficam cobertos de neve. No entanto, os pássaros voltam a cada ponto onde existe uma pinha enterrada e a removem. Cada pássaro só volta ao local onde enterrou sua própria pinha, sem bicar a esmo em busca das que foram enterradas por outros pássaros.

São inúmeros os exemplos de inteligência animal, e, no entanto, ainda achamos que a capacidade intelectual é exclusivamente humana. A estrutura cerebral comprova isso: uma parte desproporcional do nosso cérebro, muito grande para o nosso peso, pertence ao cérebro racional. (O fato de 90 por cento do nosso córtex ser ocupado pelo neocórtex, a "nova camada", mostra que temos uma grande capacidade para pensar e tomar decisões, enquanto 60 por cento do cérebro do golfinho é dedicado à audição, o que faz sentido para uma criatura que se guia pelo som subaquático.) Apesar da ideia de que somos guiados por impulsos instintivos, como sexualidade, fome, raiva e medo, o cérebro racional domina tudo. Afinal, antes que dois países entrem em guerra e bombardeiem as cidades um do outro, eles primeiro tiveram que construir essas cidades – e essas bombas –, o que é um grande feito do intelecto.

O cérebro racional marca a chegada da autoconsciência. Todos os exemplos que demos subentendem o pronome "eu" como parte do pensamento. O "eu" é o ser consciente que usa o cérebro. As fases instintiva e emocional residem no mundo do subconsciente. Em maio, numa determinada fase da lua, dezenas de milhares de caranguejos-ferraduras põem seus ovos na costa atlântica da América do Norte e depois se juntam na profundeza do oceano, como fazem há milhões de anos. Dias depois, um pequeno pássaro conhecido como maçarico-de-papo-vermelho chega, em meio à sua rota migratória, para se alimentar dos ovos de caranguejo-ferradura espalhados na areia.

O maçarico-de-papo-vermelho passa o inverno na Terra do Fogo, na extremidade da América do Sul, e lá se alimenta de pequenos moluscos. Ninguém sabe por que ele viaja quase 15.000 quilômetros entre a Antártica e o Ártico, onde cria seus filhotes. E, menos ainda, como esse pequeno pássaro aprendeu a calcular o tempo de sua migração de modo a chegar na última lua cheia ou na lua nova de maio, exatamente quando os ovos do caranguejo-ferradura chegam às praias da baía de Delaware, tornando-se o único alimento dos maçaricos-de-papo-vermelho em sua parada. Quando esses pássaros chegam a Southampton Island, no Canadá, o ambiente é ventoso, inóspito, quase sem nenhum alimento. Assim, os gordurosos ovos do caranguejo-ferradura lhes permitem armazenar energia suficiente para sobreviver. Toda essa complexa cadeia mostra que o instinto nem sempre é simples ou primitivo. Ele alcança níveis que o intelecto não pode compreender.

Mas, tudo isso é realmente de natureza inconsciente ou apenas queremos impor esse rótulo? Uma coisa é certa: nos humanos, a fase intelectual do cérebro mescla impulsos instintivos e emoções com o conhecimento adquirido pela experiência. Se uma pessoa tem experiências infelizes, o intelecto pode tentar encontrar experiências melhores ou dar passos mais drásticos para acabar com a tristeza, como o suicídio. Pode ser deprimente, mas é perspicaz, a frase de Nietzsche: "O homem é o único animal que precisa ser encorajado a viver". Existe uma maneira mais positiva de dizer a mesma coisa: os humanos se recusam a ser guiados pelo cérebro reptiliano, mesmo quando isso significa a sobrevivência.

O cérebro intelectual usa o pensamento lógico e racional para lidar com o mundo de uma maneira cuidadosa. Enquanto o cérebro instintivo nos faz *reagir* de uma maneira natural e inata, o cérebro intelectual nos dá a opção de *responder* conscientemente. "Resposta" vem da palavra latina *responsum*, que se refere a reagir de uma maneira *responsável*. Responder a qualquer situação requer compreensão, enquanto reagir, não. A compreensão não é um acontecimento isolado. Existe sempre num contexto social.

Precisamos ter empatia com os outros, as pessoas devem se comunicar e fazer conexões significativas. O *Homo sapiens* poderia ter permanecido sociável sem esses traços superiores. Os chipanzés são sociáveis, e se desligaram da família dos primatas milhões de anos depois, e não antes, de nossos ancestrais hominídeos.

Olhando nos olhos de um chipanzé podemos detectar momentos em que o animal parece pensar, mas os chipanzés não são responsáveis, e, apesar de toda a sua inteligência, não vão muito longe na curva de aprendizado. Podemos fazer um experimento no qual um chipanzé observa alguém esconder um alimento em uma de duas caixas. Se ele se lembrar da caixa correta, apanha o alimento. Três tentativas bastam para que um chipanzé aprenda a fazer isso. Entretanto, se ele tiver que apontar qual a caixa mais pesada para conseguir o alimento, nem depois de seiscentas tentativas ele obterá um resultado que não seja aleatório. Uma criança de 3 ou 4 anos percebe rapidamente qual a caixa mais pesada.

Nós também partilhamos nosso aprendizado. A sociedade humana depende de educação, que requer um tipo especial de cérebro, capaz de transformar, instantaneamente, experiência em conhecimento. Depois de milhões de anos, alguns macacos aprenderam a quebrar nozes duras batendo-as contra uma pedra, e primatas superiores como os chipanzés são capazes de usar uma vara para apanhar ovos de pássaros em buracos profundos num tronco de árvore ou formigas num formigueiro. Mas essa habilidade continua sendo primitiva. Um orangotango consegue aprender a achar comida num complicado recipiente plástico com várias partes que devem ser abertas numa sequência precisa. Os orangotangos também conseguem resolver rapidamente um quebra-cabeça, mas depois têm um bloqueio: não são capazes de ensinar a outro orangotango como resolver o mesmo quebra-cabeça.

Não ensinamos apenas com exemplos, mas falando. A linguagem complexa acelerou a evolução do cérebro, porque nos permitiu um modo mais sofisticado de comunicação. Ela também nos torna capazes do pensamento simbólico. Isso significa que podemos criar mundos simbólicos ou virtuais usando as mesmas partes do cérebro. Quando alguém para diante de um sinal vermelho, não faz isso porque ouviu a palavra "pare". Na verdade, a pessoa para porque ligou a luz vermelha à palavra. Isso é um símbolo. Por mais simples que pareça, o símbolo tem enormes ramificações. Crianças disléxicas, por exemplo, têm dificuldades de leitura devido a um defeito no desenvolvimento do cérebro ainda no útero materno. O cérebro dos disléxicos coloca palavras e letras na ordem inversa. Entretanto, descobriu-se que essa anomalia pode ser superada com a utilização de letras coloridas. O "a" pode ser vermelho, o "b" verde e assim por diante. Com essa associação simbólica, a linguagem pode progredir porque um mecanismo no córtex visual foi adequado para um novo uso: a capacidade de distinguir cores, que nos humanos é extremamente sutil. O olho humano pode detectar 10 milhões de diferentes comprimentos de ondas luminosas. Ninguém sabe exatamente quantas dessas ondas se traduzem em cores que somos capazes de diferenciar, mas esse número parece ser, no mínimo, de alguns milhões.

Esse imenso dom da imaginação e da criação de símbolos pode se voltar contra ele mesmo. A suástica surgiu como símbolo do sol entre povos antigos, mas, se pintada na parede de uma sinagoga, indica profanação ou mesmo crime de ódio. A imagem também pode bloquear a realidade. A expressão "deusa do cinema" foi inventada para reforçar a fantasia do público de que os atores de Hollywood não são pessoas comuns. Em consequência disso, porém, o público anseia conhecer o lado oculto da imagem, e, quanto mais escandalosa e sórdida for a realidade exposta, mais excitante ela é.

É antiga a divisão da mente em instinto, intelecto e emoções. A neurociência hoje consegue mapear as regiões do cérebro correspondentes a cada uma. Mas convém lembrar que essas divisões são apenas modelos inventados diante da dificuldade de compreender a natureza em toda a sua complexidade. Na verdade, estamos constantemente criando realidade, um processo que abrange todas as regiões do cérebro em constante inter-relação.

Assim como qualquer outra fase do cérebro, o intelecto pode se desequilibrar.

Se alguém é intelectual demais, perde contato com as emoções e os instintos. Isso gera ações excessivamente calculadas e planos que dificilmente se tornarão realidade.

Mas se não desenvolver seu intelecto, ficará limitado a um pensamento rudimentar. Isso gera superstição e falta de argumentos. A pessoa se torna um joguete de influências externas.

Pontos essencias: seu cérebro intelectual

- O intelecto representa a mais recente fase evolutiva da mente.
- O intelecto nunca funciona isolado, mas juntamente com emoções e instintos.
- O intelecto nos ajuda a lidar racionalmente com medos e desejos.
- Responder ao mundo implica ser responsável pelo mundo.
- O pensamento racional se torna destrutivo quando esquece suas responsabilidades (daí o surgimento de armas atômicas, a destruição do ecossistema etc.).

A fase intuitiva do cérebro

O intelecto é parte de seu patrimônio hereditário, que inclui uma necessidade insaciável de significado. Nossa intuição inata nasce de uma necessidade diferente, mas igualmente forte: a necessidade de valores. Certo e errado, bem e mal são tão básicos que o cérebro é programado para essas noções. Desde tenra idade, os bebês parecem demonstrar um comportamento intuitivo. Mesmo antes de engatinhar, o bebê que vê a mãe deixar cair alguma coisa se oferece para pegá-la – ajudar é uma reação inerente. Uma menina de 2 anos se envolve numa brincadeira de bonecas, na qual uma boneca se comporta bem enquanto a outra faz o contrário. Comportar-se bem significa brincar e cooperar, enquanto comportar-se mal significa ser egoísta e se queixar. Quando lhe perguntam de que boneca gosta mais, a menina em geral escolha a boneca "boa". Evoluímos com uma resposta cerebral para a moralidade.

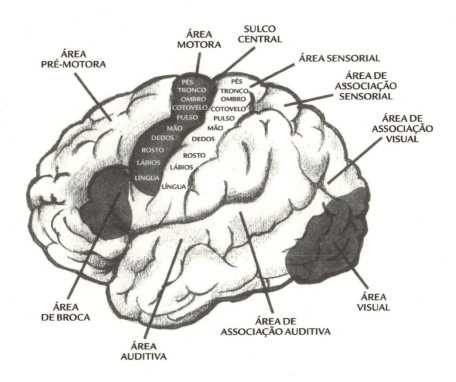

Figura 4: As áreas funcionais do córtex cerebral

A maior parte do cérebro é ocupada pelo córtex cerebral ou telencéfalo. Chamado de "cérebro racional", ele é responsável por muitas funções que associamos à nossa condição humana: recebimento e processamento de informações sensoriais, aprendizado, memória e iniciação do pensamento e da ação, assim como o comportamento e a integração social.

O córtex cerebral é a parte que evoluiu mais recentemente, consistindo em um tecido neural de cerca de 90 cm², formado por seis camadas que se acumulam em direção à superfície externa. (*Cortex* é a palavra latina para "cortiça" ou "casca".) Para caber no crânio, esse tecido se dobra sobre si mesmo muitas vezes. No córtex existe a maior concentração de neurônios de todo o cérebro, cerca de 40 bilhões.

O córtex cerebral tem três principais áreas funcionais: as regiões sensórias, para receber e processar os cinco sentidos; as regiões motoras, para controlar os movimentos voluntários; e as áreas associadas de intelecto, percepção, aprendizado, memória e pensamento de ordem superior.

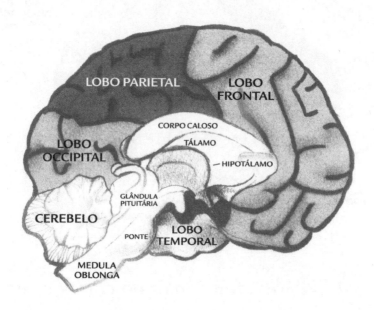

Figura 5: As regiões do córtex cerebral

O córtex cerebral é constituído por diferentes lobos. Em sua parte traseira fica o lobo occipital, que contém o córtex visual, onde o cérebro transmite e interpreta as informações percebidas pelos olhos. O córtex visual esquerdo se conecta com o olho direito, e vice-versa. Na frente dos lobos occipitais ficam os lobos temporais. Aqui residem as emoções guiadas por instintos primitivos, que servem para a sobrevivência: medo, desejo e apetites como a fome e a sexualidade. Audição e equilíbrio também são controlados aqui. Quando esta área do cérebro é danificada ou funciona mal, a pessoa pode sofrer de um apetite incontrolável por comida e sexo.

Na frente e acima dos lobos temporais ficam os lobos parietais, onde as informações sensoriais são processadas junto com a orientação espacial, que nos permite saber onde estamos. Finalmente, na frente dos lobos parietais ficam os lobos frontais. Eles regulam o controle motor e o movimento, mas também medeiam nosso comportamento em sociedade. Se o córtex frontal é danificado ou, por exemplo, contém um tumor, a pessoa pode se tornar patologicamente inibida ou exibicionista, ou até mesmo um agressor sexual.

Os hemisférios direito e esquerdo do córtex cerebral estão ligados por feixes de fibras nervosas que recebem o nome de "corpo caloso". Ele permite que os dois lados do cérebro "conversem". Se isso não acontecer, pode ocorrer a "síndrome da mão alheia", na qual a pessoa não reconhece sua própria mão. Escondido sob o corpo caloso está o sistema límbico (ver figura 3), que contém o tálamo e o hipotálamo. O tálamo está envolvido na percepção sensorial e regula o movimento. O hipotálamo regula os hormônios, a glândula pituitária, a temperatura corporal, as glândulas suprarrenais e muitas outras atividades.

As duas outras partes importantes do cérebro são o cerebelo, na parte posterior, que controla a coordenação motora, o equilíbrio e a postura; e o tronco cerebral (medula oblonga e ponte), que é a parte mais antiga do órgão. Conecta o cérebro à medula espinhal e regula os batimentos cardíacos, a respiração e outros processos autônomos.

As funções do cérebro que controlam os processos fisiológicos – do batimento cardíaco à reação de medo e ao sistema imunológico – estão concentradas em regiões específicas do córtex cerebral, do cerebelo e do tronco cerebral. Mas essas regiões também se comunicam para criar um intrincado sistema de equilíbrio e coordenação que faz parte de toda a atividade cerebral. Por exemplo, quando olhamos para uma flor, nossos olhos sentem essa informação visual e a transmitem ao córtex occipital, a região do córtex cerebral na parte posterior do cérebro. Mas primeiro essa mesma informação visual viaja pelas muitas outras áreas do cérebro, onde pode servir também para coordenar nossos movimentos em resposta à informação visual. Os bilhões de neurônios presentes nessas regiões atuam juntos em equilíbrio e harmonia, da mesma forma como uma orquestra produz uma bela música. Não se ouve nenhum instrumento alto demais ou fora do tom. Equilíbrio e harmonia são as chaves de um cérebro bem-sucedido, assim como da estabilidade do universo.

Mas a intuição também tem sido uma área suspeita. Uma curiosa ironia é que o cérebro intelectual pode rejeitar o cérebro intuitivo por considerá-lo mera superstição, beirando à crença no paranormal. Rupert Sheldrake, um biólogo britânico de grande visão, passou décadas pesquisando a intuição. Testou, por exemplo, a comum experiência de alguém se sentir observado, geralmente por uma pessoa situada às suas costas. Temos olhos na parte posterior da cabeça? Se tivéssemos, isso seria uma capacidade intuitiva, e Sheldrake mostrou que ela existe. Apesar de seu esforço, seu trabalho é considerado controverso, o que significa, como o próprio Sheldrake observou ironicamente, que os céticos não se deram ao trabalho de analisar seus resultados.

Mas não há controvérsia no fato de os humanos serem intuitivos. Áreas inteiras de nossa vida dependem da intuição – a empatia, por exemplo. Quando alguém entra numa sala, pode sentir se as pessoas ali estão tensas ou se estiveram brigando: isso é intuição. Intuímos quando alguém está dizendo alguma coisa, mas quer dizer outra, ou quando alguém está escondendo um segredo.

Sentir empatia é compreender e partilhar dos sentimentos dos outros. No *Homo sapiens*, como a capacidade de comunicação deu um salto quântico para a frente, a empatia se tornou um componente fundamental para a sobrevivência em sociedade. Ela permitiu que os pais cuidassem das crianças da tribo enquanto alguns adultos estavam fora dedicando-se à caça ou à coleta. A empatia ainda nos permite viver em grupo e socializar, servindo como um freio necessário à agressividade egoísta e à competição (um equilíbrio que a sociedade se esforça por manter).

Mais amplamente, a empatia abriu caminho para o raciocínio moral e o comportamento altruísta. (A origem latina da palavra "compaixão" significa "sofrer com", referindo-se à nossa capacidade de espelhar o sentimento do outro.) Empatia é diferente de compreensão, que não envolve compartilhar o estado de espírito do outro. Também é diferente de contágio emocional, em que uma pessoa não tem consciência se a emoção pertence a ela mesma ou foi absorvida por contato com uma forte personalidade, ou com a multidão.

No nível neural, a principal área do cérebro ativada pela empatia é o córtex cingulado. *Cingulum* significa "cinto" em latim. O córtex cingulado se estende como um cinto no meio do córtex cerebral e é considerado parte do sistema límbico, que lida com as emoções, o aprendizado e a memória. É aí que a empatia reside fisicamente. As regiões ligadas à empatia do giro cingulado são maiores nas mulheres que nos homens, e quase sempre menores nos pacientes esquizofrênicos, que em geral se isolam tragicamente em suas emoções e ilusões sobre o que os outros estão sentindo.

A empatia também tem sido associada aos neurônios espelho, células nervosas que existem nos primatas inferiores, como os macacos. Existe uma razão para que o macaco repita o que vê, o que é fundamental para ele aprender novas habilidades. Quando um macaco bebê, mesmo aquele que ainda mama, vê a mãe apanhar alimento e comer, as áreas de seu cérebro responsáveis por agarrar, partir e mastigar o alimento se excitam – eles espelham o que veem. Não se pode realizar experimentos com bebês humanos para determinar se o mesmo ocorre em nossa espécie, mas é provável que aconteça. (O lado pernicioso do espelhamento é que quando uma criança testemunha comportamentos negativos, como a agressão doméstica, um padrão cerebral pode ser desencadeado. Sabe-se que crianças que sofreram abuso muitas vezes praticam abusos quando se tornam adultas, tão profundamente esse comportamento está gravado nelas.)

Ninguém conhece o pleno funcionamento dos neurônios-espelho, mas eles parecem desempenhar um papel fundamental na conexão social, processo pelo qual obtemos segurança, cuidado e alívio do sofrimento em nossos relacionamentos. Um grande número de neuropeptídios – pequenas proteínas presentes no cérebro que regulam a conexão social e incluem a oxitocina, os opiáceos e a prolactina – regula a receptividade empática.

A oxitocina facilita o comportamento maternal e faz a pessoa se sentir "apaixonada". A aplicação de oxitocina na forma de *spray* nasal reduziu as reações à tensão social e ao medo dentro do cérebro. A oxitocina também pode aumentar a confiança mútua e tornar a pessoa mais sensível às expressões faciais dos outros. Uma mutação genética adversa no receptor que liga a oxitocina provoca baixos níveis de empatia. Portanto, a oxitocina desempenha um papel fundamental, mas seu nome popular, "o hormônio do amor", não deve ser entendido literalmente. Sendo um comportamento complexo, o amor é sensível a muitas reações em todo o cérebro, e um único hormônio não pode ser sua causa. Somos confrontados pelo enigma de onde termina a mente e começa o cérebro. Alguém que já tenha se apaixonado loucamente pode testemunhar que esse mistério é muito pessoal. Os humanos desenvolveram uma estrutura biológica no cérebro que surgiu a partir do acasalamento de mamíferos primitivos, mas são muitas as escolhas que fazemos a respeito de como amamos e de quem nos atrai. A biologia pode oferecer o combustível, mas não assume o controle da mente.

Todas essas questões nos levam de volta ao livre-arbítrio, que acreditamos ser sempre dominante na vida humana. Mas podemos interpretar o fato de que os neuroquímicos podem controlar nossas emoções, inclusive o amor e a empatia, de duas maneiras. Por um lado, podemos dizer que não temos nenhum controle sobre a maneira como nos sentimos; somos escravos de nossa neuroquímica, com pouco ou nenhum livre-arbítrio. Por outro lado, do ponto de vista do cérebro racional, podemos argumentar que o cérebro é um órgão incrivelmente afinado, que produz as emoções de que precisamos num dado momento. O cérebro precisa de gatilhos, que podem ser acionados de maneira muito sutil. Para uma mulher, conhecer um homem atraente é uma experiência distinta dependendo se ela estiver "disponível" ou não. Se ela não estiver, seu mecanismo cerebral de amor não é desencadeado; se estiver, o oposto acontece. Seja como for, o cérebro não toma a decisão pela mulher. Apesar de seu inegável poder, nossas emoções são geradas para nos servir.

É nesse ponto que entra em cena a mente intuitiva. Ela surge acima da emoção e do intelecto, oferecendo-nos um panorama geral das coisas (que os psicólogos chamam de *Gestalt*, a imagem de realidade que atribuímos a várias situações). No trabalho, a pessoa que ocupa uma chefia não precisa usar nada que diga "Sou o chefe". Vários sinais (como seu tom de voz, o tamanho de seu escritório, seu ar de autoridade) formam um quadro que captamos intuitivamente. Dizemos que "sentimos" a situação, mas isso não é o mesmo que uma emoção. É a sensação que nos diz o que está acontecendo imediatamente, sem precisarmos ir juntando peças emocionais ou intelectuais. Todos os itens abaixo entram na categoria de intuição:

- Apaixonar-se à primeira vista.
- Saber que alguém está mentindo.
- Sentir que as coisas acontecem por uma razão, mesmo que essa razão ainda não tenha surgido.
- Usar a ironia, que diz uma coisa, mas quer dizer o oposto.
- Rir de uma piada.

A intuição seria menos controversa se fosse isolada num local específico do cérebro, mas não é. Acredita-se, popularmente, que o hemisfério direito seja responsável pela intuição, enquanto o esquerdo é racional e objetivo, mas essa divisão não resiste a um teste rigoroso. Além disso, as características das pessoas intuitivas são claras:

- Tomam decisões rápidas sem passar por um processo racional, embora suas decisões sejam corretas.
- Captam expressões faciais sutis.
- Confiam no *insight*, definido como saber algo diretamente, sem esperar uma resposta racional.
- Dão saltos criativos.
- São boas juízas de caráter – sabem "ler" as pessoas.
- Confiam e seguem seu primeiro instinto, os "juízos repentinos".

Para qualquer pessoa que confie em sua intuição, essa última categoria, de juízos repentinos, é especialmente intrigante. Tradicionalmente, valorizamos mais outros tipos de julgamento. Os jovens são aconselhados a não se precipitar, a pensar bem antes de fazer um julgamento. Mas, na verdade, tomamos decisões repentinas. Daí a ideia de que não se pode refazer uma primeira impressão. As primeiras impressões, captadas num piscar de olhos, são as mais poderosas. Estudos recentes revelaram que as primeiras impressões e os julgamentos repentinos são os mais exatos. Corretores de imóveis experientes afirmam que os compradores são capazes de saber trinta segundos depois de entrar numa casa se aquela é a residência certa para eles.

Durante muito tempo acreditou-se que uma pessoa pode reconhecer melhor um rosto se ouvir primeiro sua descrição verbal. Acreditava-se que dizer "A garota tinha cabelos castanhos longos, uma pele clara, nariz em forma de botão e pequenos olhos azuis" ajudava a fixar esse determinado rosto na memória. Mas experimentos mostram o contrário. Em uma pesquisa, uma série de fotos foi exibida em rápida sucessão, e os sujeitos foram solicitados a apertar um botão se reconhecessem algum rosto. Pessoas que tinham visto o rosto brevemente se saíram melhor do que as que viram o rosto e tiveram tempo para fazer uma descrição oral das feições. Essas descobertas parecem intuitivamente corretas (de novo essa palavra), porque sabemos o que significa ter o rosto de alguém gravado na memória mesmo que não sejamos capazes de dividi-lo em detalhes separados. Também acreditamos quando uma vítima de um crime diz: "Sou capaz de reconhecer aquele rosto daqui a um milhão de anos se voltar a vê-lo".

De fato, a intuição é o caminho para qualquer pessoa que busque um sexto sentido. Os sentidos são uma maneira primitiva de captar o mundo ao redor olhando, ouvindo e tocando. Mais importante, "sentimos" nosso caminho pela vida seguindo pistas, sabendo o que é bom para nós e o que não é, para onde devemos focar uma carreira, evitando becos sem saída, quem vai nos amar durante décadas e quem está apenas realizando um capricho passageiro. Pessoas bem-sucedidas, quando indagadas sobre como chegaram ao topo, tendem a concordar em duas coisas: tiveram muita sorte e estavam no lugar certo no momento certo. Poucas são capazes de explicar o que significa estar no lugar certo no momento certo. Mas, se valorizarmos a intuição como uma habilidade real, é provável que as pessoas bem-sucedidas sejam capazes de "sentir" seu caminho pela vida.

Ver o futuro também é um ato intuitivo, e todos somos capazes disso. Não é preciso chamar essa capacidade de paranormal. Em um experimento, algumas pessoas viram uma rápida série de fotos, entre elas imagens horrendas de desastres fatais de automóveis ou cenas de carnificina na guerra. Elas foram monitoradas em busca de sinais de reação ao estresse, como batimento cardíaco acelerado, aumento da pressão arterial e suor nas palmas das mãos. Assim que a imagem horrível era apresentada, desencadeava inevitavelmente uma reação ao estresse. Então, uma coisa estranha ocorreu. Os corpos das pessoas começaram a indicar estresse pouco *antes* de uma imagem chocante ser mostrada. Embora as fotos fossem apresentadas de maneira aleatória, as pessoas reagiam antecipadamente, o que não acontecia antes de imagens inócuas. Isso significa que o corpo estava prevendo o futuro, ou, melhor dizendo, o cérebro estava, já que apenas o cérebro pode desencadear reações ao estresse.

Não estamos valorizando uma fase do cérebro em detrimento de outra. Mas é fundamental não negar uma fase por puro ceticismo ou preconceito intelectual. Estudos controlados foram concebidos com o propósito de encontrar uma prova objetiva que o intelecto pudesse aceitar, mas é injusto para centenas de pesquisas de psicologia cognitiva provar que a intuição é real, enquanto nossa atitude social em relação à intuição é em grande parte de dúvida ou mesmo de negação. Você é intuitivo? Sua intuição lhe diz que você é.

Como acontece com qualquer fase do cérebro, a intuição pode se desequilibrar.

Se você confiar demais nos palpites de sua intuição, pode deixar de ver a razão quando ela se apresentar. Isso gera decisões impulsivas e comportamentos irracionais.

Mas, se você ignorar sua intuição, perde a capacidade de sentir as situações. Isso gera decisões que dependem demais da racionalização de suas ações, mesmo quando elas são evidentemente erradas.

Pontos essenciais: seu cérebro intuitivo

- Pode-se confiar na intuição.
- "Sentir" o caminho pela vida traz bons resultados.
- Juízos repentinos são corretos porque a intuição não precisa ser processada pelo cérebro racional.
- A razão é mais lenta que a intuição, mas muitas vezes a usamos para justificar a intuição, porque fomos ensinados que a razão é superior.
- O cérebro intuitivo não tem limites para o que pode ser antevisto – tudo depende do que a mente deseja que o cérebro faça.

Juntando tudo

Depois de desmontar o cérebro quádruplo, o que teremos quando juntarmos tudo novamente? Um instrumento de infinitas possibilidades para criar realidade. A melhor maneira de obter saúde, felicidade e sucesso é equilibrar as quatro fases do cérebro. Esse órgão perde o equilíbrio quando você prioriza uma parte em detrimento de outra. Observe como é fácil identificar-se com uma delas, o que a torna dominante. Se você disser "Estou triste o tempo todo", estará se identificando com o cérebro emocional. Se disser "Sempre fui inteligente", estará se identificando com o cérebro intelectual. Da mesma maneira, você pode ser dominado pelo cérebro instintivo quando obedece a necessidades inconscientes, ou pelo cérebro intuitivo, quando segue seus palpites, joga e assume riscos. Com repetição suficiente, as áreas privilegiadas ganham vantagem, e as áreas desfavorecidas começam a atrofiar.

Mas a verdadeira identidade não está em nenhuma área específica. Você é a soma de todas elas, já que é a mente que as controla. O controlador do cérebro é o *eu*, o *self*. Posso esquecer seu papel e me tornar presa de humores, crenças, impulsos etc. Quando isso acontece, meu cérebro está me usando, não por maldade ou para ter poder. Eu o treinei para isso. É difícil acreditar que cada pensamento seja uma instrução, mas é. Se você para diante de uma pintura impressionista, as cores brilhantes e o clima alegre o atraem instantaneamente. Nenhuma das informações brutas que estão sendo processadas pelo córtex visual está treinando o cérebro. (Você dominou a habilidade básica de focar os olhos em um ponto específico nos primeiros meses de vida.) Mas, assim que você pensa "Eu adoro esta catedral de Monet", está instruindo seu cérebro – em outras palavras, treinando-o –, e não de uma maneira simples.

No instante em que você pensa "Eu gosto de X", seja um Monet, um sorvete ou a pessoa com quem vai se casar um dia, seu cérebro entra no modo holístico.

- Ele se lembra do que você gosta.
- Ele registra o prazer.
- Ele se lembra de onde veio o prazer.
- Ele registra que deve repetir o mesmo prazer no futuro.
- Ele adiciona essa lembrança a seu banco de memória.
- Ele compara a nova lembrança com todas as anteriores.
- Ele envia reações químicas de prazer a todas as células do corpo.

Este é apenas um breve resumo do que significa para o cérebro funcionar no modo holístico. Seria cansativo descrever cada detalhe, mas no mínimo você sabe que museu está visitando, como as pessoas se movimentam pela sala, se você está cansado ou não, além de coisas comuns e inconscientes, como sentir fome e pensar se seus pés estão doendo de tanto andar.

Juntar tudo isso é a maior conquista da mente humana. É isso que fazemos, embora sem saber explicar como o fazemos. A experiência é infinitamente mais rica que as explicações. Nosso objetivo é expandir o modo holístico do cérebro. No fundo, todos nós sabemos que é melhor gostar de todas as pinturas de um museu, e não apenas de algumas escolhidas. Cada pintor tem uma visão singular, e, quando você aprecia a arte, abre-se à visão. Ainda mais profundamente, sabemos que é melhor amar todas as pessoas do que apenas as mais próximas. Mas expandir os centros emocionais do cérebro é assustador. Costumamos nos identificar com as pessoas mais parecidas conosco (em termos de raça, condição social, educação, preferências políticas etc.) e nos sentimos afastados das que são diferentes de nós.

À medida que crescemos, estreitamos nossas simpatias e antipatias, e com isso negamos ao cérebro a capacidade de ser holístico. Um experimento interessante de psicologia social escolheu dez pessoas de Boulder, uma cidade no estado do Colorado muito liberal politicamente, e dez pessoas de Colorado Springs, uma cidade tradicionalmente muito conservadora. Um problema atual dos Estados Unidos é sua divisão política, e existe uma razão demográfica por trás disso. No passado, pessoas que tinham opiniões políticas opostas viviam juntas, e, portanto, um candidato podia vencer por 5 ou 6 por cento de diferença.

Desde a Segunda Guerra Mundial, porém, ocorreu uma mudança decisiva. Os liberais se mudaram para cidades onde viviam outros liberais, e os conservadores para cidades onde viviam outros conservadores. Por isso as eleições hoje são unilaterais, e os candidatos em geral vencem com larga vantagem. O experimento que envolveu as cidades de Boulder e Colorado Springs queria testar se isso tinha mudado. Reunidos em dois grupos, os dez sujeitos de cada cidade discutiram política e avaliaram como se sentiam sobre cada assunto. Por exemplo, quando discutiam o aborto ou o casamento *gay*, registravam sua posição numa escala de 1 a 10 contra ou a favor.

Depois, uma pessoa de Boulder juntou-se ao grupo de Colorado Springs, e uma pessoa de Colorado Springs juntou-se ao grupo de Boulder. Cada uma defendeu sua opinião frente ao grupo que tinha opinião contrária. Depois de uma hora, os grupos voltaram a se avaliar nos assuntos mais polêmicos. Será que, ouvindo o outro lado da questão, cada grupo tinha se mostrado menos radical? Poderíamos pensar que sim, mas na verdade aconteceu o contrário. Despois de ouvir um liberal, os conservadores se tornaram mais conservadores. O mesmo ocorreu com os liberais.

Esses resultados podem ser desencorajadores. Gostaríamos de pensar que ouvir outros pontos de vista abre a mente. Mas alguns neurocientistas concluíram que o pensamento "nós contra eles" está gravado no cérebro. Nós nos definimos por oposição. Precisamos de inimigos para sobreviver, já que, tendo inimigos, os humanos primitivos aprimoraram suas habilidades de defesa e luta.

Nós, os autores, somos fortemente contra essas interpretações. Elas ignoram um fato básico: que a mente pode superar um padrão gravado no cérebro. No caso do experimento de Boulder e de

Colorado Springs, existe uma enorme diferença entre ouvir uma opinião contrária com a mente fechada e decidir que se *deseja* compreender uma opinião diferente.

Uma história triste e curiosa aconteceu com um amigo de Deepak. Em sua pequena cidade na Carolina do Norte, havia uma loja de departamentos chamada Bernstein's, um nome judeu. Havia na cidade famílias não judaicas que também se chamavam Bernstein. "As famílias não judaicas pronunciavam o nome de uma maneira diferente da loja de departamentos", explicou o amigo a Deepak. Por quê? "Essa era a única maneira de todo mundo saber contra quem ter preconceito. Para falar a verdade, ninguém na minha família nunca conheceu alguém judeu."

Nós nos recusamos a acreditar que a tendência à discriminação esteja gravada. Se observarmos a constituição física do cérebro, veremos que ele é um órgão integrado, no qual as várias áreas e as células nervosas que residem em cada uma se comunicam constantemente. Para um biólogo, todas as características, inclusive a capacidade de o cérebro se comunicar com bilhões de neurônios, podem se reduzir a dois objetivos principais: a sobrevivência da espécie e a sobrevivência do indivíduo. Mas os atuais seres humanos não aceitam a mera sobrevivência. Se aceitassem, não haveria caridade para os pobres, hospitais para os doentes e cuidados para os deficientes.

Preservar a vida de todos, e não apenas dos mais capazes de obter alimento e acasalar, eleva-nos acima da evolução darwiniana. Nós partilhamos o alimento e podemos nos casar sem ter filhos. Em resumo, estamos evoluindo segundo nossas escolhas, não por uma necessidade natural. O cérebro está caminhando numa direção mais holística.

Nossa expressão preferida para essa tendência é "sobrevivência do mais sábio". Se você desejar, pode evoluir através de escolhas conscientes.

Para onde o cérebro está indo

Como participar do próximo salto evolutivo

- Não promova conflito em nenhuma área de sua vida.
- Mantenha a paz sempre que puder. Se não puder, afaste-se.
- Valorize a compaixão.
- Prefira a empatia em vez da culpa ou da zombaria.
- Tente não se achar sempre com a razão.
- Faça amizade com alguém muito diferente de você.
- Seja generoso.
- Desligue-se do materialismo e privilegie a satisfação interior.
- Faça algum favor todos os dias – sempre há algo que você pode doar.
- Mostre genuína preocupação quando alguém estiver em dificuldade. Não ignore sinais de infelicidade.
- Oponha-se ao pensamento "nós contra eles".
- Se você tem uma empresa, pratique o capitalismo com consciência, dando às preocupações éticas o mesmo peso que dá ao lucro.

Não se trata de meros ideais. O dr. Jonas Salk, que se tornou mundialmente famoso com a cura da pólio, era também um visionário e um filantropo. Ele criou o conceito de "mundo metabiológico", um mundo que transcende a biologia. Tal mundo depende de seres humanos em nossa função de criadores de realidade: tudo o que fazemos, dizemos e pensamos transcende a biologia. Mas qual é o propósito de tudo o que fazemos, dizemos e pensamos? Para Salk, temos um único propósito prioritário: desenvolver nosso pleno potencial. Só um cérebro holístico pode nos levar a esse ponto. Por si só, a ciência, sendo fruto do intelecto, exclui o mundo subjetivo dos sentimentos, instintos e intuições. Para a maioria dos físicos, o universo não tem um propósito; é uma imensa máquina cujas partes úteis existem para serem compreendidas. Mas, se usarmos todo o nosso cérebro, o universo certamente tem um propósito: promover a vida e as experiências que a vida proporciona. Quando nossas experiências se tornam mais ricas, o universo serve a seu propósito. Foi por essa razão que o cérebro começou a evoluir.

SOLUÇÕES DO SUPERCÉREBRO
Descobrindo nosso poder

Se todo mundo tem o poder de criar realidade, por que tantas pessoas vivem insatisfeitas? A criação da realidade deveria levar à realidade que desejamos, não à realidade em que vivemos. Mas isso não acontece enquanto não descobrirmos nosso poder. Como acontece com tudo o mais, o poder pessoal precisa passar pelo cérebro. Uma pessoa poderosa é a combinação de muitas características, cada uma delas treinada no cérebro.

O que é poder pessoal?

- Confiança em si mesmo.
- Boa tomada de decisões.
- Confiança nos sentimentos intuitivos.
- Visão otimista.
- Influência sobre os outros.
- Autoestima elevada.
- Capacidade de transformar desejos em atos.
- Capacidade para vencer obstáculos.

Sempre que alguém se sente impotente para mudar uma situação, seja ela qual for, algum dos elementos acima está faltando. Você talvez imagine que as pessoas poderosas nascem com uma dose extra de confiança e carisma. Mas os mais poderosos dirigentes de empresa costumam ser pessoas calmas e organizadas, que aprenderam o segredo de moldar as situações em direção aos objetivos que desejam conquistar. Cada um deles partiu de um ponto não muito diferente do de qualquer outra pessoa. A diferença está no *feedback*. Eles interiorizaram cada pequeno sucesso e reforçaram a próxima oportunidade. Eles treinaram o cérebro para absorver experiências e levá-las a outro patamar. Pessoas que se sentem impotentes, por outro lado, treinaram-se para absorver experiências negativas. No que diz respeito ao cérebro, o processo é o mesmo. Os neurônios são neutros, sejam as mensagens de sucesso ou de fracasso. Num mundo ideal, o título desta seção seria "Cinco maneiras de se sentir mais poderoso". Na situação atual, muitas pessoas se sentem impotentes, e as condições sociais que drenam o poder pessoal só crescem. Se você está lutando contra a recessão econômica, uma esposa ou um marido controlador, ou o anonimato de sua rotina de trabalho, é crucial descobrir o seu poder, principalmente quando as tradições mundiais de sabedoria continuam repetindo, era após era, que o poder infinito está escondido dentro de cada indivíduo.

Gostaríamos de esclarecer alguns erros básicos. Antes de falar de poder pessoal, vamos esclarecer o que ele não é. Não é a força que se usa como uma arma para abrir caminho. Não é suprimir aquilo de que você não gosta em si mesmo e alcançar um ideal perfeito que o mundo admire. Não é dinheiro, *status*, bens ou qualquer outro substituto material. Existem herdeiros de fortunas, nascidos em berço de ouro, que se sentem mais impotentes do que a maioria das pessoas. Isso ocorre porque as questões de poder estão "aqui", no local onde você se relaciona com você mesmo.

Agora que sabemos o que o poder pessoal não é, podemos listar os cinco passos que levam ao verdadeiro poder interior.

- Pare de abrir mão de seu poder.
- Analise por que é "bom" ser vítima.
- Desenvolva um *self* maduro.
- Alinhe-se com o fluxo da evolução, ou crescimento pessoal.
- Confie num poder maior, que transcende a realidade cotidiana.

Cada um desses pontos depende de um único fio que os une: a realidade que você vê à sua volta foi construída por correntes invisíveis que fluem em você, em volta de você e através de você.

"No aqui", você está apoiado pela criatividade e inteligência de seu corpo, com sua sabedoria inata. "Lá fora", você está apoiado pela força evolucionária que mantém o universo. Acreditar que você está desconectado desses poderes, sozinho e fraco dentro de uma bolha particular, é o erro fundamental que gera o sentimento de impotência na vida cotidiana.

Vamos analisar cada passo que pode levar você a se reconectar com a fonte de poder pessoal.

1. Pare de abrir mão de seu poder.

A impotência não surge num único golpe dramático, com hordas bárbaras arrombando sua porta e incendiando sua casa. É um processo e, para a maioria das pessoas, tão gradual que passa despercebidamente. Na verdade, as pessoas sentem-se felizes de abrir mão de seu poder aos poucos. Por quê? Porque ser impotente lhes parece uma maneira fácil de ser popular, aceito e protegido.

Você está abrindo mão de seu poder quando agrada aos outros para se encaixar.

Ou quando segue a opinião da maioria.

Ou quando decide que os outros são mais importantes do que você.

Ou quando permite que alguém que parece ter mais poder tome conta de você.

Ou quando alimenta inveja ou rancor.

Todos esses atos ocorrem no nível psicológico, que é invisível. Se uma mulher abre mão de seu poder sem perceber, parece-lhe correto e apropriado manter-se modestamente em segundo plano, defendendo opiniões alheias, vivendo para os filhos e deixando que um marido controlador a trate com arrogância para manter a paz. Em menor ou maior escala, esses sacrifícios reduzem sua autoestima e suas expectativas, limitando o que seu cérebro poderia fazer.

Todo o poder oculto é poder pessoal. Se você diminui seu valor, o que o substitui é uma série de concessões, falsos gestos, hábitos e condicionamentos. Seu cérebro é treinado para ver a vida como uma queda gradual de desafios, e, sem desafios, a criação de realidade se torna um assunto de rotina. A autoestima baixa funciona como um filtro que bloqueia os sinais que lhe estão sendo enviados constantemente para que você seja um sucesso.

Quebra de padrão: Pare de abrir mão de seu poder e resista à necessidade de concordar. Aprenda a falar por si mesmo. Deixe de adiar as pequenas coisas que você teme fazer. Dê a si mesmo a chance de um pequeno sucesso a cada dia. Observe seus sucessos e permita que eles sejam registrados como momentos de satisfação. Deixe de considerar a abnegação uma virtude. Obter menos para que outros tenham mais gera insatisfação. Pare de ter inveja e de gastar energia sustentando a raiva. Da próxima vez que se sentir ameaçado, pergunte-se como transformar isso numa oportunidade.

2. Analise por que é "bom" ser vítima.
Depois que você começa a perder a autoestima, está a um passo de se tornar vítima. Sentir-se vítima é um "sofrimento egoísta". Dizendo que não tem importância, você pode transformar o sofrimento que suporta numa espécie de virtude, como fazem todos os mártires. Vale a pena ser mártir quando se serve a um propósito espiritual maior – ou alguma crença religiosa –, mas e se não existe nenhuma razão superior? A maioria das vítimas se sacrifica no altar de causas sem valor.

Voce não precisa...

- ... assumir a culpa pelos erros dos outros.
- ... encobrir o abuso, físico ou mental.
- ... permitir ser desprezado em público.
- ... permitir que seus filhos o desrespeitem.

... não dizer a verdade.
... negar-se uma satisfação sexual.
... fingir amor.
... trabalhar num emprego que odeia.

Entregar-se a um desses sofrimentos inúteis torna a pessoa mais vulnerável às coisas ruins, porque a vitimização, quando se transforma em um hábito no cérebro, restringe as reações. Inconscientemente, ela decide que foi escolhida para assumir o peso do problema. Isso é uma expectativa muito forte e perigosa.

As vítimas sempre encontram "boas" razões para o seu drama. Se uma mulher perdoa um marido que a agrediu é porque o perdão é uma virtude espiritual, certo? Se alguém tolera um vício é porque tolerância e aceitação são virtudes espirituais. Mas essas vítimas estão atraindo o sofrimento deliberadamente, o que acaba se tornando impotência. Existem agressores, viciados, furiosos, controladores e tiranos suficientes para drenar o poder de qualquer pessoa que se ofereça para desempenhar o papel de vítima.

Quebra de padrão: Antes de mais nada, perceba que seu papel é voluntário. Você não é vítima do destino ou da vontade de Deus. A ideia de que o sofrimento "bom" é sagrado pode ser verdade para os santos, mas, na vida cotidiana, continuar sendo vítima é uma péssima escolha. Mude suas escolhas. Reconheça que você foi programado para ser seu carrasco e faça alguma coisa para sair dessa situação. Não adie o que precisa ser feito nem racionalize. Se se sentir agredido, magoado, desprezado, enfrente a verdade e caia fora o mais rápido possível.

3. Desenvolva um *self* maduro.

Os seres humanos são as únicas criaturas que não amadurecem automaticamente. O mundo está cheio de pessoas "adultas" que ficaram na infância ou na adolescência. Amadurecer é uma opção; alcançar a vida adulta é uma conquista. Frente ao bombardeio da mídia, é fácil considerar a juventude a melhor fase da vida, quando na verdade o jovem (dos 13 aos 22 anos) está passando pelo período mais tumultuado, inseguro e estressante. Nenhum projeto é mais decisivo para alcançar poder pessoal – e felicidade – do que se tornar um adulto maduro.

O processo todo leva décadas, mas a satisfação cresce à medida que vencemos cada obstáculo no caminho. Há uma nítida divisão entre pessoas insatisfeitas, arrependidas e deprimidas na velhice e as que olham para trás com alegria e satisfação interior. Aos 70 anos a sorte está lançada. Mas o processo de maturação começa com a visão do objetivo. Para nós, o objetivo está incorporado na expressão "ser interior". Essa é a parte de nós que molda nossa realidade, colocando-nos no centro das experiências que criamos.

A percepção do ser interior

- Você sabe que você é real.
- Não se sente controlado pelos outros.
- Não vive em busca de aprovação nem se sente arrasado quando é desaprovado.
- Tem objetivos de longo prazo a alcançar.
- Passa por situações difíceis com a sensação de dignidade e de valor próprio.
- Respeita e é respeitado.
- Entende sua vida emocional e não se deixa influenciar pelas emoções dos outros.
- Sente-se seguro no mundo e gosta de estar onde está.
- A vida lhe deu certa sabedoria.

Ter um ser interior é ser autor da própria história, o que é o contrário de ser vítima e levar uma vida guiada pelos outros. Como estabelece objetivos, seu ser interior anda à sua frente. Você não pode esperar capturá-lo hoje, da mesma forma que uma criança do jardim de infância não pode ser um calouro de universidade. A razão pela qual usamos *ser interior* em vez de dizer simplesmente *ser maduro* é que a palavra "maturidade" tem uma conotação ruim. Tende a qualificar alguém cuja vida é tediosa e séria. Na verdade, nosso dia a dia se torna mais estimulante se seguimos uma visão que nos inspira ano após ano. Visões criam a oportunidade de satisfação. Portanto, o ser interior é fonte de enorme poder, a partir do qual construímos nosso futuro.

Quebra de padrão: Para começar, abandone atividades superficiais e adote um projeto mais profundo de se tornar uma pessoa autêntica e madura. Anote por escrito sua visão pessoal. Vise a objetivos mais elevados, que possam lhe dar satisfação. Procure pessoas que tenham a mesma visão e estejam alcançando sucesso. Assim que souber para onde está indo, o caminho se abrirá com sua orientação interior. Permita que isso aconteça; seu potencial precisa ser reforçado dia a dia.

4. Alinhe-se com o fluxo da evolução, ou crescimento pessoal.

Este capítulo sobre a evolução do cérebro deixou claro que a evolução é uma questão de escolha. Seu cérebro não está preso à evolução darwiniana. Sua sobrevivência não está em jogo, mas sua satisfação está. Escolher crescer automaticamente significa enfrentar o desconhecido. A orientação no caminho é, a princípio, vacilante. Todo mundo tem alguma insegurança, que pouco a pouco dá lugar a elementos de autodomínio e verdadeiro conhecimento.

Mas sem evolução não haverá nenhum caminho, apenas uma caminhada errante sem destino. A evolução é uma força cósmica. Foi por causa dela que nuvens de poeira de estrelas geraram a vida sobre a Terra. Ela é a força de toda criatividade e inteligência. Toda boa ideia, todo momento de *insight* ou de descoberta, prova que a evolução atua de maneira invisível, guiando a vida dos bastidores.

Acreditamos sinceramente que o universo apoia a evolução de todo mundo, mas ao mesmo tempo podemos guiar nosso crescimento. Desejar é o segredo; todos nós desejamos mais e melhores coisas. Se essas mais e melhores coisas forem boas para o nosso crescimento, então estaremos guiando nossa evolução. Se o que desejamos pode ajudar os outros, é ainda mais provável que nosso desejo seja atendido.

O que torna um desejo evolucionário?

- Ele não repete o passado, e parece fresco e novo.
- Ele ajuda mais pessoas, e não apenas você.
- Ele traz alegria.
- Ele satisfaz um desejo profundo.
- Você não se arrepende dele.
- Ele flui fácil e naturalmente.
- Você não luta consigo mesmo nem com forças externas.
- A satisfação vai servir a outros, assim como a você.
- Ele abre um campo de ação maior.
- Ele expande sua consciência à medida que a satisfação aumenta.

O desejo não é um bom guia se tudo em que você consegue pensar é se ele é bom ou mau. Você precisa de referências. A cultura hindu faz distinção entre *dharma* e *adharma*. O *dharma* inclui tudo o que preserva naturalmente a vida: felicidade, verdade, dever, virtude, mistério, culto, reverência, apreço, paz, amor, respeito. Individualmente, o fluxo da evolução sustenta todas essas qualidades, mas você precisa escolhê-las primeiro. Por outro lado, existem más escolhas, *adharma*, que não preservam a vida naturalmente: raiva, violência, medo, controle, dogmatismo, ceticismo cruel, atos desonestos, submissão aos desejos, maus hábitos, preconceito, vício, intolerância e inconsciência em geral. O que une as tradições de sabedoria do mundo, Oriente e Ocidente, é saber o que é *dharma* e o que é *adharma*. Um gera iluminação e liberdade; o outro, sofrimento e escravidão.

Quebra de padrão: Siga o caminho do *dharma*. O *dharma* é o poder supremo, porque, se a evolução sustenta toda a criação, sustentará você, um simples indivíduo, mais facilmente. Observe honestamente sua vida cotidiana e as escolhas que está fazendo. Pergunte-se como aumentar as escolhas do *dharma* e diminuir as do *adharma*. Passo a passo, mantenha sua convicção de evoluir.

5. Confie num poder superior, que transcende a realidade cotidiana. Nada do que dissemos até aqui será verdade sem uma visão superior da realidade. Por enquanto, vamos deixar de lado a religião e qualquer referência a Deus. Muito mais importante é a oportunidade de ir além de um papel passivo e adotar a função de criador da realidade. Seja o que for que o esteja mantendo numa condição de impotência, se você estiver destinado a ficar preso nessa situação, não vai recuperar o seu poder.

Felizmente, a força de transcender o sofrimento sempre existiu; é um patrimônio hereditário do ser humano. Ter consciência, mesmo que seja um mínimo, é estar conectado com a consciência infinita que sustenta a evolução, a criatividade e a inteligência. Nada disso é acidental ou privilégio de poucas pessoas de sorte. Quando você pede para se conectar a uma realidade superior, a conexão é feita.

Vislumbres da realidade superior

- Você se sente cuidado e protegido.
- Você reconhece as bênçãos de sua vida como atos de graça.
- Você se sente grato por estar vivo.
- A natureza o enche de admiração e reverência.
- Você tem a experiência de ver ou sentir uma luz sutil.
- Uma presença divina o toca pessoalmente.
- Você experimenta momentos de puro êxtase.
- Os milagres lhe parecem possíveis.
- Você sente o propósito da sua vida. Nada foi acidental.

A realidade superior está próxima? Para usar uma metáfora, imagine que você foi preso a uma rede. Como todas as redes têm furos, encontre um e passe por ele. A realidade superior estará esperando por você.

A esposa de um homem dominador se sentia sufocada e impotente. Nunca tinha trabalhado fora e dedicara vinte anos à família. Mas ela saltou fora da rede quando descobriu a pintura. Foi mais do que um passatempo. A arte foi uma rota de escape, e, quando ela encontrou compradores para suas pinturas, passou por uma mudança interior. Sua visão da realidade passou de "Estou presa e não posso fazer nada" a "Devo valer mais do que imaginava, porque vejam as coisas lindas que criei".

Quebra de padrão: Existem rotas de escape na consciência. Tudo o que você precisa é conhecer os potenciais ocultos em sua consciência e agarrar-se a eles. Quais são as possibilidades na vida que você desejou experimentar e nunca pôde? Essas são as escolhas que você precisa revisitar. Se perseguir algo que deseja profundamente, a realidade superior vai se reconectar com você. Essa nova conexão registra o "aqui" como alegria e curiosidade, um apetite estimulado para o futuro. E ela registra o "lá fora" como possibilidades em constante expansão, que o ajudam quando você menos espera.

Tudo o que discutimos é uma espécie de rota de escape. Todas as rotas de escape levam ao ser interior, a pessoa que nasceu para ser um criador da realidade. Essa pessoa não se preocupa com o poder particular. O que realmente importa transcende o individual: é a glória da criação, a beleza da natureza, as qualidades do amor e da compaixão, a força mental para descobrir coisas novas e as epifanias inesperadas que trazem a presença de Deus — esses aspectos universais são sua verdadeira fonte de poder. Eles são você, e você é cada um deles.

ONDE MORA A FELICIDADE

Se podemos criar realidade, como seria a realidade ideal? Para começar, seria pessoal. Como o cérebro se remodela constantemente, ele se conforma ao que cada indivíduo quer da vida. Felicidade? Podemos supor que ela ocupe o topo da lista. Mas o desejo de felicidade imediatamente expõe uma séria fraqueza. Embora sejamos concebidos para criar realidade, a maioria das pessoas não tem capacidade de criar uma realidade feliz.

Só recentemente, com o surgimento de uma nova especialidade conhecida como "psicologia positiva", a felicidade tem sido cuidadosamente estudada. As descobertas são contraditórias. Quando solicitadas a dizer o que as faria felizes, as pessoas listam coisas aparentemente óbvias: dinheiro, casamento e filhos. Mas a coisa não é bem assim. Cuidar de crianças pequenas é muito estressante para jovens mães. Metade dos casamentos termina em divórcio. O dinheiro só compra felicidade no que diz respeito à segurança. A pobreza é com certeza uma fonte de infelicidade, mas o dinheiro também é, porque, uma vez atendidas as necessidades básicas, o dinheiro extra não faz as pessoas mais felizes – na verdade, a maior responsabilidade, junto com o medo de perder o dinheiro, muitas vezes as torna mais infelizes.

Surpreendentemente, o quadro geral é que, mesmo quando as pessoas obtêm o que desejam, a maioria não fica feliz como esperava. Chegar ao topo da profissão, ganhar um campeonato esportivo ou fazer um milhão de dólares parecem excelentes como objetivos futuros, mas quem os realiza conta que o sonho era melhor do que a realidade. A competição pode tornar-se um processo sem fim, e suas recompensas diminuem com o tempo. (Uma pesquisa com campeões de tênis revelou que eles se sentiam menos motivados pela alegria da vitória do que pelo medo e decepção da derrota.) E quantas pessoas sonham em ficar ricas e não ter que trabalhar pelo resto da vida? Numa pesquisa, vencedores da loteria, para os quais o sonho se tornou realidade, afirmaram que isso na verdade havia tornado suas vidas piores. Alguns não sabiam lidar com o dinheiro e o perderam; outros enfrentaram problemas nos relacionamentos ou se entregaram a comportamentos temerários, como participar de jogos de azar e fazer investimentos arriscados. Todos foram perseguidos por parentes e estranhos com incessantes pedidos de ajuda.

Se as pessoas não sabem prever sobre como ser felizes, o que podemos fazer?

A tendência atual da psicologia sustenta que a felicidade nunca é permanente. Pesquisas revelaram que cerca de 80 por cento dos americanos – e muitas vezes mais – afirmam ser felizes. Mas, quando analisadas individualmente, cada pessoa experimenta apenas momentos de felicidade, estados temporários de bem-estar, que não são de forma alguma permanentes. Portanto, muitos psicólogos afirmam que tropeçamos na felicidade sem saber conquistá-la.

Mas nós, os autores, divergimos dessa conclusão. Sentimos que o problema está na criação da realidade. Se a pessoa tiver mais habilidade para criar sua realidade, a felicidade permanente virá.

Rumo à felicidade duradoura

Procure...

    ... doar-se. Cuide dos outros e se preocupe com eles.
    ... trabalhar em algo que ame.

... estabelecer objetivos de longo prazo que levem anos para ser alcançados.
... manter a mente aberta.
... ter resiliência emocional.
... aprender com o passado, mas saber também abandoná-lo. Viva o presente.
... planejar o futuro sem ansiedade ou medo.
... criar laços sociais íntimos e calorosos.

Não...

... coloque sua felicidade em recompensas externas.
... adie a felicidade para o futuro.
... espere que alguém o faça feliz.
... confunda felicidade com prazer momentâneo.
... persiga mais e mais estímulos.
... permita que suas emoções se tornem habituais ou que sejam bloqueadas.
... se feche a novas experiências.
... ignore os sinais de tensão ou de conflito interior.
... viva no passado ou com medo do futuro.

Numa sociedade consumista, é fácil fazer o que não se deve, porque todos os itens da lista do "não" ligam a felicidade ao prazer temporário e a recompensas externas. Mas vou contar a história de um homem chamado Brendon Grimshaw, que deve ter um instinto muito afiado para a felicidade, já que criou seu próprio paraíso.

O paraíso é pessoal

Grimshaw nasceu em Devonshire, na Inglaterra, e trabalhava como jornalista na África do Sul quando abandonou o emprego, em 1973. Ele tinha comprado uma ilha tropical – a ilha Moyenne, nas Seychelles, entre a Índia e a África – por 8.000 libras, cerca de 12.000 dólares, nove anos antes. Então, deu o salto decisivo na vida: foi viver lá sozinho, com um empregado nativo. O que esse moderno Robinson Crusoé enfrentou foi incrível. Ele fez o contrário de relaxar na praia. A vegetação era tão densa quando ele chegou que os cocos caídos dos coqueiros não atingiam o solo.

Grimshaw decidiu limpar a vegetação rasteira e, depois de fazer isso, deixou que a ilha falasse com ele – foi assim que ele descreveu como planejou as novas plantações. Descobriu que árvores de mogno se davam bem lá, e então importou algumas mudas. Hoje são setecentas, que chegam a 20 metros de altura. Mas elas são apenas uma pequena fração das 16.000 árvores que plantou com as próprias mãos. Ele deu abrigo à rara tartaruga gigante das Seychelles e hoje há 120 delas. Pássaros voam em busca da proteção de seu santuário e 2.000 são novos na ilha.

Em 2007, seu empregado morreu e, aos 86 anos, Grimshaw passou a cuidar sozinho da ilha, pela qual recebeu – e recusou – uma oferta de 50 milhões de dólares. Ele se aborrece quando os visitantes só veem as árvores de mogno como madeira para móveis e as praias virgens como paraíso de ricos em férias. Moyenne continuará sendo uma área preservada depois de sua morte. Grimshaw parece queimado pelo sol e envelhecido quando caminha pela ilha, de shorts e chapéu de caçador, mas está extraordinariamente vivo. Seu contentamento se deve, quase item por item, às coisas que fazem parte da nossa lista para conquistar a felicidade duradoura. Ele se doou a um trabalho que amava. Estabeleceu um objetivo que levou anos para alcançar. Não dependeu de nada nem de ninguém que lhe desse constante aprovação.

O único aspecto da felicidade duradoura que ele não tem são os laços sociais. Mas, para algumas pessoas, a solidão é uma companhia mais rica que a sociedade, e assim é para Grimshaw. Sua vida está adequada ao conceito de um cérebro totalmente integrado, no qual se fundem todas as necessidades que ele deve servir, como:

- Estar conectado com o mundo natural
- Ser útil
- Fazer exercícios físicos
- Achar um trabalho que dê satisfação
- Preencher a vida com um propósito
- Ter um objetivo que transcende os limites do ego

Isoladamente, nenhuma área do cérebro é capaz de supervisionar a fusão de todas essas necessidades para criar uma pessoa plenamente desenvolvida. Isso exige o cérebro inteiro, atuando como um todo integrado. A felicidade tem então sua raiz no sentimento de completude. A versão mais crível de um cérebro plenamente integrado foi dada pelo psiquiatra da Universidade de Havard, o dr. Daniel J. Siegel, hoje na Universidade da Califórnia, que fez carreira estudando a neurobiologia dos humores e estados mentais humanos. Siegel foi pioneiro na fascinante pesquisa sobre a correlação entre os estados subjetivos e o cérebro. O que o diferencia dos pesquisadores que realizam milhares de tomografias para descobrir como o cérebro se excita durante certos estados é seu objetivo terapêutico. Siegel quer que seus pacientes se sintam melhor. O caminho da cura, afirma, é localizar sintomas como depressão, obsessão, ansiedade etc. na área exata do cérebro que está causando o bloqueio.

Como todo pensamento e todo sentimento ficam registrados no cérebro, faz sentido que sintomas psicológicos como depressão e ansiedade sejam indicações de uma gravação defeituosa – ou seja, uma rota neural foi traçada e continua a repetir os sintomas ou comportamentos indesejáveis. Funciona como um microchip que não tem outra opção senão repetir o mesmo sinal. Mas a "gravação" neural pode ser mudada, entre outros meios, através de terapia – Siegel usa a terapia da fala em conjunto com sua teoria cerebral.

O objetivo de Siegel é um cérebro saudável, que mantenha o bem-estar do paciente. Para ele, o cérebro precisa de nutrição saudável todos os dias. Sua abordagem está de acordo com a nossa, uma vez que prescreve uma "dieta da mente saudável" a ser praticada diariamente, com base na ideia de que uma mente saudável produz um cérebro saudável. Em sua "dieta", Siegel e seu colega David Rock incluem sete "pratos":

- Tempo de sono
- Tempo físico
- Tempo de concentração
- Tempo interior
- Tempo de repouso
- Tempo de diversão
- Tempo de conexão

Anos de pesquisas cerebrais estão por trás dessas simples prescrições, mas, à medida que a ciência comprova cada vez mais que todos os aspectos da vida têm relação com o cérebro, a nutrição oferecida pela dieta mental de Siegel pode ser bem mais importante para o corpo do que qualquer conselho convencional. Nosso cérebro tem um enorme talento para a integração. Se usado holisticamente, ele consegue organizar tudo.

Fazendo o trabalho

Vamos considerar os benefícios dessas sete "refeições", que vamos dividir em *trabalho interior* e *trabalho exterior*.

Trabalho interior: tempo de sono, tempo de concentração, tempo interior, tempo de repouso

O trabalho interior pertence à área da experiência subjetiva. Do ponto de vista do cérebro, ele segue um ciclo natural. Você precisa dormir bem para estar descansado. Você deve se concentrar intensamente, com tempo suficiente de repouso, para deixar o cérebro se reequilibrar e descansar. Você deve ter um tempo de repouso para não fazer nenhum esforço mental – deixando que a mente e o cérebro simplesmente existam. E deve reservar um período para algo que muitos ocidentais negligenciam: a introspecção através da meditação ou da reflexão. Esse é o tempo mais precioso, na verdade, porque abre espaço para a evolução e o crescimento.

O que acontece em seu mundo interior? A maioria das pessoas dedica oito horas do dia a uma atividade concentrada. Depois vai para casa e encontra uma maneira de relaxar e se distrair até a hora de dormir. Se o trabalho é insatisfatório, as pessoas se concentram o mínimo necessário, e seu verdadeiro prazer vem da distração, quando esquecem suas frustrações na televisão, nos *video games*, no cigarro ou no álcool.

Mas, como afirma Siegel, o cérebro é apanhado entre dois estados disfuncionais: caos e rigidez. Se seu mundo interior é caótico, você se sente confuso. É difícil resolver emoções conflituosas e resistir a impulsos. Se o caos fica fora de controle, o medo e a hostilidade podem perambular à vontade por sua mente, e às vezes você não é responsável por seu comportamento. Na tentativa de definir um estado de confusão desordenada, costumamos definir erroneamente as pessoas caóticas com termos como "excêntricas", "histéricas", "descontroladas", "bagunçadas". A rigidez combate o caos da maneira errada. Pessoas rígidas são reprimidas. Seu comportamento se baseia em padrões fixos. Elas se negam qualquer espontaneidade, e se ressentem (embora temam secretamente) de qualquer um que seja espontaneamente feliz. A rigidez gera comportamentos ritualísticos – como ocorre com casais com muitos anos de casamento que repetem as mesmas discussões ano após ano. Levada a extremos, a rigidez leva a graves críticas contra outros, impondo regras com duras punições. Casualmente, nós nos referimos a pessoas rígidas como tensas, "fascistas", moralistas – termos que têm em comum uma vida limitada e fortemente organizada. Mas, mesmo sem críticas, o sofrimento que resulta de um mundo interior ferido é real. Por parecer mais segura que o caos, a rigidez pode ter a aprovação social. Toda sociedade tem um partido que defende a lei e a ordem, e nenhum tem um partido que defenda o *carpe diem* (aproveite o momento).

Siegel coloca o cérebro integrado entre o caos e a rigidez; ele é a verdadeira solução para ambos, razão pela qual o trabalho interior é necessário. Depois seremos mais específicos sobre o lado espiritual do trabalho interior. O principal por enquanto é o ciclo natural que devemos seguir todos os dias. A pesquisa do sono, por exemplo, indicou que a maioria dos adultos, exceto uma pequena fração, precisa de oito a nove horas de bom sono todas as noites. Depois de uma boa noite de sono, o cérebro precisa despertar por conta própria, dando-se tempo para que suas necessidades passem do estado químico do repouso ao estado químico da vigília, que é totalmente diferente.

É um mito que o sono possa ser reduzido. Do ponto de vista do cérebro, dormir seis horas por noite durante uma semana representa uma perda permanente. Não se pode recuperá-la dormindo nos fins de semana. Acordar com um despertador também é prejudicial. O sono transita do sono profundo, passando por uma série de ondas, até se aproximar do estado totalmente desperto. O sono fica leve, depois se aprofunda de novo, várias vezes durante esse processo, enquanto o cérebro secreta um pouco mais das substâncias químicas necessárias ao despertar. Se o processo é interrompido, a pessoa pode achar que está desperta, mas na verdade não está. Crianças em idade escolar que ficam acordadas até tarde jogando *video games* vão passar o primeiro período na escola sonolentos. Adultos que dormiram seis horas por noite podem funcionar razoavelmente bem pelas primeiras quatro ou seis horas da jornada de trabalho, mas depois disso o sono vem. A perda de uma hora de sono prejudica a habilidade de dirigir – quase o mesmo efeito de dois drinques alcoólicos.

A maioria das pessoas tem consciência da importância do sono, mas, em nossa sociedade, não fazemos o que é bom para nós nessa área. Somos cronicamente privados de sono e nos orgulhamos disso, já que indica uma vida dedicada ao trabalho. Mas a dieta da mente indica que a verdadeira dedicação consiste em equilibrar o cérebro para o seu melhor desempenho, o que significa levar a sério o tempo interior, o tempo de repouso e o tempo de sono. Nossa sociedade sobrecarregada de trabalho e excessivamente estimulada ignora essas três necessidades.

Trabalho exterior: tempo físico, tempo de diversão, tempo de conexão

Esta é a área da atividade externa. O trabalho interior e o trabalho exterior não podem ser estritamente separados, uma vez que todos os processos cerebrais são interiores, e todos os comportamentos são exteriores. Generalizando, porém, quando interagimos com alguém, estamos realizando um trabalho exterior.

Conversamos, fofocamos e nos reunimos. Vamos a restaurantes e nos arrastamos de bar em bar. Construímos uma família, encontramos coisas para fazermos juntos. Como muitos sociólogos destacaram, essa área da vida costumava dominar a existência cotidiana, numa época em que as famílias se reuniam em volta da lareira à noite e todos faziam as refeições juntos.

Isso não é mais verdade. Hoje as famílias estão dispersas. O contato é intermitente e apressado. Cada um tem seu espaço. A atividade se espalha pela cidade, e não fica confinada ao lar. Os automóveis tornaram todos móveis, mas o aquecimento central talvez seja a maior força na formação da sociedade moderna. No passado, os quartos eram câmaras frias onde as pessoas se recolhiam para dormir. De resto, passavam a noite em uma ou duas salas da casa onde houvesse uma lareira. A cozinha, hoje considerada o centro de um lar, era território dos criados, a não ser nas casas mais pobres.

A separação física torna o trabalho exterior mais difícil. Estamos vendo novas mudanças cerebrais na geração digital, que se adaptou à separação física mais do que nunca. Passando horas jogando *video games* e nas redes sociais, os jovens estão expandindo uma de suas capacidades – a coordenação mão-olho, necessária para os *video games* e para o domínio técnico dos computadores –, mas negligenciando os caminhos neurais usados para interagir com as pessoas frente a frente. É revelador que estar no Facebook, que não passa de um álbum de fotos constantemente atualizado com comentários, é considerado um "relacionamento". O contato pessoal não é necessário.

Mas, se deixarmos as críticas de lado, as redes sociais representam um novo tipo de mente partilhada, um cérebro global com atividade que conecta centenas de milhões de pessoas. A sensação de conexão que nasce de transmitir nosso pensamento instantaneamente no *twitter* é real, assim como a sensação de pertencer a algo maior do que nós mesmos, por exemplo quando os turbulentos acontecimentos da Primavera Árabe de 2011 correram o mundo em tempo real. Existe um grande otimismo de que as redes sociais mudem o mundo para melhor. Nas sociedades repressivas do Oriente Médio, alguns acham que o futuro é uma corrida entre os mulás e o iPad – em outras palavras, uma competição entre as forças repressivas tradicionais e a tecnologia que liberta a mente das pessoas.

Se o tempo de conexão está estourando na era digital e o de diversão pode ser suprido com um jogo de Wii, o elemento negligenciado é geralmente o tempo físico. O cérebro precisa de atividade física, embora pensemos nesse órgão, naturalmente, como mental. Mas, por monitorar e controlar o corpo, o cérebro participa da estimulação física. Os fatores que reduzem o tempo físico estão por toda parte, e infelizmente são todos prejudiciais ao cérebro. O estado depressivo faz as pessoas se fecharem e ficarem inertes. Substituir exercícios ao ar livre por atividade digital compulsiva deixa o corpo inativo, o que não é saudável. Hábitos sedentários aumentam o risco de quase todas as doenças associadas ao estilo de vida, entre elas infarto e derrame.

A mensagem para sair e se exercitar vai perdendo força nas consciências – culpadas – à medida que as pessoas se tornam cada vez mais sedentárias e ganham peso. Segundo um relatório de 2011 dos Centros de Controle de Doenças, localizado em Atlanta, um quarto dos adultos americanos afirma não dedicar tempo algum à atividade física. O número aumenta para 30 por cento no sul do país e na região de Appalachia – para eles, vegetar no sofá é uma triste realidade –, enquanto apenas 20 por cento praticam a quantidade de atividade física recomendada. Como referência, conforme as orientações federais, adultos entre 18 e 64 anos devem fazer duas horas e meia de atividade moderada ou uma hora e cinquenta minutos de atividade intensiva por semana. A recomendação aumenta para crianças e adolescentes (de 6 a 17 anos), que devem fazer pelo menos uma hora de atividade intensiva por dia, o que seria proporcionado pelas aulas de educação física na escola. No entanto, a frequência dos alunos nessas aulas está em constante declínio.

Em partes do noroeste, da Costa Oeste e dos estados do Colorado e de Minnesota, os habitantes são mais ativos. (Uma razão para a variação regional pode ser a influência de seus pares. Se alguém de seu grupo sai para correr, a probabilidade de uma pessoa fazer o mesmo é maior.) Mas, como os dados foram recolhidos com base em entrevistas, as informações quanto à prática de atividade física podem ter sido exageradas, ou seja, essas estatísticas são demasiadamente otimistas.

Um resultado é quase predestinado. Um terço dos adultos americanos está acima do peso e outro terço está obeso. Exercícios têm conexão direta com o cérebro se considerarmos o que eles realmente fazem. Os benefícios para a saúde cardiovascular são bem conhecidos, sem contar o melhor tônus muscular que proporcionam. O que geralmente não percebemos são os ciclos de *feedback* que conectam o cérebro a cada célula do corpo. Assim, quando jogamos uma bola ou corremos numa esteira ou na praia, bilhões de células estão "vendo" o mundo externo. As substâncias químicas transmitidas pelo cérebro agem da mesma forma que os órgãos sensoriais, fazendo contato com o mundo exterior e sendo estimulado por ele.

É por isso que abandonar o sedentarismo e fazer alguma atividade – como caminhar, cuidar do jardim e usar as escadas em vez do elevador – é tão saudável. (A cada passo para se exercitar mais, maiores os benefícios à saúde, porém o mais importante é primeiro levantar do sofá.) As células do nosso corpo querem fazer parte do mundo. Essa afirmação pareceria absurda no passado. Médicos convencionais consideravam duvidosa a ligação mente-corpo. Como resultado, a medicina adotou uma atitude hostil em relação a explicações psicológicas "leves", considerando medicamentos e cirurgias essenciais. Remédios e intervenções cirúrgicas estabelecem uma simples relação causa-efeito entre a doença X e a causa Y. O vírus da gripe provoca gripe, a bactéria pneumococo causa tuberculose. Essa análise simples de causa-e-efeito é, contudo, vital para nós. Ela expressa a ideia de um cérebro totalmente integrado ser essencial à saúde – um supercérebro.

Vamos examinar mais detalhadamente o caminho que a integração mente-corpo teve que fazer quando se trata de um mal que aflige toda a sociedade: as doenças cardíacas.

Descobrindo a ligação

A ligação com o cérebro demorou a ser descoberta. Na década de 1950, os Estados Unidos começaram a viver um alarmante crescimento de casos de infarto prematuro, aquele que ocorre principalmente entre homens na faixa dos 40 aos 60 anos. À medida que as mortes por infarto disparavam, os médicos começaram a ver cada vez mais homens se queixando de dor no peito, o que muito frequentemente viria a ser angina, um sintoma inicial de obstrução das artérias coronárias. Na virada do século, o renomado William Osler, um dos fundadores da Johns Hopkins Medical

School, mencionou publicamente que um clínico geral antes, às vezes, atendia a apenas um caso de angina por mês. De repente, tornou-se comum atender a meia dúzia por dia.

Desesperados por uma explicação para a epidemia, os cardiologistas se concentraram numa causa física, como o aumento drástico de gorduras na alimentação americana, em comparação com a de nossos avós, que consumiam muito mais grãos, legumes e verduras. Um fator que parecia altamente científico: o colesterol. Lançou-se uma campanha massiva para que as pessoas adotassem uma dieta pobre em carnes vermelhas, ovos e outras fontes de colesterol. A campanha pode não ter sido um grande sucesso, já que a alimentação nos Estados Unidos ainda é rica em gorduras, mas "colesterol" se tornou uma palavra assustadora (ignorando o fato de que o corpo produz 80 por cento do colesterol na corrente sanguínea e que esse esteroide é absolutamente necessário para formar as membranas celulares); então, uma indústria bilionária cresceu em torno da redução das gorduras "ruins" do sangue e do aumento das "boas". Mais uma vez, ninguém considerou o cérebro como uma causa de infarto. Isso foi descartado porque não havia referência sobre como o cérebro poderia transmitir mensagens às células do coração, e o termo *estresse* mal era mencionado.

Ao que parece, alguns especialistas estavam inseguros quanto ao colesterol desde o início; eles chamaram a atenção para o fato de a autópsia de soldados mortos na Guerra da Coreia ter revelado que mesmo aos vinte e poucos anos suas artérias coronárias já continham placas suficientes para levar a um infarto. Por que os infartos só aconteceram muito tempo depois? Ninguém sabia. Ao analisar a grande quantidade de dados fornecidos pela Framingham Heart Study, a conclusão tirada foi que homens na faixa dos 20 anos que trabalharam os conflitos psicológicos da infância estariam mais bem protegidos contra infartos prematuros do que aqueles que não o fizeram. Mas esse não era um tempo para explicações "leves" desse tipo.

Ninguém acreditava que uma pessoa pudesse facilitar ou não um infarto. Decidiu-se então colocar o colesterol como o vilão do dia a dia. (Não entraremos nos problemas que confrontam as hipóteses do colesterol, exceto para dizer que o colesterol que ingerimos não necessariamente aumenta nossa taxa de colesterol no sangue – o quadro fisiológico é complexo e cresce a cada década.) O cérebro não era levado em conta nem quando um argumento psicológico finalmente se tornou popular, o que tratava das personalidades tipo A e tipo B. Pessoas tipo A eram tensas, exigentes, perfeccionistas, propensas à raiva e à impaciência e viciadas em controle. Como resultado, prosseguia a teoria, pessoas do tipo A eram mais propensas a sofrer um infarto do que as do tipo B, que eram tranquilas, tolerantes, pacientes e assumiam melhor os erros. As do tipo A realmente pareciam mais inclinadas a ser estressadas. (Na época, caçoava-se sobre ter um chefe tipo A: ele não é do tipo que tem um infarto – é do tipo que provoca.) No fim, testar e identificar de fato quem era tipo A ou B mostrou-se evasivo; agora, em vez de "personalidade", a medicina fala de comportamento tipo A ou tipo B.

Uma vez que estresse e comportamento entraram em cena, o normal seria pensar que o cérebro se tornou uma peça fundamental, mas não. Ainda não havia referências sobre como uma situação estressante externa poderia interferir no corpo e encontrar um caminho físico até as células.

No final da década de 1970, esse fluxo começou a vir à tona com a descoberta das "moléculas mensageiras", uma classe de substâncias químicas que transformam humor, estresse e distúrbios, como a depressão, em algo físico. Passou-se a ouvir falar sobre células cerebrais de forma mais detalhada, conforme os biólogos nomeavam os neuropeptídeos e neurotransmissores que atravessam as sinapses, os espaços entre os neurônios. "Serotonina" e "dopamina" se tornaram termos conhecidos, ligados a desequilíbrios químicos no cérebro (como excesso de serotonina ou baixa dopamina, por exemplo). Uma era de grandes descobertas se aproximava, e o passo decisivo foi dado quando se descobriu que essas substâncias não só atravessavam as sinapses como também corriam pela corrente sanguínea. Todas as células do corpo contêm receptores semelhantes a buracos de fechaduras, e os mensageiros químicos do cérebro são as chaves que neles se encaixam perfeitamente. Simplificando um esquema complexo, o cérebro informava o corpo inteiro sobre seus pensamentos, sensações, humores e saúde como um todo. A ligação entre psique e soma, mente e corpo, enfim, foi descoberta. Hoje, é aceito que fatores psicológicos contribuem para o risco de desenvolver doenças cardíacas. A lista de fatores inclui:

- Depressão
- Ansiedade
- Características de personalidade
- Comportamento tipo A
- Hostilidade
- Isolamento social
- Estresse crônico
- Estresse agudo

O coração toma parte na angústia mental e pode reagir com a obstrução das artérias – uma descoberta incrível em comparação ao que era clinicamente aceitável décadas atrás. Em vez de se focar apenas na prevenção de doenças, os especialistas em saúde começaram a abordar algo mais positivo, amplo e holístico: o bem-estar. O cérebro se tornou o centro de uma orquestra sinfônica química formada de centenas de bilhões de células que, quando estão em harmonia, geram maior bem-estar; enquanto a desarmonia química resulta em maior risco de doenças, envelhecimento precoce, depressão e redução das funções imunológicas, bem como todas as perturbações de comportamento – a lista vai além de infartos e derrames, incluindo obesidade, diabetes tipo 2 e provavelmente muitos, senão a maioria, dos tipos de câncer.

Nossa intenção é seguir as implicações dessa nova tendência até onde elas nos levarem. Defendemos totalmente o conceito de Siegel de que uma mente sã gera um cérebro são. Uma mente que busca uma consciência superior traz ainda mais benefícios, sobretudo quando se trata de felicidade. Ao usar as orientações para trabalho interior e exterior, você alimenta seu cérebro com os nutrientes certos.

Mas a felicidade ainda é uma coisa vaga. Nutrientes não criam significado. Não definem uma visão nem determinam um objetivo para o futuro. Isso cabe a você, como um criador da realidade. Há mais uma fronteira a atravessar antes de conquistar aquilo que mais deseja, um paraíso pessoal que ninguém poderá tirar de você.

SOLUÇÕES DO SUPERCÉREBRO
Autocura

Atualmente, como não era o caso duas décadas atrás, a conexão mente-corpo foi provada e comprovada. É um fato estabelecido, mas, mesmo em evolução – usando a mente para curar o corpo –, permanece impreciso e controverso. Nenhuma prática isolada garante resultado – não temos, na relação mente-corpo, uma solução mágica. Embora haja exemplos de remissões espontâneas em quase todo tipo de câncer, e alguns dos mais fatais e malignos, como o melanoma, tenham as maiores taxas de cura espontânea, o fenômeno é raro (estimado por algumas pesquisas em menos de 25 casos por ano nos Estados Unidos, apesar de haver dúvida generalizada sobre qualquer medição do tipo).

A autocura não tem nada a ver com a busca de uma cura milagrosa ou com tentar ser, para a perplexidade do médico, aquele paciente, entre 10.000, que se recupera. A cura é tão natural quanto respirar e, portanto, o segredo é ter um estilo de vida que favoreça ao máximo o que o corpo já está fazendo.

Um estilo de vida que cura

- Pratique a quantidade recomendada de exercícios saudáveis moderados.
- Mantenha o seu peso ideal.
- Diminua o estresse.
- Trate os problemas psicológicos, como depressão e ansiedade.
- Tenha um sono adequado.

Não se preocupe com suplementos vitamínicos e minerais se sua alimentação é balanceada e saudável (a menos que tenha algum problema como anemia ou osteoporose, em que um médico prescreva um suplemento específico).

- Evite substâncias tóxicas como álcool ou nicotina.
- Reduza gorduras de origem animal em sua dieta.
- Fortaleça a conexão mente-corpo.

Já conhecemos bem todas essas recomendações, mas nem por isso elas têm menos valor. O melhor tratamento é a prevenção; isso é fato. Mas o último item da lista – fortalecer a conexão mente-corpo – talvez seja o mais poderoso, e é desconhecido para a maioria das pessoas. Já falamos da atividade física diária que favorece o cérebro. Agora queremos apresentar a questão mais complexa da cura por meio da conexão mente-corpo.

Sendo o próprio placebo

A técnica de cura mente-corpo mais estudada é o efeito placebo. *Placebo* é uma palavra do latim e significa "agradar", "dar prazer". É uma boa maneira de descrever como funciona o efeito placebo. Um médico dá a um paciente um medicamento forte com a garantia de que aliviará seus sintomas, e o paciente, como prometido, obtém alívio. No entanto, na verdade o médico prescreveu um inofensivo e inerte comprimido de açúcar. (O efeito não se limita aos remédios, o que é importante lembrar: qualquer coisa em que se acredite pode agir como placebo.) De onde vem o alívio do paciente? Vem da mente dizendo ao corpo para melhorar. Para isso, a mente precisa, antes de tudo, ser convencida de que a cura está por vir.

O grande problema do efeito placebo, que funciona, em média, em 30 por cento dos casos, é que o primeiro passo é a ilusão.

O médico engana o paciente, o que se mostrou um obstáculo ético grave. Nenhum médico ético negaria regularmente o melhor tratamento a um paciente oferecendo substitutos inócuos, embora em alguns casos (como depressões leves a moderadas) estudos mostrem que os medicamentos muitas vezes não são mais efetivos que um placebo. Isso significa, aliás, que muitos remédios compartilham a imprevisibilidade do efeito placebo. A ideia de que os medicamentos têm a mesma ação em todos os pacientes é um mito. O efeito placebo, ao contrário da desconfiança geral, é uma cura "real". A dor é reduzida; os sintomas, amenizados.

Agora a pergunta mais importante: você pode ser seu próprio placebo sem recorrer à ilusão? Se tomar um comprimido de açúcar, saberá de antemão que ele não vai proporcionar alívio. E o processo acaba aí? De jeito nenhum. A autocura pelo efeito placebo depende de libertar a mente de dúvidas – sem enganar a si mesmo. As pessoas precisam conhecer mais a conexão mente-corpo, não menos.

Ser o próprio placebo é o mesmo que liberar o sistema de cura por mensagens vindas do cérebro. Toda cura, no final das contas, é autocura. Os médicos ajudam o intricado sistema de cura do corpo (que coordena células imunológicas, inflamações, hormônios, genes e muito mais), mas a cura de fato ocorre de forma desconhecida.

Quando se trata da conexão mente-corpo, a cura deve envolver as seguintes condições básicas:

- A mente está contribuindo para a melhora.
- A mente não contribui para o adoecimento.
- O corpo está em comunicação constante com a mente.
- Essa comunicação favorece os aspectos físico e mental da melhora.
- Tendo recebido um tratamento em que confie, a pessoa relaxa e deixa que a reação de cura aconteça naturalmente.

Quando o efeito placebo funciona, todos esses cinco tópicos estão envolvidos. A mente do paciente coopera com o tratamento e confia nele. O corpo tem consciência disso. Há uma comunicação aberta e, como resultado, as células de todo o corpo se envolvem numa reação de cura. O sistema de cura é incrivelmente complexo e impossível de explicar como um todo. Sabemos apenas como funcionam partes dele, como os anticorpos e a reação imunológica a infecções.

Como realizamos essas cinco condições conscientemente? No mínimo, não devemos lutar contra elas com medo, dúvida, ceticismo ou desesperança. Tais estados transmitem suas próprias mensagens químicas para o corpo. Ao acreditar que um comprimido de açúcar irá curá-lo, as mensagens de cura começam a ter um efeito. Mas não podemos dizer que os 30 por cento que se beneficiam do efeito placebo estão fazendo algo certo enquanto os 70 por cento restantes não estão. O histórico médico de cada um é único; o sistema de cura ainda é nebuloso demais para ser medido com acuidade. Sentimentos negativos profundos, se capazes de bloquear o efeito placebo (de forma alguma uma certeza), são complexos e muitas vezes inconscientes, então a diferença neste caso não é simples.

A maior promessa está no fato de que a intenção mental de "dar prazer" funciona. Ser o próprio placebo requer aplicar as mesmas condições presentes em uma clássica reação ao placebo:

- Você confia no que está acontecendo. Consegue lidar com a dúvida e com o medo.
- Não envia mensagens contraditórias que se choquem umas com as outras.
- Você abre os canais da comunicação mente-corpo.
- Relaxa quanto à sua intenção e permite que o sistema de cura faça seu trabalho.

Quando um sintoma não é grave, como um corte no dedo ou um hematoma, todos acham fácil se despreocupar e parar de interferir. A mente não se intromete com dúvidas e medos. Mas, em doenças graves, dúvidas e medos têm grande influência, e é por isso que práticas como meditar ou frequentar um grupo de ajuda são úteis. Compartilhar sua ansiedade com outros na mesma situação é uma forma de começar a superá-la.

É bom também seguir seus instintos mais saudáveis. Muitos lidam com a doença por meio de processos enganosos, como pensamentos ilusórios e negação. Nossos medos nos levam a becos sem saída e a esperanças falsas. Nesses casos, a mente não está realmente atenta ao que o corpo está dizendo, e vice-versa. A atmosfera é nebulosa. Confiar no que o corpo diz demanda experiência. É necessário treinamento mente-corpo, e isso leva tempo. Todos sabem, por exemplo, que um estilo de vida positivo, com exercícios, boa alimentação e meditação, reduz o risco de doenças cardíacas. Essa combinação permite ao corpo diminuir as placas que obstruem as artérias coronárias. Mas a melhora não ocorre de uma hora para outra. É preciso paciência, diligência e tempo.

Isso é o oposto de entrar em pânico e correr desesperadamente atrás de qualquer cura possível ao receber um diagnóstico de câncer. Passar a rezar e meditar de repente, apenas por causa da ameaça da doença, é quase sempre em vão. O medo piora quando se está gravemente enfermo, e saber lidar com a ansiedade funciona muito mais se a pessoa começar a fazer isso antes mesmo de estar doente. A conexão mente-corpo precisa ser fortalecida antes que o problema apareça.

A importantíssima tarefa de ter consciência do próprio corpo não tem que ser tediosa. O mais importante é que mente e corpo sejam amigos novamente, que retomem sua parceria natural. Uma maneira de fazer isso é sentar-se em silêncio, com os olhos fechados e simplesmente sentir o corpo.

Deixe todo tipo de sensação vir à tona. Não reaja à sensação, seja agradável ou não. Apenas relaxe e tenha consciência disso. Perceba de onde a sensação vem. Você não terá só uma sensação ou sentimento. Notará que sua consciência vai de um lugar a outro, um momento sentindo seu pé ou estômago, peito ou pescoço.

Esse exercício simples é uma reconexão mente-corpo. Muitas pessoas têm o hábito de prestar atenção apenas nos sinais ruins do corpo, como dor aguda, rigidez, náusea e outros desconfortos difíceis de ignorar. O que você deve fazer é aumentar sua sensibilidade e sua confiança simultaneamente. Seu corpo sabe de maneira sutil onde o mal-estar e o incômodo estão. Ele envia sinais a todo momento, e eles não devem ser temidos.

Mesmo que ignore o que acontece em suas células, logo abaixo de sua percepção há troca de informação inconsciente. Recentemente, quando o governo federal dos Estados Unidos decidiu que a mamografia anual não é necessária para mulheres mais jovens, ocorreu que 22 por cento dos tumores de mama pequenos se curaram sozinhos, desaparecendo espontaneamente. Assim, uma reação automática de medo, mesmo diante de um possível câncer, é infundada em se tratando do sistema de cura. O sistema imunológico elimina milhares de células anormais diariamente. Todo mundo tem genes supressores de tumor, embora ainda não se saiba como são ativados.

O futuro da autocura despontará do fato comprovado de que cada célula do corpo sabe, por meio de mensageiros químicos, o que todas as outras células estão fazendo. Incluir consciência no ciclo favorece essa comunicação. Iogues avançados conseguem alterar suas reações involuntárias como quiserem, como desacelerar seus batimentos cardíacos e sua respiração a níveis muito baixos ou elevando a temperatura da pele de maneira muito precisa. Você e eu temos as mesmas habilidades, só que não as usamos conscientemente. Você pode imitar o exercício de fazer um ponto da palma da sua mão esquentar, e isso irá acontecer, mesmo que nunca tenha feito isso antes.

Podemos especular que o efeito placebo cai na mesma categoria. É uma reação voluntária que podemos usar desde que aprendamos como estimulá-la. O sistema de cura parece ser involuntário. Você não tem que pensar com o objetivo de curar um corte ou um machucado. Porém, o fato de alguns pacientes conseguirem fazer a dor ir embora ao tomar um comprimido de açúcar implica, de maneira muito forte, que a intenção faz diferença no processo de cura. Não estamos falando de pensamento positivo, que frequentemente é superficial demais e mascara um negativismo subjacente. Em vez disso, estamos incentivando um estilo de vida que estabeleça uma conexão mente-corpo mais profunda.

Observação: a conexão do cérebro com o efeito placebo é crucial, mas só foi estudada em profundidade recentemente. Como um livro é uma discussão pública aberta a pessoas de todos os tipos e com todas as espécies de problemas de saúde, sejamos claros. Não estamos aconselhando ninguém a interromper tratamentos clínicos convencionais ou a rejeitar ajuda médica. O efeito placebo ainda é um mistério, que estamos apenas abordando nesta parte do livro, e não apresentando um manual de autocura milagrosa.

PARTE 3

MISTÉRIO E PROMESSA

O CÉREBRO ANTIENVELHECIMENTO

Para desvendar qualquer promessa nova do supercérebro, precisamos primeiro resolver um mistério. Nenhum mistério é mais antigo – ou maior – que o envelhecimento. Até muito recentemente, apenas elixires, poções mágicas ou a fonte da juventude constituíam fugas possíveis dos efeitos devastadores da idade. Recorrer à fantasia mostra como a mente era confusa. Envelhecer é universal, ninguém escapa disso e, mesmo clinicamente falando, ninguém morre de velhice. A morte ocorre quando pelo menos um sistema-chave do corpo falha, e então o restante do corpo vai junto. O sistema respiratório quase sempre está envolvido; a causa imediata de morte para a maior parte de nós será a parada respiratória. Mas uma pessoa pode morrer também de insuficiência cardíaca ou renal. Enquanto isso, praticamente todo o material genético do corpo pode estar equilibrado na hora em que o sistema-chave falhar.

Como fazemos para evitar que a falha de um sistema leve todo o resto consigo? Teríamos que prestar atenção a todo o corpo durante a vida inteira. Prognosticar é extremamente difícil. Diversos fatores evitam que uma pessoa veja previamente aonde o processo de envelhecimento a levará no final das contas.

Variante 1: O envelhecimento é muito lento.

Começa em torno dos 30 anos e progride mais ou menos 1 por cento ao ano. Essa lentidão nos impede de observar uma célula enquanto envelhece. Os efeitos são percebidos somente anos depois. E não são uniformes. Mesmo considerando cada aspecto da deterioração física e mental, algumas pessoas na verdade melhoram com a idade. Praticando exercícios o suficiente, elas podem ficar mais fortes do que quando eram jovens. Para uma minoria felizarda, aos 90 anos a memória pode evoluir, em vez de decair. A idade é como um exército irregular, em que algumas células saem na frente de outras, mas o exército como um todo avança muito devagar e com grande discrição.

Variante 2: O envelhecimento é próprio de cada um.

Cada pessoa envelhece de uma maneira. Gêmeos idênticos que nascem com o mesmo DNA têm perfis genéticos completamente diferentes aos 70 anos. Seus cromossomos não mudam, mas décadas de experiência de vida fazem a atividade de seus genes ser ativada e desativada constantemente em um padrão próprio. O ajuste de cada célula, minuto a minuto, por milhares de dias, faz seus corpos envelhecerem de modo imprevisível. Genericamente, somos duplicatas genéticas uns dos outros ao nascer, mas absolutamente únicos ao morrer.

Variante 3: O envelhecimento é invisível.

Os sinais da idade que vemos no espelho – cabelo branco, rugas, flacidez etc. – indicam que algo está acontecendo no campo celular. Porém as células são imensamente complexas, passando por milhares de reações químicas por segundo. Essas reações são constantes e automáticas. Ocorrem ligações entre diversas moléculas, dependentes das propriedades atômicas dos elementos que formam o corpo, sobretudo os seis principais – carbono, hidrogênio, nitrogênio, oxigênio, fósforo e enxofre. Se esses átomos forem agitados em um béquer, realizam reações automáticas em alguns milésimos de segundo. Por si só, o fósforo é tão volátil que, em uma colisão inflamável com o oxigênio, explode. Contudo, ao longo de bilhões de anos, os organismos vivos desenvolveram combinações incrivelmente intricadas, que previnem interações violentas como essa. O fósforo em nossas células não é explosivo. Ele entra em uma substância química orgânica chamada "ATP", trifosfato de adenosina, um componente essencial na ligação de enzimas e na transferência de energia.

Um biólogo dedicaria toda a sua vida a estudar como essa única molécula complexa opera dentro de uma célula, ainda que o controlador de cada reação permaneça invisível e desconhecido. Desde que a célula funcione tranquilamente, ninguém precisa ver o controlador. Um tipo de inteligência química está claramente em ação, e basta dizer que o DNA, por conter o código da vida, constitui o começo e o fim de tudo o que ocorre no interior de uma célula. Mas, devido ao envelhecimento, as células param de funcionar com total eficiência, e então o elemento invisível mostra a sua cara. Os átomos não têm a capacidade de funcionar de maneira errada, as células sim. Por que e como não dá para prever – só é rastreável após um caminho errado ter sido tomado.

Todas essas variabilidades levam a uma única conclusão. Não há outra saída além de prestar atenção ao corpo o tempo todo. Mas é justamente isso que as pessoas acham praticamente impossível de fazer. Nossa vida é repleta de contrastes, e somos viciados em seus altos e baixos. Seguir o bom caminho soa entediante. Envolve um tipo de puritanismo sufocante em que a autonegação é a regra e o prazer, a exceção. O verdadeiro desafio é fazer do bem-estar algo tão atraente que deixe de ser uma penitência.

Como começar? Qualquer que seja a abordagem adotada contra o envelhecimento, o cérebro está envolvido. Nenhuma célula do corpo é uma ilha – todas estão recebendo uma corrente inquebrável de mensagens vindas do sistema nervoso central. Determinadas mensagens são boas, outras não. Comer um *cheeseburguer* todos os dias envia um tipo de mensagem; comer brócolis no vapor envia outro. Ser feliz no casamento manda uma mensagem diferente de ser solitário. É claro que você quer enviar mensagens dizendo para nenhuma célula envelhecer. Aí está a promessa. Se você é capaz de maximizar as mensagens positivas e minimizar as negativas, combater o envelhecimento vira uma possibilidade real.

Acontece que o combate ao envelhecimento é um gigantesco "ciclo de *feedback*" que dura uma vida inteira. Essa expressão está sempre sendo usada neste livro porque a ciência tem sempre uma nova descoberta sobre seu funcionamento. Em 2010, um estudo em parceria feito pela Universidade da Califórnia, nos *campi* de Davis e de São Francisco, revelou que a meditação leva a um aumento de uma enzima importantíssima chamada "telomerase". No final de cada cromossomo, há uma estrutura química repetitiva chamada "telômero", que atua como um ponto no final de uma frase – ele encerra o DNA do cromossomo e ajuda a mantê-lo intacto. Nos últimos anos, o desgaste dos telômeros tem sido associado à decadência do corpo com a idade. Em virtude da divisão celular incompleta, os telômeros ficam menores, daí o risco de o estresse deteriorar o código genético de uma célula. Possuir telômeros saudáveis parece importante, por isso é tão bom que a meditação aumente a enzima que os repõe, a telomerase.

Essa pesquisa soa um tanto técnica, interessando principalmente a biólogos celulares. Mas o estudo da Universidade da Califórnia foi além e mostrou que os benefícios psicológicos da meditação estão ligados à telomerase. Altos níveis de telomerase, que também parecem ser sustentados por exercícios e alimentação saudável, são parte de um ciclo de *feedback* que resulta em taxas surpreendentemente altas de sensação de bem-estar e na capacidade de lidar com o estresse. Tal descoberta ajuda a consolidar o princípio mais básico da medicina mente-corpo: o de que cada célula ouve secretamente o cérebro. Uma célula renal não pensa em palavras; não diz a si mesma: "Tive um péssimo dia no trabalho. O estresse está me matando". Mas participa silenciosamente desse pensamento. A meditação gera bem-estar na mente enquanto espalha silenciosamente a mesma sensação ao DNA, por meio de uma substância como a telomerase. Nada fica de fora do ciclo de *feedback*.

A conexão mente-corpo é real, e as escolhas fazem diferença. Estando ambos em ordem, o cérebro antienvelhecimento guarda uma grande promessa.

Prevenção e riscos

Sem saber por que envelhecemos, a medicina adotou a abordagem de que envelhecer é como uma doença. Germes causam danos celulares, envelhecer também. É sensato se esforçar para manter o corpo saudável. O aspecto físico do combate ao envelhecimento é semelhante a programas de prevenção contra qualquer distúrbio gerado pelo estilo de vida. Vamos rever os pontos principais. Eles parecerão conhecidos após décadas de campanhas de saúde – e ainda assim são vitais para seu bem-estar físico.

Como reduzir os riscos do envelhecimento

- Mantenha uma alimentação balanceada, corte gorduras, açúcar e alimentos processados. A melhor dieta é a mediterrânea: azeite em vez de manteiga, peixe (ou fontes de proteínas à base de soja) no lugar de carne vermelha, grãos integrais, leguminosas, oleaginosas diversas, frutas frescas e verduras e legumes inteiros para obter muitas fibras.
- Evite comer demais.
- Faça exercícios moderadamente pelo menos por uma hora, três vezes por semana.
- Não fume.
- Consuma bebidas alcoólicas com moderação, de preferência vinho tinto, quando muito.
- Use cinto de segurança.
- Previna acidentes caseiros (evitando pisos escorregadios, escadas íngremes, riscos de incêndio etc.).
- Tenha uma boa noite de sono. Conforme envelhecemos, tirar um cochilo à tarde também é uma boa ideia.
- Mantenha hábitos saudáveis regulares.

No que se refere à prevenção, o lado físico do combate ao envelhecimento ainda está sendo aperfeiçoado. Tomemos como exemplo a obesidade, que alcançou proporções epidêmicas nos Estados Unidos e na Europa Ocidental. Há muito já se sabe que o sobrepeso é um fator de risco para muitos problemas, como doenças cardíacas, hipertensão e diabetes tipo 2. Hoje, no entanto, um tipo específico de gordura, a abdominal, está sendo tratado como o mais prejudicial. A gordura não é inerte como a de uma barra de manteiga. Ela está sempre ativa, e a gordura abdominal emite sinais hormonais danosos ao corpo que afetam o equilíbrio metabólico. Infelizmente, apenas exercícios não eliminam a gordura abdominal. É necessário perder peso e criar um programa de exercícios; consumir a quantidade adequada de fibras também ajuda no processo.

Dado o nosso grande conhecimento, o problema real está em outro ponto: agir de acordo. Saber o que é bom para si e fazê-lo são duas coisas diferentes. A prática de atividade física é uma campanha constante, mesmo assim somos uma sociedade cada vez mais sedentária. Menos de 20 por cento dos adultos fazem a quantidade de exercícios recomendada; uma em cada dez refeições é consumida no McDonald's, onde a comida é rica em gorduras e açúcar, e praticamente desprovida de fibras, verduras e legumes.

Pôr em prática é difícil quando seu cérebro está viciado em fazer escolhas erradas. Alguns sabores, por exemplo – sobretudo salgados, doces e azedos –, são tão atraentes que não conseguimos recusá-los. Com a repetição, eles se tornam nossos preferidos. Repetindo-os sempre, tornam-se os gostos que procuramos automaticamente, levados pelo hábito inconsciente. (A indústria de salgadinhos tem uma expressão – "ritmo de mastigação" – para descrever a maneira automática pela qual uma pessoa leva pipoca, batata frita ou amendoim à boca sem parar até que o pacote acabe. É o máximo do comportamento inconsciente, altamente desejado pelos fornecedores de salgadinhos, mas desastroso para a saúde de qualquer um.)

É inútil os especialistas repetirem todo ano a mesma ladainha para que as pessoas mudem seus hábitos, e então esperar que elas o façam. Pior ainda é quando a cobrança vem de si mesmo. Quanto pior você se sente, mais se desestimula. Com isso, duas coisas acontecem. Primeiro, fica entorpecido, cansado de brigar com você mesmo. Depois, tenta aliviar seu incômodo, geralmente com distrações. Vê televisão ou procura doses rápidas de prazer comendo salgadinhos e doces. Dessa forma, o esforço para melhorar acaba piorando a situação. Se repetir o discurso realmente funcionasse, seríamos uma sociedade de atletas competindo para comprar produtos orgânicos no supermercado.

Envelhecer é um processo muito longo. Uma aula de controle de estresse, alguns meses de ioga, ser vegetariano por um tempo

– isso não faz a menor diferença quando se trata de desacelerar o envelhecimento. Obviamente, para isso, é preciso acabar com o problema da incoerência.

Escolhas de vida conscientes

O segredo para ser coerente não é mostrar força de vontade ou punir-se por não ser perfeito. É *mudar sem imposição*. Tudo aquilo que você se forçar a fazer em algum momento dará errado. O combate ao envelhecimento não se faz em um dia. O que fizer agora terá que ser feito por décadas. Então, vamos parar de pensar em termos de disciplina e autocontrole. Há os verdadeiros santos da prevenção – gente que consome apenas uma colher de sopa de gordura por dia porque essa seria a quantidade ideal para a saúde do coração. Eles ignoram o mau tempo e praticam cinco horas de exercícios vigorosos por semana. Eles nos inspiram, mas, no fundo, também nos desmotivam, pois nos lembram que estamos muito longe de ser santos.

Mudar sem se obrigar é certamente possível. Para isso, é preciso criar uma matriz para fazer opções melhores. Por matriz, queremos dizer um planejamento para o dia a dia. Todo mundo já tem um. Algumas pessoas tendem a fazer escolhas melhores do que outras. Uma despensa sem salgadinhos seria parte de uma matriz desse tipo. Uma casa sem televisão ou *video games* seria outra. Agora, se você corre todo dia porque não tem um passatempo em casa, não está sendo legal consigo mesmo. No fim, o aspecto físico é secundário. Uma matriz é mais ampla e sustentável. É por isso que nos cercamos de coisas que propiciam o comportamento que preferimos.

O verdadeiro segredo é viver segundo uma matriz em que a mente se sinta livre para escolher a coisa certa em vez de se sentir levada a fazer a escolha errada.

Matriz para um estilo de vida positivo

- Ter bons amigos.
- Não se isolar.
- Manter um relacionamento duradouro com um cônjuge ou companheiro.
- Engajar-se socialmente em projetos úteis.
- Cercar-se de pessoas com bom estilo de vida – hábitos contagiam.
- Ter um propósito na vida.
- Reservar tempo para se divertir e relaxar.
- Manter atividade sexual satisfatória.
- Tratar questões que envolvam raiva.
- Controlar o estresse.
- Lidar com os efeitos nocivos de suas reações: ao ter uma reação negativa, pare, recue, respire profundamente algumas vezes e observe como se sente.

Muitos desses tópicos já foram abordados em nossa discussão sobre o estilo de vida ideal para o cérebro, mas eles também têm correlação com a longevidade. Há algo muito básico que os liga: o resultado esperado surge quando as pessoas agem juntas; o fracasso tende a acontecer sozinho. Ter um companheiro que esteja atento à sua alimentação ("Você já não comeu biscoito hoje? Coma uma cenoura.") é melhor do que vagar pelas seções do supermercado sozinho e pegar comida congelada, por impulso, para a semana inteira. Um amigo que frequente a academia com você três vezes por semana o incentiva mais do que todas as promessas que você já fez a si mesmo enquanto assistia ao campeonato de futebol. É importante estabelecer sua matriz cedo e mantê-la. Segundo estudos, perder um cônjuge de repente leva a isolamento, depressão, maior propensão a doenças e diminuição do tempo de vida. Mas, se a pessoa tem um círculo social além do cônjuge, essas consequências terríveis são amenizadas.

Os aspectos mais incapacitantes do envelhecimento envolvem a inércia. Ou seja, continuamos a fazer o que sempre fizemos. Se começadas em idade avançada, coisas novas acabam sendo deixadas de lado. A passividade toma conta de nós; perdemos a motivação. Inúmeros idosos ficam paralisados pela inércia.

Deepak lembra-se de um casal cuja relação sucumbiu quando ela fez 50 anos. Para ela, aquele aniversário era um marco, um novo ponto de partida. Com os filhos entrando na faculdade e seu trabalho indo bem, ela queria explorar novas áreas da vida, coisa que não teve oportunidade enquanto os deveres familiares a afastaram de alguns de seus maiores sonhos.

"Meu marido e eu tínhamos um ritual anual", ela disse. "Tirávamos um fim de semana a sós e avaliávamos nosso casamento. Era bem sistemático. Fazíamos uma lista de cada elemento em nossa relação, incluindo sexo, trabalho, planos secretos e ressentimentos. Somos pessoas muito organizadas, e logo antes de eu fazer 50 classificamos cada aspecto de nosso casamento e descobrimos que nos saímos bem em pelo menos oito de cada dez categorias. Senti-me feliz e segura."

Assim, foi um choque quando essa mulher uma noite revelou ao marido seus planos de casamento feliz para os próximos vinte anos. O marido, que era muito bem-sucedido profissionalmente, virou para ela e disse: "Não quero mudar. Para quê? Vamos ficar velhos. Vejo-nos acomodados em nossas poltronas esperando as crianças ligarem".

Sem que ela percebesse, o marido havia se entregado à inércia paralisante. A vida dele era centrada no trabalho acima de tudo; ao aposentar-se, não havia mais nada a conquistar. "Já fiz o que tinha que fazer. Por que tentar repetir o passado? É muito difícil ficar fazendo a mesma coisa o tempo todo."

O casal começou a fazer terapia, mas seus pontos de vista eram muito divergentes. Às vésperas do divórcio, ambos estavam decepcionados, mas satisfeitos com suas escolhas. A mulher se sentiu livre para construir uma vida nova, baseada em novas aspirações.

O marido, contente por poder dormir sobre seus louros e olhar para o passado com nostalgia. Os dois eram inteligentes, cheios de autoestima e confiantes.

Com o passar do tempo, entretanto, os 50 se tornaram 60, 70 e 80, e qual deles fez a melhor escolha? Ela está se desenvolvendo sobre a matriz que a manteve durante suas primeiras cinco décadas; ele acredita que o tempo se encarregará de tudo. Não há garantias na vida, mas a maioria dos psicólogos diria que ela tem maior probabilidade de viver mais e, melhor do que isso, mais chances de se sentir realizada com o passar do tempo.

Ligação com a imortalidade

Até agora, falamos dos aspectos-chave da "nova terceira idade", um movimento social que defende o envelhecimento positivo. Nas últimas duas décadas, a imagem da terceira idade mudou drasticamente. Ninguém mais acha que aos 65 anos não terá mais vida social. Uma grande parcela de pessoas que nasceu até duas décadas após a Segunda Guerra Mundial não vê isolamento em seu futuro. O envelhecimento está sendo postergado como nunca. De certo modo, este é o efeito colateral positivo de viver em uma cultura tão voltada à juventude. Ninguém quer admitir que não é mais jovem. A última leva de idosos está fazendo mudanças positivas em seu estilo de vida, embora não rápido o bastante (e de modo não muito uniforme. A maior longevidade, que beneficia pessoas de maior renda nos Estados Unidos, não se estende às de menor poder aquisitivo, cuja expectativa de vida é mais próxima dos 70 do que dos 80, idade a que chegam cada vez mais pessoas do primeiro grupo).

Então, qual é o próximo passo? Achamos que o combate ao envelhecimento precisa ir além do aspecto físico e ainda mais além do psicológico. A vida melhor está enraizada numa visão de realizações, sendo esta a vida que se quer prolongar. É difícil prever algo que desafie a idade, pois há incontáveis gerações o homem olha ao redor e o que vê? Que todos os seres envelhecem e morrem. Mas essa observação universal não é verdadeira de fato. De modo bem realista, as células são imortais, ou pelo menos tão próximas da imortalidade quanto os organismos vivos podem ser. Isso seria uma pista para uma nova e mais abrangente visão de vida?

As primeiras algas azuis que se desenvolveram bilhões de anos atrás ainda estão por aqui. Elas nunca morrem, apenas vão se dividindo e se dividindo. É o mesmo caso dos organismos unicelulares, como amebas e protozoários, encontrados em águas paradas. Circunstâncias adversas sem dúvida aniquilaram bilhões de formas de vida primitivas, mas acidentes da natureza não são a mesma coisa que o tempo de vida natural. O tempo de vida de muitas células é ilimitado. Somente quando se agrupam em plantas e animais complexos as células encaram a perspectiva da morte. Um glóbulo vermelho que morre em três meses, um glóbulo branco que morre assim que consome um germe invasor, uma célula da pele que voa ao vento – todas estão vivendo um tempo de vida natural. Só que o corpo integra centenas de expectativas de vida diferentes – tantas quanto os tipos de tecidos existentes. Mesmo havendo imensa tolerância e flexibilidade. Células-tronco existem até no ser humano mais velho, com o potencial de formar células novas.

As células do nosso corpo preservam todos os mecanismos das formas primitivas de vida, como a divisão celular, mas elas também continuam evoluindo. Seres complexos como os mamíferos contam com mecanismos extras que organismos primitivos não possuem, como um sistema imunológico. O corpo humano enfrenta muitas ameaças que não atingem a alga azul, embora ambos tenham desenvolvido, no decorrer da evolução, formas altamente criativas de se defender, lutar e sobreviver. A mente humana tomou conta da evolução celular há muito tempo. O maior benefício para a longevidade, por exemplo, deve ter sido o saneamento básico – o tratamento de esgoto e de água foi um salto evolutivo para a espécie humana (e sua perda, com a contaminação de seu suprimento, mostra-se um grave perigo para centenas de milhares de pessoas). A medicina, é claro, é uma maneira importante e contínua de prolongar a vida.

Cada um de nós fica preso entre duas forças que disputam por nosso futuro pessoal: a da evolução, que estende a vida cada vez mais, e a da entropia, que faz os aspectos físicos decaírem com o tempo. O envelhecimento é uma forma extremamente complicada de entropia; não é tão simples quanto uma estrela esgotando seu combustível, entrando em colapso e explodindo num último e dramático espasmo letal como uma estrela nova ou supernova.

A situação é tão complexa, na verdade, que cada pessoa pode escolher para qual lado pender, da criação ou da destruição. Entropia não é destino. Não há razão para que você não escolha a favor da evolução todos os dias. No final das contas, nossa verdadeira ligação com a imortalidade é pela evolução, que conduziu a criação por 13,8 bilhões de anos desde o *Big Bang*. Em algum dia do início da primavera, em que as árvores tenham superado a passagem do inverno, saia e examine um galho novo de uma árvore florida ou de uma roseira brotando. Você notará que cada galho delicado tem uma extremidade em desenvolvimento que aponta ao desconhecido. Vulnerável como parece ser, é o ato repetitivo de criação que perdura desde sempre. É o próprio sinal físico de fé na vida.

Você é a extremidade do universo em desenvolvimento. Uma eternidade, maior que a vida da galáxia mais antiga, conspirou para chegar a este momento na existência de uma pessoa. Para onde o universo irá no próximo instante? Só você pode decidir. Você é responsável por seu próprio desenvolvimento, e ainda assim a opção é mais que pessoal. O infinito se entregou em suas mãos. Ele aguarda sua decisão, e, aonde quer que vá depois, a realidade o seguirá. Se acha que estamos exagerando – ou mesmo sendo excêntricos –, pense no que suas células estão fazendo. Sem sua ligação com a imortalidade, a vida não existe.

SOLUÇÕES DO SUPERCÉREBRO
Longevidade máxima

Quando uma célula envelhece, você envelhece. Esse é o fator biológico principal. Mesmo assim, as células são projetadas, no decorrer da evolução, para sobreviver. Elas são ligadas a processos químicos literalmente imortais, ou pelo menos tão antigos quanto o universo. Ironicamente, mesmo que você tenha um estilo de vida totalmente desregrado – fumando, entupindo seu corpo com gordura e açúcar, sem nunca se exercitar –, o mesmo cérebro envolvido com essas escolhas terríveis está tentando permanecer imortal. As células cerebrais são como as outras, empreendendo uma campanha bem-sucedida, que ocorre segundo a segundo, desde o momento da concepção no útero, para combater o tempo.

Estamos ficando um pouco filosóficos, embora haja maneiras determinadas de ter uma perspectiva de longevidade máxima. Vencer a loteria genética é raro. Diversos projetos de pesquisa têm avaliado mutações específicas que permitem a algumas linhagens de judeus asquenazes viver mais de 100 anos – pais, mães, irmãos e irmãs, todos se tornaram centenários. (Antes, não havia qualquer documentação histórica de uma família em que mais de uma pessoa em uma geração tivesse chegado a essa idade.) O segredo parece ser que seus genes os tornam imunes ao acúmulo de placas em suas artérias, a principal causa de infarto e derrame. A esta altura, no entanto, a perspectiva de transferir essa superioridade genética a outros é remota.

Com relação à população em geral, a expectativa de vida tem crescido em países desenvolvidos. As mulheres japonesas são as mais longevas do mundo. Entre os americanos, o aumento a cada década se justifica – o melhor saneamento e o atendimento médico têm sido cruciais. Doenças infecciosas infantis foram controladas e, mais recentemente, o aperfeiçoamento no atendimento de emergência para infartos e em programas de recuperação para vítimas de derrame foram importantes. A queda no tabagismo também contribuiu. Os dois últimos obstáculos são provavelmente a falta de exercícios e a obesidade. Em outras palavras, se as pessoas se prevenirem de verdade e fizerem mudanças positivas em seu estilo de vida, a base física para uma vida longa estará resolvida. Pouquíssimos indivíduos se tornarão centenários (um a cada 30.000, aproximadamente), enquanto cada vez mais pessoas viverão com boa saúde até seus 80, 90 anos.

A perspectiva padrão é que, para um avanço significativo em relação ao quadro atual, é preciso encontrar a cura do câncer e do mal de Alzheimer, sem dúvida os flagelos da terceira idade. O infarto permanece a principal causa de morte nos Estados Unidos – apesar dos avanços no tratamento, a medicina ainda não descobriu suas causas. A placa coletada nas artérias coronárias pode parecer fragmentos bloqueando um dreno. Entretanto, é preciso haver feridas ou lesões microscópicas no interior liso de um vaso sanguíneo para dar a minúsculas partículas de depósitos de gordura um lugar para se alojar. Este processo se inicia quando a pessoa ainda é bem jovem e, embora os fatores de risco sejam bem conhecidos, como colesterol alto, tabagismo, sedentarismo, comportamento do tipo A e estresse, riscos não são a mesma coisa que causas.

Atualmente, a longevidade revela um panorama confuso entre genes, fatores de risco e drogas, as últimas sendo favorecidas pela indústria farmacêutica. Pessoas idosas tomam, em média, sete medicamentos prescritos, todos com efeitos colaterais. Os comprimidos são fáceis de tomar – e de os médicos prescreverem –, mas, ao longo da última década, os principais remédios para depressão, infarto e artrite estão sendo analisados minuciosamente por se mostrarem menos eficazes ou mais perigosos do que se mostravam. Quando muito, o foco em medicamentos diminuiu o incentivo à prevenção, que não tem efeitos colaterais e tem benefícios comprovados.

Gostaríamos de discutir a abordagem mais personalizada da longevidade, que está sintonizada com seu corpo. Isso demanda autoconsciência. De um lado, você tem uma vida inteira de coisas boas e ruins, hábitos, crenças e condicionamentos. De outro, você tem a sabedoria que evoluiu em cada célula. Combater o envelhecimento é fazer esses dois lados se entrosarem. É um exemplo perfeito de sobrevivência do mais sábio.

A sabedoria das células

Sete lições de longevidade

- As células compartilham e cooperam entre si. Nenhuma vive em isolamento.
- As células curam a si mesmas.
- A vida da célula demanda nutrição constante.
- As células são dinâmicas sempre – se pararem, morrem.
- O equilíbrio entre os mundos interior e exterior é mantido sempre.
- Toxinas e organismos infecciosos são identificados e combatidos imediatamente.
- A morte é uma parte aceita do ciclo de vida da célula.

As células ficaram sábias com bilhões de anos de evolução; você pode se tornar tão sábio quanto usando o dom da autoconsciência e prestando atenção em como a biologia solucionou algumas das questões mais profundas com que você se depara no dia a dia.

1. As células compartilham e cooperam entre si. Nenhuma vive em isolamento.
Você faz parte da comunidade humana, e a coexistência é a forma mais natural e saudável de viver. As células não lutam contra essa verdade. Elas se beneficiaram muito ao se unir para formar tecidos e órgãos – o cérebro é a prova mais espetacular disso. Mas nós sempre tendemos a tomar nosso próprio rumo, incluindo o núcleo familiar, mas excluindo todas as outras pessoas. (Um livro memorável sobre como enriquecer analisou a vida de milionários que venceram por mérito próprio e chegou a uma conclusão deprimente: em sua maioria, eram "mesquinhos FDPs".) As células não são tão corrompidas a ponto de quererem ser as melhores.

Não estamos tentando passar uma lição de moral. Alguns estudos fascinantes mostraram que as conexões sociais são misteriosamente contagiosas. Examinando alguns casos do imenso banco de dados do Framingham Heart Study, que avalia fatores de risco relacionados a infartos há 32 anos, cientistas sociais fizeram uma descoberta surpreendente. A obesidade, um dos principais fatores para o infarto, propaga-se como um vírus. Nos contatos familiares, com colegas de trabalho e amigos, o simples fato de se relacionar com alguém que tem esse problema torna mais provável que você também passe a ter. "Segundo os dados, se uma pessoa se torna obesa, a probabilidade de que seu amigo vá pelo mesmo caminho aumenta 57 por cento. (Isso significa que as relações são muito mais indicativas de obesidade do que a presença de genes associados a esse problema.) Se um irmão fica obeso, a chance de outro irmão engordar também aumenta 40 por cento, enquanto um cônjuge obeso aumenta a probabilidade de o outro também se tornar em 37 por cento."

Usando métodos estatísticos que avaliaram 12.067 habitantes de Framingham, em Massachusetts, constatou-se que o comportamento contagioso da obesidade também pode ser aplicado a outros fatores, como tabagismo ou depressão. Se você tem um amigo que fuma, a probabilidade de você passar a fumar aumenta; já ter um amigo que para de fumar eleva as chances de você seguir o bom exemplo. Mas o mais estranho é que não é preciso ter relação direta com a pessoa. Se o amigo de um amigo seu, que você não conhece, é ou obeso ou depressivo ou fumante, a probabilidade de você adquirir tais hábitos aumenta, ainda que muito pouco.

Outros cientistas sociais consideraram essas correlações inaceitáveis, mas até agora ninguém encontrou um exemplo melhor para explicar como o comportamento é passado adiante. A questão é que colocar-se num contexto social positivo é bom tanto física quanto mentalmente. De uma maneira não totalmente compreendida, nossas células sabem o que é agir direito. Na década de 1980, um estudo de psicologia da Universidade Harvard pediu a algumas pessoas que assistissem a um filme que descrevia o trabalho de madre Teresa com crianças órfãs e doentes em Calcutá. Enquanto assistiam, sua pressão sanguínea e seus batimentos cardíacos baixaram.

Indo um pouco além, em 2008, um estudo realizado pela psicóloga social Sara Konrath, da Universidade de Michigan, avaliou a longevidade de 10.000 moradores do estado que haviam participado de uma avaliação de saúde ao se formarem na escola secundária em 1957. Konrath se concentrou naqueles que haviam feito trabalho voluntário nos últimos dez anos, e suas descobertas foram fascinantes: Eles viveram mais do que aqueles que não fizeram trabalho voluntário. Dos 2.384 não voluntários, 4,3 por cento morreram entre 2004 e 2008, mas apenas 1,6 por cento dos voluntários altruístas morreu.

A palavra-chave é "altruísmo". Perguntou-se por que as pessoas faziam trabalho voluntário, e nem todas as respostas envolviam altruísmo. Alguns dos motivos dos participantes eram mais voltados para os outros, como "Acho importante ajudar outras pessoas", ou "O voluntariado é uma atividade importante para as pessoas que conheço melhor". Outras respostas, contudo, tinham razões mais voltadas para si mesmo, como "O trabalho voluntário é uma boa fuga para meus problemas", ou "Faz eu me sentir melhor comigo mesmo". As pessoas que disseram fazer isso por satisfação pessoal tiveram quase a mesma taxa de mortalidade (4 por cento) que as que não faziam qualquer trabalho voluntário. Este é apenas um exemplo, entre muitos, para sustentar que indícios invisíveis no sistema mente-corpo têm consequências físicas. Suas células sabem quem você é e o que o motiva. A pesquisa da Universidade de Michigan foi a primeira a mostrar que o que motiva os voluntários pode influenciar a expectativa de vida.

Passar do egoísmo à participação social é um processo. Os passos seguem um processo assim:

Quero ser admirado e aceito.
Se eu guardar tudo para mim, os outros irão me rejeitar.
Podemos vencer juntos ou fracassar isoladamente.
Sou capaz de compartilhar. Isso não dói. Na verdade, a sensação é boa.
Quando eu doo, sinto que recebo.
Quanto mais eu tenho, mais posso doar.
Estranhamente, quanto mais me desapego, mais pleno me sinto.
O modo mais realizador de doação é doar a si mesmo.
Para mim, a conexão mais profunda vem da generosidade de espírito.

Como tudo na vida, o caminho não é uma linha reta, mas um zigue-zague único para cada um. Uma criança de 3 anos aprendendo a dividir os brinquedos não compreende o que é generosidade de espírito. Algumas pessoas nunca compreendem, não importa a idade. Mesmo assim, construir um *self* segue esse percurso, combinando o desígnio natural de uma célula, que envolve compartilhamento e cooperação como questão de sobrevivência. Em se tratando do *self*, sobrevivência não é geralmente a questão, mas as recompensas que você recebe por meio do vínculo e da conexão, o processo básico que resulta numa sociedade pacífica.

2. As células curam a si mesmas
Quando a pessoa é autoconsciente, aprende como reparar seu próprio dano. Isso ocorre naturalmente com as células, embora a cura ainda seja um dos processos corporais mais complexos e confusos.

Sabemos apenas que ele existe e que a vida depende dele. As células têm a vantagem de não ter que pensar na cura. Elas localizam a lesão e, instantaneamente, o mecanismo de recuperação se inicia. No âmbito mente-corpo, há um paralelo básico. Quando dizemos que o tempo cura todas as feridas, estamos falando de um processo automático, não importa o quanto seja doloroso. O luto segue seu curso, por exemplo, sem que ninguém saiba como emoções em frangalhos se refazem de fato.

Mas muito do processo de cura não é automático, como é o caso de pessoas que nunca se recuperam de uma perda. Na maior parte do tempo, a cura é uma atividade consciente. Você olha para dentro e se pergunta "Como estou?" o tempo todo. Não há garantia de sucesso, e quando sua ferida interior está sensível e dolorida, só o fato de olhá-la pode ser demais. Curar a si mesmo é superar a dor e encontrar uma maneira de se tornar completo novamente. O caminho seria algo como:

Estou sofrendo. Alguém me ajude.
Estou sofrendo mais uma vez. Estou precisando de ajuda novamente.
Por que a dor não vai embora? Se eu ignorá-la, talvez ela cesse.
Tentei me distrair, mas realmente preciso enfrentar essa dor dentro de mim.
Sou capaz de avaliar o que está errado.
Talvez haja algo que eu possa fazer por mim.
Essa dor pode estar me dizendo alguma coisa – mas o quê?
Acho que compreendi, agora a dor começa a diminuir.
Sinto-me incrivelmente aliviado. A cura é possível.
Confio em minha capacidade de me curar.

Um bebê chorando para que a mãe venha não tem outros recursos. Uma criança não entende a última etapa, "Confio em minha capacidade de me curar". Mas a cura é parte do grande ciclo de *feedback* que mantém mente e corpo unidos. Quanto mais você tenta se curar, mesmo que seja por um momento, mais sua capacidade cresce. O triunfo sobre as feridas mais profundas de alguém é um triunfo espiritual. Sem ele, a vida seria cruel, afinal, feridas são inevitáveis. Somente construindo um *self* conseguimos provar a nós mesmos que a vida não é cruel, já que é possível vencer a dor. Pela autoconsciência, percebemos que a cura é uma das forças mais poderosas que suprem a vida.

3. A vida da célula demanda nutrição constante.
As células sobrevivem com a confiança total de que o universo as sustenta. Essa confiança é tão sólida que uma célula típica armazena reserva de não mais que três ou quatro segundos de alimento e oxigênio. O alimento está sempre chegando. Com essa certeza, uma célula consegue dedicar todo o seu tempo e energia às coisas que fazem a vida seguir em frente: crescer, reproduzir, curar e administrar seu mecanismo interno. Ao mesmo tempo, as células não ficam escolhendo o que é bom para elas. Todo alimento é bom. Não há tempo para errar ou flertar com estilos de vida perigosos.

Aqui vai uma pílula de sabedoria mais violada do que cumprida. Em nossa cultura, "excitação", "risco" e "perigo" são palavras positivas, enquanto "equilíbrio", "conformidade" e "moderação" soam como coisas absolutamente enfadonhas. Tomamos isso como direito nato para experimentar com rebeldia. Então, temos todas as tentações para ignorar os benefícios de uma vida equilibrada, e, enquanto experimentamos, nossas células sofrem. Mas a sabedoria tem mais de um ensinamento. Todo mundo alimenta o direito de cometer erros, e a evolução é bastante clemente. Você pode sempre refazer seus passos e levar uma vida mais adequada. O importante é saber o que lhe acrescenta mais pessoalmente e redirecionar suas energias para isso.

Quando age assim, a paixão se torna parte do equilíbrio. Presumivelmente, as células já são apaixonadas pela vida – afinal, elas fazem tudo o que é possível para prosperar e se multiplicar. Então, alimente-se com as três coisas que aumentariam sua paixão pela vida. Vale sentar, anotá-las e guardar a listinha na carteira para tê-la sempre com você. Deixando particularidades de lado, é preciso alimentar mente e corpo. Sua lista, portanto, deve conter:

1. Seu maior sonho.
2. Seu amor mais profundo.
3. Sua conquista mais difícil.

O sonho nos dá propósito e significado. O amor nos proporciona emoções vibrantes e paixão duradoura. Uma conquista difícil nos dá um desafio que levará anos para se realizar. Juntando todos, esses três elementos primordiais levam à verdadeira felicidade. Assim como com todos os aspectos da sabedoria, temos um caminho a seguir quando se trata de alimentar a vida. Seria algo mais ou menos assim:

Acho que estou feliz o bastante. Minha vida é tão boa quanto a da pessoa sentada a meu lado.
Eu só queria que minha vida fosse menos rotineira e previsível.
Tenho sonhos secretos.
Talvez eu não tenha que ter medo de me esforçar.
Mereço mais qualidade e felicidade em minha vida.
Vou arriscar seguir minha felicidade.
Minhas aspirações estão começando a se realizar.
É inacreditável, mas o universo está do meu lado.

Este é um ciclo de crescimento constante, o tipo de confiança que é natural nas células, mas que fica prejudicado em nossas próprias vidas. Para a maioria das pessoas, a confiança se choca com um obstáculo logo de cara. Elas perdem a confiança natural típica das crianças, que dependem dos pais para comer, trocar de roupa, ter seu sustento. Uma transição acontece quando entra um novo tipo de confiança – a autoconfiança. Durante essa transição, a pessoa aprende a parar de exteriorizar a confiança ("Confio na mamãe e no papai") e passa a interiorizá-la ("Acredito em mim"). Obviamente, essa transição difícil envolve muitos contratempos. Assim, é preciso consciência constante para continuar evoluindo. O único alimento que dura a vida inteira vem de dentro. Se você ficar jogando sua confiança em outras pessoas, elas podem ser tiradas de você. Mas, se confiar em si, isso não acontecerá. O caminho vai de "Consigo fazer isso sozinho" a "Eu me basto" e, finalmente, "Sou sustentado pelo universo". Nenhum caminho é mais compensador e mais sublime.

4. As células são dinâmicas sempre – se pararem, morrem.
As células são imunes a muitos problemas que atrapalham a vida diária – elas têm que estar em ordem para sobreviver – e uma bênção é que elas nunca empacam. A corrente sanguínea é o mundo de uma célula, uma grande estrada de substâncias químicas fluindo. A olho nu, o sangue parece uniforme, um líquido levemente viscoso, morno, vermelho. Mas, no aspecto molecular, é muito heterogêneo. Uma célula nunca sabe exatamente o que a grande estrada trará a seguir. A química do sangue de um soldado em batalha, a de um paciente que acaba de ser diagnosticado com câncer, a de um iogue sentado numa caverna no Himalaia e a de um recém-nascido são totalmente únicas.

As células, como reação a um mundo em constante mutação, adaptam-se instantaneamente. O cérebro é forçado a ser o mais adaptável, uma vez que todas as operações do corpo, mesmo que minúsculas, são reportadas a ele. Assim, se ficar preso a um comportamento, hábito ou crença de que se recuse a abrir mão, você estará emperrando seu cérebro. Passou-se muito tempo até a medicina admitir o quanto isso pode ser grave. Há vinte anos, alguns estudos iniciais sobre a ligação mente-corpo procuraram correlações entre psicologia e doenças. Muitos médicos suspeitavam, sem comprovação científica, que alguns pacientes tinham personalidades que os deixavam mais suscetíveis a ter câncer. Os resultados de fato surgiram – uma "personalidade doentia" era marcada por repressão emocional e perturbação generalizada. Porém, não havia uma "personalidade cancerígena". Então, não havia muita utilidade em saber que sua psicologia poderia colocá-lo em um risco vago, genérico, de ter qualquer doença, desde um simples resfriado até uma artrite reumatoide ou infarto.

Mas nós podemos usar essa descoberta ativando sua parte mais importante. Em vez de tentar detectar o tipo de comportamento que torna o câncer mais provável, podemos focar em não nos acomodar, já que sabemos que as células cerebrais – e todas as outras do corpo – são projetadas para serem dinâmicas, flexíveis e prontas para mudar o tempo todo. Aprender que a mudança faz bem não é algo natural para todos, e, conforme envelhecemos, a resistência a ela aumenta. O roteiro a seguir é mais ou menos assim:

Sou o que sou. Ninguém tem o direito de mudar isso.
A familiaridade cria minha zona de conforto.
Estou começando a achar minha rotina sem graça.
Tem um monte de gente fazendo mais coisas do que eu. Talvez eu tenha abandonado minha curiosidade.
Não posso esperar que a vida me traga coisas novas. Preciso ir atrás.
Estou começando a gostar de coisas novas.
É possível criar uma zona de conforto no meio da transformação.
Amo esse dinamismo – faz com que me sinta cheio de vida.

As células não têm que seguir esse caminho; a evolução garante que o dinamismo seja simplesmente um fato da vida. É no âmbito pessoal que se deve confrontar o comodismo. No fim, a razão é natural e básica: estamos destinados a evoluir porque é assim que nosso corpo funciona. Cooperarmos com a natureza talvez não seja fácil no início, mas, se persistirmos, veremos que é a maneira mais fácil de viver e prosperar.

5. O equilíbrio entre os mundos interior e exterior é mantido sempre.
As células não ficam aflitas com seu mundo interior. Não são neuróticas ou ansiosas em relação ao futuro. Elas não sentem remorso (embora certamente carreguem as marcas do passado – pergunte ao fígado de um alcoólatra ou ao estômago de um ansioso crônico). Por não reclamarem, é fácil aceitar que as células não têm

vida interior, mas elas têm. O que divide o interior e o exterior é a membrana celular. De várias maneiras, ela é o minicérebro da célula, porque a célula recebe todas as suas mensagens nos receptores que se amontoam aos milhares na membrana celular. Esses receptores deixam algumas mensagens entrar, outras não. Como plantas aquáticas flutuantes, elas se abrem para o mundo, mas têm raízes sob a superfície.

Por dentro, essas raízes permitem que diversas mensagens se dirijam aonde forem necessárias. Se você passar por processos de negação ou repressão, ou a censura de certos sentimentos e a erupção de outros, ou se sentir o tranco do vício e a inflexibilidade de hábitos, tudo isso poderá ser observado na membrana celular. Os receptores estão sempre mudando, satisfazendo a necessidade de manter os mundos interior e exterior em equilíbrio. Esta é mais uma face do dom da adaptabilidade. Deepak gosta de dizer que nós não apenas temos as experiências; nós as metabolizamos. Toda experiência se transforma em um sinal químico codificado que irá alterar a vida das células, seja de maneira significativa ou não, seja por alguns minutos ou por muitos anos. O problema é quando uma pessoa tranca seu mundo interior e não consegue combiná-lo com o mundo exterior. Há dois extremos aqui. Em um estão os psicóticos, cuja única realidade é seu pensamento distorcido e suas alucinações. No outro, os sociopatas, que não têm consciência e mal possuem um mundo interior; seu foco é explorar as pessoas "lá fora". Entre esses dois polos, há uma gama de comportamentos. Os mundos interno e externo se desequilibram por meio de todo tipo de mecanismo de defesa. Ou seja, colocamos uma tela de proteção que separa o mundo exterior da maneira como reagimos a ele. Entre os tipos de telas mais comumente utilizadas estão:

- Negação – a recusa em enfrentar como você realmente se sente quando algo dá errado.
- Repressão – a insensibilidade a sentimentos, de modo a não ser atingido por eventos "de fora".

- Inibição – o controle das emoções, segundo a lógica de que sentimentos contidos são mais seguros e mais aceitos pela sociedade.
- Mania – a liberação total dos sentimentos, sem se preocupar com as repercussões na sociedade; o oposto de inibição.
- Vitimização – a negação em se dar prazer, porque outros não vão proporcioná-lo a você, ou aceitar a dor por achar que a merece.
- Controle – tentar erguer um muro entre os mundos externo e interno, para que nenhum limite seja ultrapassado.
- Dominação – usar a força para manter os outros em posição inferior, enquanto você se perde em sua própria fantasia de poder.

Como seria para você viver sem essas telas? Em poucas palavras, você teria resiliência emocional. Estudos com pessoas que viveram com saúde até os 100 anos revelam que seu maior segredo é a capacidade de se manter resiliente. Centenários sofrem os mesmos contratempos e decepções que todo mundo, mas eles parecem se recompor mais facilmente e deixar o passado pesar menos sobre eles. A resiliência emocional sugere que os mecanismos de defesa não estão muito presentes, porque, quando estão, a pessoa se apega a velhas feridas, nutre ressentimentos secretos e incorpora o estresse em vez de se livrar dele. O corpo paga o preço por cada defesa que se constrói.

As células não agem de qualquer uma dessas formas distorcidas. Ao contrário, há um fluxo de entrada e saída, o ritmo natural da vida. A resposta interna da célula equivale aos eventos externos. Restaurar esse ritmo dentro de si exige consciência. Todo mundo tem uma carga psicológica, e nossa tendência é ou proteger nosso *self* de mais sofrimento ou ignorar nossa vida interior porque é muito difícil de encarar. O caminho que leva a um equilíbrio entre o "aqui dentro" e o "lá fora" deve ser mais ou menos assim:

A sensação não é boa. Não quero lidar com isso.
Não é seguro mostrar como me sinto.
O mundo é um lugar assustador. Todos têm o direito de se proteger.
Vou lidar com meus problemas amanhã.
As coisas não parecem estar melhorando por conta própria.
Talvez eu tenha que encarar minhas atitudes obscuras e sentimentos reprimidos.
Olhei para dentro de mim e vi que há muito o que fazer. Mas não é tão assustador quanto imaginei.
É um alívio me libertar de problemas antigos.
Estou começando a me sentir mais à vontade no mundo e muito mais seguro.

6. Toxinas e organismos infecciosos são identificados e combatidos imediatamente.
Se as células opinassem sobre a forma como conduzimos nossa vida, sem dúvida se mostrariam pasmas diante da quantidade de toxinas que toleramos. Por natureza, as células expelem substâncias tóxicas imediatamente ou as neutralizam. A principal atribuição do sistema imunológico é diferenciar os invasores nocivos dos inofensivos. A função dos rins é filtrar as toxinas do sangue. Uma grande flora bacteriana está presente nos intestinos, e lá deve permanecer (tomar antibiótico elimina indiscriminadamente a maior parte das bactérias do corpo e prejudica a digestão por um tempo, às vezes dramaticamente), e uma igualmente vasta variedade de bioquímicos corre no sangue. O sistema imunológico evoluiu para distinguir os bons dos maus. A inteligência de seu corpo está bem acostumada com a toxicidade e se protege contra ela. Para o ser humano, a mesma lição é mais difícil de aprender.

Quando a medicina convencional ignorou a campanha por uma alimentação mais saudável e contra aditivos em alimentos, prestou um desserviço ao bem-estar público. Depois que as indústrias de carne e de laticínios começaram a adicionar hormônios massivamente para acelerar a produção de carne e aumentar drasticamente a quantidade de leite que as vacas leiteiras dão, houve mudanças suspeitas na saúde pública, como o início precoce da menstruação em meninas e o aumento de casos de câncer de mama. (O tecido mamário é muito sensível a substâncias estranhas e pode confundi-las com sinais hormonais.) Mesmo atualmente, um médico mediano tem uma instrução mínima sobre nutrição. Só que os médicos deveriam ter aderido à campanha contra a contaminação potencialmente tóxica do ar, da água e dos alimentos. Populações com água contaminada e saneamento inadequado são vulneráveis a todos os tipos de epidemia e têm expectativa de vida menor. Porém, ainda não estudamos a correlação entre expectativa de vida e aditivos na dieta americana "normal". O governo monitora o uso de pesticidas e inseticidas por lei, mas raramente persegue ou processa violações. Forças mercadológicas imensas promovem o *fast food*, carnes preparadas, alto teor de açúcar e uma grande variedade de conservantes. Mas ninguém tem que esperar os estudos para detectar qual aditivo é tóxico e qual não é. Uma alimentação rica em gordura e açúcar já é um risco. Ter cautela é a melhor atitude; uma dieta natural faz mais sentido. Por que não diminuir ao máximo a toxicidade em sua alimentação?

Isso não deve levar a extremismos. Até agora, nenhum estudo comprovou que pessoas que tomam obsessivamente grandes quantidades de suplementos ou que consomem rigorosamente alimentos orgânicos vivem mais do que as que têm uma alimentação normal e balanceada. *Toxina* é uma palavra assustadora, mas uma abordagem equilibrada é melhor do que uma pureza total motivada pelo medo. Pesticidas e inseticidas são legalmente obrigados a se decompor até o momento em que o alimento chega ao mercado, e são lavados quando o produto é processado para venda – de qualquer maneira, lavar frutas, legumes e verduras em casa deve ser uma prática padrão. É sensato não confiar totalmente na indústria alimentícia, que garante que não ingerimos conservantes, aditivos e pesticidas em grau suficiente para nos fazer mal. No decorrer da vida, você é o que come. Isso já serve de alerta.

A campanha por uma alimentação melhor faz parte da tendência geral de buscar maior coerência (se pelo menos se espalhasse mais rápido), e os maiores problemas são as toxinas invisíveis que degradam o bem-estar. Estas, também, são bastante divulgadas: estresse, ansiedade, depressão, violência doméstica e abusos físico e emocional. Não dá para ver ou provar essas toxinas, mas a mesma dificuldade – a incoerência – predomina. As pessoas toleram estilos de vida tóxicos além da conta. Elas se comportam de modo a ter um impacto muito grande no corpo, ou aturam comportamentos semelhantes de seus familiares, amigos e colegas. A solução é a autoconsciência, olhando-se de verdade no espelho e descobrindo uma maneira de eliminar toxinas invisíveis de sua vida. O processo é parecido com este:

> *Sou forte e saudável. Posso comer tudo o que quiser.*
> *Nada parece estar errado.*
> *Coisas "naturais" são para ex-hippies e pessoas que se preocupam demais.*
> *Analisei isso bem e há mais toxinas do que eu imaginava.*
> *É melhor estar seguro do que me arrepender depois.*
> *Tenho que mudar hoje se quiser ser saudável amanhã.*
> *Posso me desacostumar a consumir comida processada, se eu tentar.*
> *Eu mereço sentir bem-estar. Terei que me dedicar, mas valerá a pena.*

Para livrar sua vida de toxinas invisíveis, o caminho é diferente, mas não tanto. Você deixa de pensar "Eu consigo continuar com isso" e passa a pensar "Minha vida está sendo prejudicada", até, finalmente, "Eu mereço me sentir bem". Racionalização e inércia são coisas muito poderosas. Somos capazes de passar anos ingerindo toxinas porque nossa mente encontra motivos para não mudar. Admita o quanto essas forças são poderosas e respeite-as. Você não precisa armar um ataque frontal para tentar purificar sua vida. Basta voltar-se para a direção certa. A sabedoria que levou bilhões de anos para evoluir nas células merece alguns poucos anos de consideração da sua parte.

7. A morte é uma parte aceita do ciclo de vida da célula.
As células fazem algo que só podemos invejar e mal entendemos: elas concentram toda a sua energia em permanecer vivas e, mesmo assim, não têm medo de morrer. Já falamos de apoptose, que é a morte programada que geneticamente diz a uma célula a hora de morrer. Mas, na maior parte do tempo, as células se dividem em vez de morrer do modo como tememos – elas desafiam a mortalidade quando se transformam em uma nova geração de células. A reencarnação ocorre diante de seus olhos se você observar a mitose celular através de um microscópio. O ser humano tem uma atitude mais insegura quanto a morrer, porém, nas últimas décadas – mais enfaticamente depois do livro revolucionário de Elisabeth Kübler-Ross, *Sobre a morte e o morrer* [São Paulo, WMF Martins Fontes, 2008], de 1969 –, nossas atitudes sociais se tornaram menos temerosas. A sabedoria das células está perfeitamente correlacionada com os maiores professores do mundo. A morte não é o oposto da vida. Ela faz parte da vida, o que abrange tudo. Tudo o que nasce, morre, e, no esquema cósmico, a morte é apenas uma transição para outro tipo de vida. A renovação é um tema constante da natureza. Esses assuntos são controversos quando as pessoas comparam suas crenças religiosas ou quando entram em guerra por uma verdade dogmática. Contudo, as células não são teológicas, nem a natureza como um todo.

Um cético irá reagir a qualquer visão de vida baseada na fé, argumentando que o universo é frio e impessoal, guiado por eventos aleatórios, e indiferente à existência humana. Estranhamente, a controvérsia entre fé e ceticismo não parece influenciar o modo como uma pessoa trata sua própria mortalidade. Lidar com a morte é tão pessoal que transcende a crença. Há devotos que estremecem só de pensar na morte e céticos que a encaram com serenidade. O ponto essencial, abordado em grande escala primeiro por Kübler-Ross, é que a morte é um processo que passa por estágios. Hoje, esses estágios são conhecidos: luto, negação, raiva, negociação, depressão e aceitação. (Deepak conhece duas senhoras que acompanharam a mãe de 89 anos durante sua internação numa casa de repouso. Elas se sentavam cada uma de um lado da cama, revezando a leitura em voz alta de *Sobre a morte e o morrer*, esperando dar consolo à mãe, que ouvia tranquilamente com os olhos fechados. De repente, elas perceberam que ela havia morrido. Espontaneamente, uma das irmãs exclamou: "Mas você está apenas no quarto estágio!")

Nos últimos anos, surgiu a polêmica sobre se Kübler-Ross havia descrito corretamente os estágios da morte e sobre a ordem em que ocorrem. A maior lição, contudo, é que morrer deve ser tão dinâmico quanto viver, uma experiência que evolui à medida que se passa por ela. Algumas culturas, como o budismo tibetano, oferecem ampla preparação para a morte e uma teologia extremamente detalhada de diversos céus e infernos (embora esses *bardos*, ou períodos intermediários, sejam mais considerados como estados de consciência após o corpo físico ter sido deixado para trás). O Ocidente não tem tradição desse tipo – exceto entre os índios americanos –, e cada pessoa deve pensar a morte de sua própria maneira. Mas pensar nela é preciso. Se você tem medo de morrer, isso é ruim para o seu corpo, não porque a morte surge de maneira tão obscura, mas porque qualquer tipo de medo é tóxico.

A imagem dos ciclos de *feedback* enviando mensagens o tempo todo é inevitável. A boa notícia é que o sofrimento da morte é predominantemente psicológico, portanto pode ser removido. A natureza está a seu lado. A grande maioria dos pacientes terminais aceitou isso; funcionários de casas de saúde notam que muitas vezes é a família do doente que sofre da maior ansiedade e estresse. Além do mais, é muito casual, e equivocado, ligar envelhecimento e morte. O envelhecimento ocorre com o corpo; a morte, com o *self.* Assim, a pessoa que tem um forte senso do *self*, que investigou profundamente a grande questão "Quem sou eu?", tende a ter mais tranquilidade no encontro com a morte.

Teremos muito mais a dizer sobre como chegar ao seu verdadeiro ou essencial *self.* É uma questão vital desde que as tradições de sabedoria declararam que a morte não toca o verdadeiro *self* – e é isso o que o apóstolo São Paulo quis dizer com "morrendo até morrer". Queremos enfatizar que morrer é parte natural da vida, assim como toda célula em seu corpo já passou por isso. O caminho para fazer as pazes com a morte segue passos como estes:

Não penso na morte. Não há sentido nisso.
O mais importante é viver a vida neste exato minuto.
De qualquer forma, lá no fundo, eu não acredito que vou envelhecer e morrer.
Para ser honesto, não penso no assunto porque é muito assustador.
Já testemunhei a morte – de um amigo, parente ou animal de estimação. Sei que terei que encará-la algum dia.
Estou começando a me sentir mais tranquilo a esse respeito. Posso olhar a morte sem ter que fugir.
A morte atinge a todos. É melhor abordá-la com calma, de olhos abertos.
Senti as primeiras pontadas sérias de mortalidade. É hora de encará-la.
Acho que quero realmente saber do que se trata a morte.
Posso aceitar a morte como um estágio natural da vida – e aceitei.

Conquistar a sabedoria é um projeto de vida. Somos encorajados pela "nova terceira idade" e por estudos que mostram o lado positivo de envelhecer, que pode ser classificado sob o título de "maturidade". Pessoas mais velhas geralmente têm pior desempenho em testes de memória e Q.I. em comparação com as mais jovens, mas, em aspectos de experiência de vida, elas superam. Isso é especialmente verdade em testes que pedem que você tome uma decisão em relação a uma situação desafiadora, como demitir um funcionário, contar a um amigo que a esposa o está traindo ou enfrentar o diagnóstico de uma doença grave na família. O que se precisa em situações assim é de maturidade e, apesar de a inteligência emocional entrar em ação, não há um único aspecto do Q.I. que se iguale à maturidade. É necessário viver uma vida para adquiri-la. Por que não viver essa vida em conformidade com a evolução, como a incorporada em suas células?

O CÉREBRO ILUMINADO

Ser iluminado seria como? A alma está ao nosso alcance? É possível encontrar Deus pessoalmente? Para muitos, responder a essas perguntas é como capturar um unicórnio, um belo sonho que nunca vira realidade. O unicórnio representava a graça perfeita na Idade Média. O cavalo branco, puro, com um chifre espiralado no meio da testa, era um símbolo de Cristo, e capturá-lo era uma jornada interior para encontrar Deus. O mito pode se tornar realidade se você encontrar o caminho certo.

A iluminação também envolve uma jornada interna, tendo Deus como destino, e isso pode ser conseguido. Existem outros destinos que não Deus, no entanto. O termo original para iluminação espiritual, *moksha*, em sânscrito, significava "libertação". Libertação do quê? De sofrimento, mortalidade, dor, do ciclo do renascimento, da ilusão, do carma – a espiritualidade oriental ofereceu muitos objetivos esperançosos com seus desdobramentos no decorrer dos séculos. Embora *moksha* seja considerada uma meta realista, algo que todas as pessoas deveriam almejar, a realidade frustrante é que exemplos de pessoas que alcançaram a iluminação são muito raros. Analogias com unicórnios são inquietantes.

Nossa intenção é abordar a busca da iluminação como o caminho natural do cérebro. Durante séculos, antes de se conhecer a conexão mente-corpo, as pessoas não sabiam – como sabemos agora – que qualquer experiência envolve obrigatoriamente o cérebro. Você não consegue ver uma torradeira ou uma tartaruga sem ativar o córtex visual. O mesmo aconteceria se você visse um anjo, mesmo pelo olho de sua mente. No que diz respeito aos neurônios do córtex visual, uma imagem pode ser vista estando-se acordado ou sonhando; ela pode existir no mundo interior ou no exterior. Nada visual acontece sem estimular essa região do cérebro. Nem acontece apenas com os anjos. Para Deus, Satã, a alma, espíritos ancestrais ou qualquer experiência existirem, o cérebro deve ser capaz de registrá-las, guardá-las e compreendê-las. Não estamos falando apenas do córtex visual. O cérebro inteiro é um território virgem para a espiritualidade.

O despertar do cérebro

Um sinal de que a iluminação é real – e acessível – vem de nos observarmos. Usamos frases comuns o tempo todo que fazem menção exatamente a isso: "acorde", "preste atenção", "encare a realidade". Isso tudo aponta para um estado mais elevado de consciência. Se uma pessoa é iluminada, ela foi além. Com o esclarecimento, acordamos totalmente, enxergamos com clareza, encaramos a verdade definitiva. O cérebro, então, não está mais embotado, adormecido; ele se equipara a nosso estado iluminado, que é alerta, vibrante e criativo.

Uma grande mudança ocorreu, e não é de surpreender que numa era de fé tenhamos usado "acordar" com significado religioso. No Novo Testamento, o "preste atenção" é descrito como "ver a luz de Deus". Quando Jesus disse "Eu sou a luz do mundo" (João 8:12), quis dizer que as pessoas veriam divindade se o olhassem não como um amontoado de carne e sangue, mas como parte da existência divina. Deus é a luz suprema, e é preciso olhos novos, os olhos da alma, para senti-lo. Mas qualquer tipo de percepção, independentemente do quanto a terminologia seja poética ou sagrada, deve envolver uma mudança em como o cérebro funciona.

Quando uma transformação assim acontece, vemos tudo sob uma nova luz, inclusive nós mesmos. Jesus disse a seus discípulos para não ocultar sua luz sob um cesto, porque eles também eram parte de Deus. Eles precisavam ver a si mesmos com os olhos da alma, e então deixar o mundo ver o quanto estavam transformados. As religiões tentam patentear a transformação pessoal e torná-la exclusiva, mas este é um processo universal arraigado na conexão mente-corpo. Quando falamos "encare a realidade", queremos dizer para ver o mundo como ele realmente é, não como uma ilusão. Uma pessoa iluminada libertou sua mente de todas as ilusões e enxerga a realidade com perfeita clareza. O que parece comum, de repente torna-se divino.

Quando a mente acorda, vê a luz e encara a realidade, o cérebro passa por transformações físicas. A neurociência não consegue mapear totalmente essas mudanças, pois há muito poucas cobaias para testar. Toda essa questão de consciência superior está sendo esculpida, e o progresso pode ser muito lento. É praticamente impossível determinar se as pessoas realmente veem anjos se os neurocientistas mal podem explicar como o cérebro vê alguma coisa. Como enfatizamos, ao olhar para o objeto mais comum – uma mesa, cadeira, um livro –, não há imagem dele no cérebro. As teorias da visão, junto com os outros quatro sentidos, permanecem rudimentares e basicamente um jogo de adivinhações.

Mas as evidências existentes da iluminação, apesar de chegarem aos poucos, são positivas. Por décadas, iogues indianos realizaram feitos físicos notáveis sob o olhar pasmo da ciência. Uma classe de homens puros, conhecidos como *sadhus*, submete o corpo a condições extremas como prática de devoção, e também para desenvolver o autocontrole. Alguns foram enterrados em um caixão fechado e sobreviveram por dias, pois eram capazes de reduzir seu batimento cardíaco e sua respiração a quase nada. Outros sobrevivem com escassas calorias diárias ou realizam proezas de força excepcionais. Por meio de práticas espirituais específicas, iogues e *sadhus* desenvolveram controle sobre seu sistema nervoso autônomo, ou seja, são capazes de alterar conscientemente funções corporais que geralmente são involuntárias.

Seria incrível testemunhar tamanho controle, mas é uma maravilha limitada se comparada à iluminação. Nesse caso, o cérebro adota uma visão totalmente nova do mundo, e, uma vez que o cérebro muda, a pessoa é tomada por admiração e êxtase. Você passa por uma série de experiências surpreendentes e, à medida que seu cérebro processa esses marcos, ativa uma nova maneira de ver o mundo. A cada nova surpresa, uma antiga percepção é derrubada.

A surpresa da iluminação

Uma sucessão de *insights*

- Sou parte de tudo. – Derruba a crença de que você está sozinho e isolado.
- Sou estimado. – Derruba a crença de que o universo é vazio e impessoal.
- Sou realizado. – Derruba a crença de que a vida é uma batalha.
- Minha vida é importante para Deus. – Derruba a crença de que Deus é indiferente (ou não existe).
- Sou ilimitado, um filho do universo. – Derruba a crença de que o ser humano é uma partícula insignificante na vastidão do universo.

Essas percepções não vêm todas de uma vez. Elas fazem parte de um processo. Como o processo é natural e fácil, todos têm momentos de despertar. Não é difícil mudar a percepção. Nos filmes (e às vezes na vida real), uma mulher pode dizer a um homem: "Ei! Não somos apenas amigos. Você está apaixonado por mim! Como não percebi?". Esse momento de despertar, seja no cinema ou na realidade, pode mudar o rumo da vida de uma pessoa. Mas, mesmo que não mude, ela vivencia uma transformação interior. A mente – acompanhada pelo cérebro – para de computar um mundo baseado no "somos apenas amigos" em prol de uma realidade em que a conclusão "você me ama" de repente surgiu. A iluminação segue o mesmo rumo. A realidade A (o mundo secular) é alterada por um momento de *insight*, mudando as regras de sua vida, aquelas que se aplicam à realidade B (em que Deus é real).

Em seu anseio por mais significado e realização, as pessoas moldam a realidade B. Se alguém tivesse 100 por cento de garantia da existência de Deus, desistir da realidade A seria um prazer e um alívio. Não haveria mais sofrimento, dúvida ou medo da morte, nenhuma preocupação quanto a pecado, inferno e danação. As religiões prosperam alimentando nosso desejo de escapar das armadilhas do mundo secular, não importa o quanto a realidade A seja confortável.

A única garantia de que Deus existe vem da vivência direta. Você tem que sentir uma presença divina ou sentir Deus trabalhando, o que quer que essas frases signifiquem para você. Surpreendentemente, Deus tem uma influência relativamente pequena no processo de iluminação. A parte maior vem da mudança na percepção: acordar, ver a luz e encarar a realidade. É um erro acreditar que uma pessoa iluminada seja um tipo de Houdini espiritual, que misteriosamente se liberta da ilusão da vida mundana. O verdadeiro propósito da iluminação é tornar o mundo mais real. A fantasia vem do pensamento de que você está isolado, sozinho. Quando se percebe estar conectado a tudo na matriz da vida, o que poderia ser mais real?

Existem graus de iluminação, e você nunca sabe qual será o próximo *insight*. Há uma possível revelação em todos os acontecimentos se você aprender uma nova maneira de percebê-los. Aqui vai um exemplo pessoal. Em uma conferência, Deepak encontrou uma famosa neurocientista que disse se sentir mais à vontade no mundo dos pássaros do que no das pessoas. Qual seria o significado de tal afirmação? Não parecia ser um delírio. Essa mulher conhecia neurociência muito bem; era inteligente e articulada.

A essência de sua experiência foi parecida com a do encantador de cavalos: sintonizar-se com o sistema nervoso de outros seres.

Há uma década tal afirmação teria soado esquisita. Como alguém pode pensar que nem um cão, como faz o treinador Cesar Millan, ou que nem um cavalo, como faz Monty Roberts, o encantador de cavalos original? A resposta é sensibilidade e empatia. Sendo autoconscientes, já conseguimos estender nossa consciência à maneira como outras pessoas se sentem. Não há mistério em sentir a alegria ou a dor de alguém.

Aparentemente podemos fazer o mesmo com animais, e a prova é que pode-se treinar cavalos e cachorros quase sem esforço, sussurrando em sua linguagem, sem recorrer a chicote, focinheira ou maus-tratos. Quando se sabe como o sistema nervoso de um animal vê o mundo, não é necessário usar a força para alterar seu comportamento. Fazemos isso mais facilmente seguindo a conduta natural de seu cérebro.

No caso da neurocientista, a prova de sua sintonia é que diversas espécies de pássaros silvestres ficam à vontade sobre seus ombros ou comendo em sua mão. Será que isso a torna a sucessora de São Francisco de Assis, que é retratado exatamente dessa forma? Sim, de certo modo. A capacidade de um santo enxergar toda a criação como parte de Deus gera uma empatia com tudo o que é vivo. Uma mudança ocorre no sistema nervoso do santo, que expressa o que a mente passa a aceitar: "Estou em paz com o mundo e com todos os seres vivos. Não estou aqui para prejudicá-los".

É assim tão admirável que outras criaturas saibam quando estamos em paz? Nossos bichinhos sabem para quem rosnar e de quem se aproximar para ganhar um carinho. O sistema nervoso humano tem semelhanças com o de outros animais. Parece um pouco rude dizer isso de modo tão analítico, mas a verdade é bastante bela quando vemos um pássaro pousar em nossa mão.

Deepak relata seu encontro com essa mulher, mas ainda não foi uma experiência reveladora. Rudy a desencadeou quando Deepak lhe fez uma pergunta fantástica: "Se o DNA do ser humano é 65 por cento igual ao da banana, conseguimos nos identificar com bananas, ou nos comunicar com elas?" (Deepak havia lembrado de alguns experimentos famosos de Cleve Backster, que conectou plantas caseiras a sensores elétricos como um tipo de polígrafo ou um detector de mentiras, e descobriu que elas manifestavam mudanças em seu campo elétrico quando seus donos brigavam ou ficavam muito estressados. A descoberta mais surpreendente foi que as plantas revelaram maior excitação elétrica quando seus donos pensaram em arrancá-las.)

Rudy respondeu que, quando provamos a doçura da banana, os receptores em nossa língua são conectados ao açúcar da fruta. Então, até certo ponto, participamos dessa realidade no âmbito químico. A banana também fornece proteínas que se ligam a receptores semelhantes aos nossos. Desse jeito experimentamos uma espécie de comunicação "molecular". Da mesma forma, quando se digere uma banana, a energia dela passa a ser nossa, o que é uma ligação ainda mais íntima do que a comunicação. Ao analisar todo o DNA em uma pessoa, 90 por cento vêm de bactérias que habitam o corpo dela de modo mutuamente dependente (simbiótico). Boa parte do nosso próprio DNA humano é similar ao DNA das bactérias. E as importantes organelas que nos dão energia, chamadas "mitocôndrias", são na verdade células bacterianas que foram integradas por nossas células para essa finalidade. Portanto, somos geneticamente entrelaçados na rede da vida. Isso forma uma matriz de energia, genes e informações químicas codificadas. Nada é isolado. Essa é a grande revelação. Cada vez mais pessoas estão descobrindo isso, como pode ser observado pela espansão do movimento ecológico atual. O homem está abandonando a ilusão de que a Terra é dele e portanto pode ser manipulada e destruída a torto e a direito sem consequências terríveis. Porém, mesmo sem dados sobre a redução do ozônio e o aumento da temperatura dos oceanos, sábios antigos e profetas da Índia, como parte de sua jornada à iluminação, tiveram o mesmo *insight* quando declararam: "O mundo está em você". A ecologia interliga todas as atividades que sustentam a vida, sejam as que ocorrem nas células ou em uma banana.

Onde está a prova?

Do ponto de vista cético, quando alguém acredita em Deus, o cérebro, sendo capaz de criar ilusões, engana a si mesmo para acreditar, e adota todas as armadilhas da espiritualidade. Para um cético, a simples realidade material ("Esta pedra é sólida. Isso é o que a torna real.") é a única que existe. Toda experiência espiritual, portanto, tem que ser irreal, não importando se o manto da dúvida se aplica a Jesus, Buda, Lao-tsé e inúmeros santos e sábios reverenciados há milhares de anos. Para o cético convicto, é tudo bobagem. Richard Dawkins, o etnólogo britânico e escritor científico que se apresenta como ateu profissional, escreveu um livro para jovens, *A magia da realidade* [São Paulo, Companhia das Letras, 2012], sobre o que é real. Ele afirma que, quando queremos saber o que é real, usamos os cinco sentidos, e, quando as coisas são muito grandes e remotas (como as galáxias distantes) ou muito pequenas (como as células cerebrais e as bactérias), ampliamos nossos sentidos com artefatos como telescópios e microscópios. Há quem espere que Dawkins acrescente uma advertência de que os cinco sentidos nem sempre são confiáveis, como quando nossos olhos nos dizem que o sol surge no céu de manhã e se põe no crepúsculo, mas ele não faz isso.

No entender de Dawkins, nada do que sabemos emocional ou intuitivamente é válido, e a crença mais enganosa de todas é a "ilusão de Deus". (De forma alguma ele fala por todos os cientistas. Segundo algumas pesquisas, cientistas creem em Deus e até frequentam cerimônias religiosas mais do que a população em geral.)

A lacuna entre materialismo e espiritualidade – fatos *versus* fé – existe há séculos, mas o cérebro ainda pode resolvê-la. Pesquisas incontestáveis sobre meditação confirmaram que o cérebro se adapta a experiências espirituais. Entre monges budistas tibetanos, que dedicam a vida à prática espiritual, o córtex pré-frontal apresenta atividade elevada; a atividade das ondas gama em seu cérebro tem o dobro da frequência da de uma pessoa comum. Coisas incríveis acontecem no neocórtex dos monges, as quais pesquisadores do cérebro nunca viram antes. Assim, menosprezar a espiritualidade considerando-a como uma mera autoilusão ou superstição é repudiado pela própria ciência.

O ceticismo não é o problema; na verdade, é uma falácia. O problema mesmo é o descompasso entre a vida moderna e a jornada espiritual. Inúmeras pessoas anseiam encontrar Deus. Passar a vida toda no caminho interior pode ser muito gratificante, mas poucos fazem isso no sentido tradicional. As necessidades espirituais mudaram desde a Idade da Fé. Deus foi colocado na prateleira. Quanto à iluminação, é muito difícil, muito distante e improvável. O cérebro pode nos ajudar nisso também. Vamos redefinir o estado de iluminação em termos atualizados. Vamos chamá-lo de "estado máximo de realização". Como seria esse estado?

- A vida seria menos difícil.
- Os desejos seriam realizados mais facilmente.
- Haveria menos dor e sofrimento.
- Os *insights* e a intuição se tornariam mais fortes.
- O mundo de Deus e da alma seria uma experiência real.

Haveria a percepção do profundo significado de nossa existência.

Isso nos proporciona um processo realista que pode avançar pouco a pouco. Iluminação requer transformação total, mas não instantânea. O cérebro passa por mudanças físicas conforme você, seu usuário e guia, atinge novos estágios de transformação pessoal. É isso o que se deve procurar. Longe de serem exóticos, estes são aspectos de sua própria consciência neste momento; tudo o que você precisa é expandi-los.

Sete passos da iluminação

- Maior **calma interior** e **desapego** – você pode estar centrado em meio à atividade externa.

- Sensação maior de estar **conectado** – a solidão é menor, você se sente mais ligado aos outros.
- A **empatia** se aprofunda – você percebe o que os outros estão sentindo e se importa com eles.
- A **clareza** se manifesta – sua confusão e seus conflitos diminuem.
- A consciência se **acentua** – fica mais fácil saber o que é real e quem é sincero.
- A **verdade** se revela – você deixa de se ligar a crenças convencionais e preconceitos. Fica menos suscetível à opinião alheia.
- O **êxtase** cresce em sua vida – você ama mais profundamente.

Você não tenta alcançar esses aspectos distintos de consciência expandida com um ataque frontal. Na verdade, cada um deles surge em seu próprio tempo e em seu próprio ritmo. Nada precisa ser forçado. Uma pessoa, por exemplo, poderá notar maior êxtase antes – e mais facilmente – do que o aumento da clareza; já outra poderá perceber o contrário. Conforme o processo de iluminação se desenvolve, ele segue a sua natureza, e somos todos diferentes.

O que importa é *querer* a iluminação antes de tudo, processo que está ligado a toda questão da transformação.

Se você quer se transformar, que é no que consiste a iluminação, o que seu cérebro tem que fazer? Se ele pode mudar tão facilmente quanto está mudando neste exato minuto, não há grandes obstáculos. Os milhões de pessoas que anseiam por se transformar já têm isso sob controle, na verdade. Seu cérebro está em constante transformação. Assim como não dá para entrar num mesmo rio duas vezes, o mesmo ocorre com o cérebro. Ambos fluem. O cérebro é um processo, não uma coisa; é um verbo, não um substantivo.

Nosso maior erro é acreditar que a transformação é extremamente difícil. Imagine uma experiência em seu passado que tomou conta de você e o fez se sentir mudado. A experiência pode ser positiva, como apaixonar-se ou ser promovido; ou negativa, como ser demitido ou se divorciar. Em qualquer caso, o efeito no cérebro é tanto de curto quanto de longo prazo. Isso se aplica à memória, uma vez que há regiões específicas para as memórias de curto e de longo prazo, mas o efeito vai muito além. Experiências profundas mudam seu senso de *self*, suas expectativas, seus medos e desejos para o futuro, seu metabolismo, sua pressão sanguínea, sua sensibilidade ao estresse, e qualquer outra coisa monitorada pelo seu sistema nervoso central. Elas o transformam.

Um bom filme é o bastante para causar grandes mudanças no sistema nervoso. Filmes de sucesso de Hollywood competem para detonar o senso de realidade do público e provocar novas excitações vibrantes. O Homem-Aranha salta pelos cânions construídos pelo homem em Nova York enquanto Luke Skywalker manobra sua nave para entrar na Estrela da Morte, e dezenas de outros efeitos fascinantes são empregados para transformar o cérebro.

Ao sair do cinema, o efeito permanece em você; é mais do que apenas temporário. Imaginar dar um beijo apaixonado, derrotar o vilão, marchar com os heróis conquistadores – sob o ponto de vista do neurônio, nenhuma dessas experiências é irreal. Elas são reais porque seu cérebro mudou. Um filme é uma máquina de transformação, e assim também é a vida. Aceitando que a transformação é um processo natural – que tem a participação de cada célula –, a iluminação deixa de estar fora de alcance.

É claro que o beijo apaixonado do filme não aconteceu na vida real. Seu cérebro é enganado por um tempo, mas você não. Você retorna à realidade (onde amor e romance levam às complicações dos relacionamentos). A chave está aí. Trazer a atenção de volta ao que é real pode ser uma prática espiritual, conhecida como "atenção plena" (consciência do momento presente). Ela pode ser adotada como um estilo de vida e, consequentemente, também a transformação que provoca, mais natural e espontânea do que qualquer pessoa imaginaria.

O modo atento

Do que você tem consciência neste minuto? Talvez a sua atenção não se volte para nada além das palavras nesta página. Porém, assim que a pergunta "Do que você tem consciência?" é feita, sua percepção desperta. Você percebe todo tipo de coisa: seu humor, o conforto ou o desconforto de seu corpo, a temperatura do ambiente, a luz que entra nele. Essa mudança que chama a atenção para a realidade é a atenção plena.

Você pode trazer sua consciência de volta à realidade sempre que quiser. Não precisa forçar nada; não é necessário ter uma força de vontade sobre-humana. Mas a atenção plena é diferente da consciência normal. Nossa consciência é geralmente focada em um objeto ou uma tarefa específica. É como treinamos nosso cérebro – para ver o que está diante dos nossos olhos, mas não o panorama, que é a consciência em si. Não damos valor ao panorama – até que somos impelidos a ter consciência dele. Imagine que você está com uma pessoa que presta muita atenção em você. Ela não tira os olhos de você. Está atenta a cada palavra. Naturalmente, você se perde no prazer dessa sensação. Mas então ela diz: "Desculpe, mas tem espinafre no seu dente".

Nesse momento, a consciência muda. Você foi arrancado de sua agradável ilusão. Ser trazido de volta à realidade não tem que ser desagradável. Imagine que está prestes a encontrar uma pessoa importante e está muito ansioso. Pouco antes de se cumprimentarem, no entanto, alguém chega e sussurra em seu ouvido: "O Fulano ouviu coisas ótimas sobre você. Ele já quer lhe dar o contrato". Outro tipo de mudança de consciência ocorre, desta vez de um estado ansioso para um estado confiante. A atenção plena é a capacidade de fazer isso.

Ela vem naturalmente. Algumas palavras ditas em seu ouvido podem desencadear uma mudança dramática e instantânea. No aspecto hormonal, conhecemos parte da resposta, mas estamos longe de saber como o cérebro muda sua realidade com o apertar de um botão. Contudo, existe claramente uma diferença entre ter essa capacidade e deixar que o cérebro a tenha. A atenção plena faz a diferença. Em vez de ter outras pessoas puxando-o de volta para a realidade – seja o choque agradável ou não –, você volta por si mesmo. É possível definir a atenção plena como "consciência da consciência", mas isso soa, para nós, enigmático; a explicação simples é que você pode retornar à realidade a hora que quiser.

Infelizmente, todos renunciamos a parte dessa capacidade. Certas áreas de nossa vida são fáceis de prestar atenção, já outras, não. Mulheres gostam de falar o que sentem, por exemplo, e reclamam que os homens ou não querem, ou não conseguem. Homens geralmente ficam mais à vontade discutindo sobre trabalho, esportes e projetos diversos – praticamente nada que chegue perto de um ponto fraco emocional. Nas tradições espirituais orientais, entretanto, há um vasto campo que a maioria dos ocidentais mal chega a cogitar: a consciência da consciência. O termo usado para isso, no budismo, é atenção plena.

Toda vez que você constata algo em si mesmo, está atento. Antes de um encontro ou de uma entrevista de emprego, você avalia o quanto se sente nervoso. Durante o parto, quando o médico pergunta "Como você está?", a mulher monitora se sua dor está ficando muito forte. Nesse tipo básico de atenção plena, você está avaliando humores, emoções, sensações físicas – tudo o que preenche a mente. E se você tirasse o conteúdo da mente? Encararia um vazio frio e assustador? Não. Um grande pintor pode acordar um dia e descobrir que todas as suas obras foram roubadas, mas ele ainda teria algo invisível e muito mais precioso do que qualquer obra-prima: a capacidade de criar novas pinturas.

A atenção plena é, assim, um estado de potencial criativo. Quando você esvazia completamente sua mente, tem o maior potencial, pois está em um estado de autoconsciência total. (Certa vez, um amante de música contou de forma entusiasmada ao renomado professor espiritual J. Krishnamurti o quanto havia sido belo um concerto. Krishnamurti respondeu: "Sim, belo. Mas você está usando a música para se distrair de si mesmo?".) A verdadeira atenção plena é uma forma de verificar o quanto se é autoconsciente. Como você já sabe, o supercérebro depende de uma autoconsciência crescente, então, ser atento é crucial. É um estilo de vida.

Pessoas que não são conscientes podem parecer ao mesmo tempo absortas e voltadas para si. Elas são autocentradas demais para se conectar com outras pessoas; são desprovidas de tato em muitas ocasiões sociais. O contraste entre ser autocentrado e atento é bem evidente. Ambos os estados são produzidos no neocórtex, embora não sejam a mesma coisa. Ser autocentrado quase exige que você se perca em ilusões, uma vez que tudo gira em torno de sua imagem. Não estamos julgando esse comportamento; é a perspectiva que a sociedade de consumo nos treina a ter – ela nos incita a comprar coisas que nos farão mais belos, mais jovens, mais atualizados, mais entretidos e momentaneamente distraídos.

Autocentrado: seus pensamentos e ações são dominados pelo "eu", "mim", "meu". Você prioriza coisas específicas que pode conquistar ou possuir – estabelece metas e as atinge. O ego se sente no controle. Suas escolhas levam a resultados previsíveis. O mundo "lá fora" é organizado por regras e leis. Forças externas são poderosas, mas podem ser controladas.

pensamentos típicos

Sei o que estou fazendo.
Tomo minhas próprias decisões.
A situação está sob controle.
Confio em mim mesmo.
Se eu precisar de ajuda, sei aonde ir.
Sou bom no que faço.
Gosto de um desafio.
As pessoas podem depender de mim.
Estou construindo uma vida boa.

Atento: sua mente é ponderada. Ela se volta para dentro para monitorar sua sensação de bem-estar. O autoconhecimento é o objetivo mais importante. Você não se identifica com coisas que pode possuir. Você valoriza e muitas vezes conta com *insights* e com a intuição mais do que com a razão. A empatia vem naturalmente. A sabedoria desponta.

pensamentos típicos

Esta opção parece certa, a outra não.
Estou tomando pé da situação.
Sei exatamente como os outros se sentem.
Vejo os dois lados da questão.
As respostas simplesmente vêm a mim.
Às vezes, sinto-me inspirado, e esses são os melhores momentos.
Sinto-me parte da espécie humana. Ninguém é estranho a mim.
Sinto-me livre.

O estado atento é tão natural quanto qualquer outro. Quando o negligenciamos, criamos problemas desnecessários.

Há alguns anos, por exemplo, Rudy estava correndo para concluir alguns experimentos antes de pegar um voo às 19 horas para sair de Boston – ele faria o discurso de abertura de uma conferência internacional importante. Preso no famoso trânsito da cidade, ele acabou perdendo o último voo e teria que sofrer o constrangimento de não comparecer, o que o deixou ansioso e bravo. Gritar com o atendente do balcão não ajudaria em nada, mas ele ficou tentado. Sem ter qualquer consciência disso, ele estava se identificando com os sentimentos intensamente negativos que seu cérebro produzia.

Muitas pessoas considerariam tais sentimentos muito naturais nessa situação. Porém, a alternativa mais saudável teria sido Rudy passar pela frustração por um período de tempo limitado e então retomar a consciência. Recuando, ele perceberia como perder o voo desencadeou seu cérebro instintivo/emocional, produzindo uma reação de total estresse em seu corpo. Sem a atenção plena, o estresse avança e, infelizmente, com o passar dos anos, nosso corpo se estressa mais facilmente e se recupera mais lentamente de todas as situações – deixar o estresse tomar conta não é saudável. No fim, estresse gera estresse.

Tornando-se um observador ativo dos sentimentos negativos despertados em seu cérebro, Rudy teria lidado de maneira mais proativa com a situação e aprendido com ela. E, acima de tudo, não teria sido vítima da mente reativa. Esse incidente isolado resume as vantagens da atenção plena:

- Você consegue lidar melhor com o estresse.
- Livra-se de reações negativas.
- Controla mais facilmente os impulsos.
- Consegue fazer escolhas melhores.
- Assume a responsabilidade por suas emoções em vez de culpar os outros.
- Pode viver mais equilibrado e calmo.

Como cultivar a atenção plena? A resposta rápida é a meditação. Ao fechar os olhos e se voltar para dentro, mesmo que por só alguns minutos, o cérebro tem a chance de se restaurar. Não é necessário tentar ser centrado. O cérebro é projetado para retornar a um estado equilibrado e tranquilo quando tem a chance. Ao mesmo tempo, quando meditamos, ocorre uma mudança no senso de *self*. Em vez de nos identificarmos com humores, sentimentos e sensações, colocamos a atenção na serenidade, e, logo que isso acontece, o estresse deixa de ser tão persistente. Quando paramos de nos identificar com ele, fica muito mais difícil para o estresse permanecer.

A prática da meditação não é tão estranha à maioria das pessoas como era três ou quatro décadas atrás, e há muitos tipos avançados.

Mas começar com as técnicas mais básicas geralmente produz um grande resultado. Sente-se em um lugar sossegado e feche os olhos. É importante que não haja distrações; deixe uma luz fraca.

Ao se sentar, respire profundamente algumas vezes, deixando seu corpo relaxar o quanto quiser. Agora perceba sua inspiração e sua expiração. Deixe sua atenção acompanhar a respiração, como faria se estivesse numa espreguiçadeira sentindo uma brisa gostosa de verão. Não se force a prestar atenção. Se seus pensamentos começarem a vagar sem rumo – o que sempre acontece –, delicadamente traga sua consciência de volta à respiração. Se quiser, após cinco minutos, concentre sua atenção no coração e deixe-a ali por mais cinco minutos. De qualquer forma, você está aprendendo algo novo: como é estar em um estado consciente.

Para ir ainda mais fundo, você pode usar um mantra simples. Os mantras têm a vantagem de levar a mente a um estado mais perceptivo. Sente-se tranquilamente e dê alguns suspiros profundos. Quando se sentir sereno, pense no mantra *Om shanti*. Repita-o como quiser, mas não force um ritmo; não é um canto mental. Não siga sua respiração. Apenas repita o mantra sempre que notar que sua atenção se afastou dele. Não é necessário pensá-lo silenciosamente – ele ficará mais silencioso por conta própria –, mas também não o pense alto. Faça isso por dez a vinte minutos.

Iniciantes naturalmente perguntarão como saber se a meditação está dando certo. Se você leva uma vida ativa e desperdiça muita energia, seu corpo precisa tanto de descanso que passará muitas meditações dormindo. Isso não é errado; seu cérebro está obtendo o que mais precisa. Porém, se você meditar de manhã, antes de começar o dia, experimentará a tranquilidade da consciência olhando para si mesma. Após dez a vinte minutos, você perceberá como sentir-se centrado é fácil, relaxante e confortável.

Dissemos que a meditação era a resposta rápida, pois há ainda todo o resto do dia para considerar. Como ter atenção plena fora da meditação? O princípio aqui já é conhecido: mudar sem esforço. Permanecer centrado e consciente o dia todo não é algo que se possa forçar. Mas você pode favorecer o comportamento típico de uma pessoa atenta:

- Não projete seus sentimentos nos outros.
- Não compartilhe a negatividade.
- Quando sentir estresse num ambiente, saia.
- Não concentre sua atenção na raiva ou no medo.
- Se tiver uma reação negativa, deixe-a fluir um pouco; então, assim que puder, recue, respire fundo algumas vezes e observe sua reação sem ceder a ela.
- Quando estiver reagindo, não tome qualquer decisão, espere estar centrado novamente.
- Em seus relacionamentos, não use as brigas para desabafar ressentimentos. Discuta seus problemas quando ambos estiverem calmos e com a cabeça no lugar. Assim, evitam-se feridas desnecessárias no calor do momento.

Na prática, ser atento é monitorar-se sem culpa ou julgamento. Quando não há monitoria, você pode ser vítima de diversos constrangimentos. "Não sei por que fiz isso" é a queixa mais comum quando as pessoas não são conscientes, assim como "Eu estava descontrolado". Como consequência das reações impulsivas, sentem arrependimento e culpa.

Do ponto de vista do cérebro, quando você se monitora, introduz um estado de equilíbrio maior. As reações primitivas do cérebro raramente são apropriadas para a vida moderna. Elas persistem como se o homem ainda precisasse lutar com predadores, defender-se de tribos invasoras e fugir de ameaças. No decorrer da evolução, o cérebro racional evoluiu para apresentar uma segunda reação, mais adequada ao verdadeiro grau de ameaça da situação. No entanto, para a maioria das pessoas, na maior parte do tempo não há ameaça. Você não precisa das reações primitivas do cérebro reptiliano, embora elas continuem se manifestando – pois estão biologicamente conectadas.

Quando o cérebro reptiliano age inadequadamente, você pode acalmá-lo lembrando-se da realidade: você não está sendo ameaçado. Essa consciência sozinha é suficiente para reduzir muitos tipos de reações ao estresse. A atenção plena vai além, no entanto. Após meditar um pouco, você encontrará maior equilíbrio – começará a identificar um estado pacífico de alerta. Isso abrirá caminho para um tipo de experiência espiritual que de outra forma estaria fora do alcance. Um belo trecho de *Mandukya Upanishad*, da antiga Índia, descreve o quanto o estado atento é necessário:

> Como dois pássaros empoleirados na mesma árvore, e que são amigos íntimos, o ego e o *self* habitam o mesmo corpo. O primeiro pássaro come os frutos doces e amargos da vida, enquanto o outro assiste, em silêncio.

À medida que se torna mais atento, ambos os lados de sua consciência serão identificados, e eles podem ser os amigos íntimos descritos na passagem acima. O ego, o incansável e ativo *eu*, não influencia mais seus impulsos e desejos. Você aprende que o *self*, a outra metade de sua natureza, contenta-se em simplesmente ser. A realização é imensa quando descobrimos a satisfação interiormente, que não precisamos de estímulos externos para ser feliz. Chamamos essa fusão de *"self* verdadeiro".

SOLUÇÕES DO SUPERCÉREBRO
Tornando Deus realidade

Queremos esclarecer o velho dilema da existência ou não de Deus. A atenção plena pode ajudar nisso, pois, quando se trata de fé e esperança, a consciência é crucial. Há uma grande diferença entre "eu espero", "eu acredito" e "eu sei". Isso vale para tudo o que ocorre em sua consciência, não só com Deus. Seu cônjuge o está traindo? Você encararia bem a promoção para supervisor em seu trabalho? Seus filhos usam drogas? De uma forma ou de outra, as respostas giram em torno de três opções: você espera, você acredita ou você sabe que tem a resposta certa. Mas, como Deus é a mais forte das opções, focaremos nele (ou nela).

No lado espiritual, fé seria a resposta, mas seu poder parece limitado. Quase todo mundo tomou uma decisão pessoal em relação a Deus. Dizemos que Deus existe ou não. Contudo, nossa decisão é geralmente incerta e sempre pessoal. "Deus não existe para mim, pelo menos acho que não" seria mais correto. Como saber se questões espirituais profundas têm uma resposta confiável? O mesmo Deus se aplica a todas as pessoas?

Quando crianças, fazemos as perguntas espirituais mais básicas. Elas vêm naturalmente: "Deus cuida de nós?", "Para onde a vovó foi quando morreu?". Crianças são muito jovens para entender que seus pais são tão perdidos nesses assuntos quanto elas. As crianças têm respostas reconfortantes, e por um tempo elas bastam. Se ouvir que a vovó foi para o céu encontrar o vovô, a criança se sentirá menos triste. Ao crescer, entretanto, as perguntas voltam. E então ela descobre que seus pais, embora bem-intencionados, nunca lhe mostraram o caminho para as respostas, não só sobre Deus, mas sobre amor, confiança, propósito de vida e o significado mais profundo da existência.

Em todos esses casos, ou você espera, ou acredita ou sabe a resposta: "Espero que ele me ame", "Acredito que meu parceiro é fiel", "Sei que esse casamento é forte". Tais afirmações são muito distintas e nos vemos perdidos porque não fazemos diferenciação entre "eu espero", "eu acredito" e "eu sei"; encaramos como se fossem a mesma coisa. Na verdade, gostaríamos que fossem. Receamos ver em que pé as coisas de fato estão.

A realidade é um objetivo espiritual assim como psicológico. O caminho espiritual leva você de um estado de incerteza ("eu espero") para um estado um pouco mais seguro ("eu acredito") e, em algum momento, para a compreensão verdadeira ("eu sei"). Não importa se trata-se de relacionamentos, Deus ou a existência da alma, sobre o *self* superior, o Paraíso, ou sobre espíritos que partiram. O caminho começa com esperança, fortalece-se com a fé e se torna sólido com o saber.

Em tempos céticos como os atuais, muitas críticas tentam minar essa progressão. Segundo elas, não é possível conhecer Deus, a alma, o amor incondicional, a vida após a morte e uma infinidade de outras coisas profundas. Mas os céticos desprezam o caminho sem ter colocado os pés nele. Se você olhar para trás, verá que já fez essa jornada, muitas vezes até. Quando criança, você esperou se tornar um adulto. Aos 20 anos, acreditou que era possível. Agora sabe que é um adulto. Esperou que alguém o amasse; acreditou que alguém sentisse isso; agora sabe que é amado.

Se essa progressão natural não acontecesse, algo estaria errado, porque o desenrolar da vida é destinado a levar do desejo à realização. Obviamente, todos conhecem as armadilhas. Você pode dizer a si mesmo "Sei que vou conseguir", quando, na verdade apenas espera que isso aconteça. Divorciar-se pode significar que não sabia se a pessoa realmente o amava. Crianças que cresceram com ressentimento dos pais geralmente não sabem em quem confiar.

Podemos dar centenas de outros exemplos de sonhos desfeitos e promessas vazias. Mas frequentemente a progressão funciona muito mais. São os desejos que levam a vida à realização. Um dia você saberá o que deseja, o que espera.

Certos aspectos da atenção plena influenciam essa progessão, e eles parecem ser universais. Eles são importantes para qualquer pessoa que não queira cair em realizações e crenças falsas. Só é possível confiar no que realmente se sabe.

O que você sabe?

Quando você sabe realmente alguma coisa, ocorreu o seguinte:

- Não aceitou a opinião alheia. Descobriu por conta própria.
- Não desistiu rápido demais. Continuou investigando apesar dos becos sem saída e dos maus começos.
- Confiou que tivesse a determinação e a curiosidade para descobrir a verdade. Meias verdades o deixaram insatisfeito.
- O que você sabe de fato brotou de dentro. Tornou-o uma pessoa diferente, tão diferente como duas pessoas quando uma se apaixona e a outra não.
- Confiou no processo e não deixou o medo nem o desânimo atrapalhá-lo.
- Prestou atenção em suas emoções. O caminho certo parece seguro, satisfatório e claro; a incerteza é desconfortável e exala um cheiro ruim.
- Foi além da lógica nas áreas em que a intuição, os *insights* e a sabedoria realmente contam. Elas se tornaram reais para você.

O que torna esse cenário universal é que o mesmo processo se aplica à busca da iluminação budista ou a qualquer pessoa aprendendo a construir um relacionamento ou descobrindo seu propósito na vida. Dividindo o processo em seus componentes, fica mais fácil lidar com as grandes questões sobre a vida, o amor, Deus e a alma.

Você pode trabalhar um elemento de cada vez. Tende a aceitar opiniões formadas? Desconfia de suas próprias decisões? O amor é confuso e doloroso demais para ser explorado a fundo? Estes não são obstáculos insuperáveis. Eles são parte de você, e consequentemente nada pode ser mais próximo ou mais íntimo. Mas sejamos mais específicos. Pense em um problema que queira resolver, algo que tenha grande importância para você. Pode ser filosófico, como "Qual é o meu propósito na vida?". Ou sobre um relacionamento, ou mesmo um problema no trabalho. Escolha algo difícil de resolver, em relação ao qual sinta dúvida, resistência e paralisia. Você continua esperando encontrar uma resposta, mas até agora não foi capaz de fazer isso.

Qualquer que seja a sua escolha, descobrir uma resposta em que possa confiar envolve dar certos passos.

Passar da esperança para a fé e para o conhecimento

Passo 1: Perceba que a vida é destinada a progredir.
Passo 2: Reflita sobre como é bom saber algo de verdade, em vez de apenas esperar e acreditar. Não se satisfaça com menos.
Passo 3: Escreva seu dilema. Faça três listas separadas: para as coisas que espera serem verdadeiras, para as que acredita serem verdadeiras e para as que sabe serem verdadeiras.
Passo 4: Pergunte-se por que sabe as coisas que sabe.
Passo 5: Use o que sabe nas áreas em que tem dúvidas, onde apenas a esperança e a crença existam hoje.

Aplicado a Deus ou à alma, pegamos um assunto que a maioria das pessoas considera místico, exigindo um salto de fé, e o desmembramos. O cérebro gosta de trabalhar de modo coerente e metódico, mesmo quando se trata de espiritualidade. Os dois primeiros passos são um preparo psicológico; os três últimos pedem a limpeza da mente para abrir caminho para o conhecimento. Vamos aplicar os passos para a ideia de Deus agora.

Passo 1: Perceba que a vida é destinada a progredir.

Em termos espirituais, progredir significa chegar a um acordo com Deus; você se sente merecedor e sabe que os benefícios de uma divindade amorosa seriam algo bom em sua vida. É o oposto da famosa aposta de Pascal, que diz que você deve apostar que Deus existe, pois, se não acreditar nele, mas ele for real, poderá acabar no Inferno. O problema é que a aposta de Pascal é baseada no medo e na dúvida. Nenhum deles é um bom incentivo para o crescimento espiritual. Em vez disso, pense em como será positivo saber se Deus é real, não no quanto será ruim escolher a opção errada numa aposta.

Passo 2: Reflita sobre como é bom saber algo de verdade.

Concentre sua mente em achar que Deus é uma experiência válida, não um teste de fé. Ao sentir dúvidas e pressentimentos – o que todos sentimos quando se trata de Deus –, não os subestime. Considere a possibilidade de que tudo o que é dito contra Deus pode não ser bem assim. Apesar de toda a angústia que a vida humana herdou, incluindo as piores que são levantadas contra um Deus amoroso (genocídios, guerras, armas atômicas, déspotas, crimes, doenças e morte), o assunto de forma alguma está definido. Ainda é possível a existência de um Deus afetuoso, que permite que o homem cometa erros e aprenda em seu próprio ritmo. Mas não tire conclusões precipitadas. Adote a postura de que pode solucionar os problemas de violência, culpa, vergonha, ansiedade e preconceito – as raízes dos problemas globais – em sua própria vida. Empreender o crescimento pessoal é bem melhor que lamentar a condição perene do sofrimento humano.

Passo 3: Escreva seu dilema. Faça três listas separadas: para as coisas que espera serem verdadeiras, para as que acredita serem verdadeiras e para as que sabe serem verdadeiras.
Nesse momento, evite generalizações e opiniões normalmente aceitas. A maioria das pessoas faz um julgamento geral a favor ou contra Deus e limita suas apostas de acordo com a situação. (Como diz o ditado, não há ateus nas trincheiras. E provavelmente há poucos devotos rezando em bares após a meia-noite.) Fazendo uma lista de suas esperanças, crenças e conhecimento real, você irá se surpreender. Questões espirituais são fascinantes quando se presta atenção nelas. Como benefício secundário, você irá aguçar e clarear seu pensamento, o que ajuda seu cérebro racional. Pensar é uma habilidade organizada no neocórtex, e isso inclui pensar em Deus.

Então, seja sincero. Você acredita secretamente que Deus castiga os pecadores, ou você espera que não? Se ambos forem verdade, anote em duas listas, a da crença e a da esperança. Você acha que já testemunhou um ato de graça ou de perdão? Se sim, anote como algo que sabe. Como início da exploração espiritual, este exercício é muito revelador. Não se apresse com suas listas e, ao acabá-las, deixe-as em um lugar onde você possa consultá-las no futuro – esse é um bom jeito de ver o quanto, e de maneira realista, você está progredindo.

Passo 4: Pergunte-se por que sabe as coisas que sabe.
A afirmação "Eu sei o que sei" esconde grande complexidade. Muitos deixam suas crenças se enraizarem sem considerar de onde vieram. Você acredita em Deus (se acreditar) porque seus pais disseram para acreditar, ou aceitou as lições da Escola Dominical? Talvez sua crença se baseie numa esperança angustiante de que o homem lá em cima esteja olhando por você; mas, para ser realista, você não sabe se de fato Deus é um homem, e lá em cima poderia ser qualquer lugar, nenhum lugar, ou todos os lugares do universo.

Para saber mesmo sobre Deus, certamente é melhor ter experiências pessoais, mas estas têm uma abrangência muito maior do que se imagina.

- Já sentiu uma presença divina e luminosa?
- Já se sentiu amado por todos os lados?
- Já sentiu um surto repentino de êxtase ou felicidade sem saber qual a causa?
- Já se sentiu seguro e protegido como se sua existência fosse aceita por todo o universo?
- Você tem momentos de calma, força ou sabedoria profundas?

Como pode ver, o termo "Deus" não tem que ser ligado a experiências de consciência expandida, seja o que seu cérebro registre e se lembre. Em pesquisas, quase a maioria das pessoas diz ter visto uma luz em torno de alguém, e muitas já vivenciaram a cura ou o poder do pensamento positivo. A questão não é se você encontrou Deus, mas sua experiência real, que pode direcionar sua mente para um mundo que vá além do material.

Ao considerar o tipo de experiência que sabe ser real em sua vida, você também pode pensar nas escrituras sagradas e em quem as escreveu. Se você sabe que gosta de ler a Bíblia ou os poemas de Rumi, se já sentiu paz junto a uma pessoa religiosa ou em um lugar sagrado, então você sabe algo que é real. Prestando atenção e tornando tais experiências significativas você vai longe, pois descobre seu lugar na matriz espiritual, assim como na matriz da vida.

Passo 5: Use o que sabe nas áreas em que tem dúvidas.
Se você seguiu os primeiros quatro passos, deve ter um bom mapa mental de seu estado de esperança, crença e conhecimento. Isso já é muito útil, pois lhe dá uma base para qualquer sinal de transformação. Mudança requer intenção, e, se você diz a seu cérebro que quer procurar Deus, sua capacidade de percepção

começa a aumentar. (Isso não acontece quando você decide que quer procurar um amor? De repente, vê as pessoas ao seu redor de um jeito diferente, iluminado – desconhecidos se tornam possíveis romances, ou não.)

Deus gosta de ser envolvido, ou seja, ter interesse no crescimento espiritual não é algo passivo. É preciso abrir-se para seguir o caminho, espiritualmente falando. Ao contrário do que geralmente se acredita, não significa tomar uma resolução de ano-novo para voltar a frequentar a igreja (não estamos desaconselhando isso, de modo algum) ou decidir de uma hora para outra ser puro e devoto. Esses são mais pontos de chegada do que de partida. O âmago da questão é como agir para que a possibilidade da existência de Deus seja real.

Chamamos isso de "ações sutis", pois ocorrem internamente. Reflita sobre as ações sutis a seguir e veja como adaptar-se a elas.

Agir como se Deus fosse real

- Medite.
- Abra sua mente em relação à espiritualidade. Avalie qualquer tendência a ser reativamente cético e fechado.
- Veja o lado bom das pessoas. Pare de fofocar, culpar e sentir prazer mesquinho quando coisas ruins acontecem a quem você não gosta.
- Leia poesias e escrituras edificantes de muitas fontes.
- Examine a vida dos santos, sábios e profetas de tradições espirituais do Oriente e do Ocidente.
- Em situações difíceis, peça para que sua ansiedade vá embora e seu fardo diminua.
- Abra espaço para soluções inesperadas. Não force a questão nem recorra à necessidade de controlar.
- Viva a alegria plena todos os dias. Faça isso mesmo que esteja apenas admirando o céu azul ou cheirando uma rosa.

- Passe um tempo com crianças e absorva sua exuberância espontânea da vida.
- Ajude quem necessitar.
- Considere a possibilidade do perdão em alguma área de sua vida onde realmente fará diferença.
- Pense sobre gratidão e nas coisas pelas quais se sente grato.
- Quando sentir raiva, inveja ou ressentimento em uma situação, pare, respire fundo e veja se consegue deixar passar. Se não, pelo menos adie sua reação negativa para uma outra hora.
- Tenha generosidade de espírito.
- Espere o melhor, a menos que tenha evidência de que algo precisa de auxílio, aprimoramento ou crítica.
- Encontre uma maneira de curtir a sua vida. Resolva os obstáculos sérios que atrapalham seu prazer.
- Faça o que sabe que é bom. Evite o que sabe que é ruim.
- Descubra um caminho para a realização pessoal, independentemente de como você defina esse conceito.

Essa lista sugere atitudes específicas para que Deus não se torne uma vaga enxurrada de emoções ou um assunto para postergar até que surja uma crise. Evitamos a religiosidade não porque estamos argumentando contra qualquer fé, mas porque nosso objetivo é aqui e agora. Você quer treinar seu cérebro para perceber e valorizar uma nova realidade. Participar dessa realidade é escolha sua. Apenas esteja ciente de que, se quiser se sintonizar com a ampla matriz da experiência espiritual, seu cérebro está pronto para isso.

De certo modo, o conselho mais simples que ouvimos sobre Deus é também o mais profundo. Pelo menos uma vez ao dia, relaxe e deixe uma situação ser resolvida por Deus, ou por sua alma, ou qualquer entidade de sabedoria superior que escolher. Veja se sua vida pode cuidar de si mesma. Porque, no fim, não é o homem lá em cima – ou um panteão inteiro de deuses – que dirige o curso da vida. A vida evolui dentro de si, e Deus é somente um rótulo que aplicamos a poderes invisíveis que existem dentro de nós e aguardam para emergir. Ao ler a seguinte parelha de versos do grande poeta bengali Rabindranath Tagore, fique atento a como se sente:

Ouça, meu coração, o sussurrar do mundo.
É como ele faz amor com você.

Ou este:

Como o deserto anseia pelo amor de apenas uma folha de grama!
A grama sacode a cabeça, ri e sai a voar.

Se você sentiu a ternura do primeiro verso e o mistério do último, um lugar dentro de você foi tocado tanto quanto Deus o teria feito. Não há diferença, exceto que as experiências aumentam até que o divino seja real para você. Isso é privilégio seu. Não há necessidade de que ele seja real para mais ninguém.

A ILUSÃO DA REALIDADE

Não podemos explorar o cérebro completamente sem lidar com seu mistério mais profundo. Estamos mergulhados nele em cada segundo da nossa vida. Imagine que está de férias no Grand Canyon, olhando para ele. Fótons de luz solar batendo nas escarpas fazem contato com sua retina e penetram o cérebro. Lá, o córtex visual é ativado por atividade química e elétrica, que se precipitam em elétrons chocando-se com outros elétrons. Mas você não tem consciência desse processo minúsculo e tempestuoso. Em vez disso, vê formas vibrantes e coloridas; surge o temor inspirado pelo precipício à sua frente, ouve o vento soprando para fora do desfiladeiro e sente o calor do sol do deserto na pele.

Algo quase indescritível está acontecendo, porque nenhuma característica dessa experiência está presente em nosso cérebro. O Grand Canyon reluz um vermelho brilhante, mas, não importa o quanto procure, não vai encontrar nenhum ponto de vermelho em seus neurônios. Isso também vale para os quatro outros sentidos. Ao sentir o vento no rosto, não vai encontrar uma brisa em seu cérebro, e a temperatura de 37 °C dele não vai mudar, esteja você no Saara ou no Ártico. Do mesmo modo que os elétrons não enxergam, tocam, ouvem, provam ou cheiram, o cérebro também não faz isso.

Como acontece com os mistérios, este também envolve uma questão difícil. A consciência do mundo ao seu redor não pode ser explicada se insistir no modelo materialista, embora o modelo baseado em reações elétricas e químicas, que são materiais, seja exatamente o campo que a neurociência persegue. Um fluxo de dados novos acumula-se com relação à operação física do cérebro, criando uma tremenda excitação. Ajudaria se soubéssemos, com absoluta certeza, como a conexão mente-cérebro produz o mundo que vemos, ouvimos e tocamos.

Deepak estava dando uma palestra sobre a consciência superior, quando um cético se levantou na plateia. "Sou cientista", ele se apresentou, "e isso tudo é apenas encenação. Onde está Deus? Não se pode produzir nenhuma prova da existência dele. A iluminação não passa, provavelmente, de autoilusão. Você não tem provas de que coisas sobrenaturais sejam reais". Sem parar para refletir, Deepak respondeu: "Você não tem provas de que coisas *naturais* sejam reais". O que é verdade. Montanhas, árvores e nuvens parecem suficientemente reais, mas sem termos a mais remota ideia de como os cinco sentidos afloram do choque entre elétrons, não há provas de que o mundo físico corresponda à nossa representação dele.

Uma árvore é dura? Não para os cupins que a esburacam. O céu é azul? Não para as múltiplas criaturas que não veem cor. Uma pesquisa revelou uma característica particular dos corvos: eles reconhecem rostos humanos e reagem quando o mesmo rosto reaparece alguns dias, ou até semanas, mais tarde. Mas uma característica tão humana precisa ter um uso muito diferente no mundo das aves, um que apenas conseguimos imaginar, já que o nosso sistema nervoso está sintonizado apenas com nossa realidade, não com a dos pássaros.

Os cinco sentidos podem ser distorcidos para apresentar uma representação de mundo totalmente diferente. Se por *representação* entendemos a visão, o som, o cheiro, o gosto e a textura das coisas, uma conclusão problemática se agiganta. Além da representação muito pouco confiável projetada no cérebro, não temos prova de que a realidade seja do jeito como a vemos.

Einstein colocou a questão de outra forma quando disse que a coisa mais incrível não é a existência do universo, mas nossa consciência de sua existência. Isso é um milagre diário e, quanto mais você se aprofunda nele, mais maravilhoso ele se torna. A consciência merece ser classificada como "*o problema difícil*", frase popularizada por David Chalmers, um especialista na filosofia da mente.

Sentimos que o problema difícil se torna muito mais fácil quando consideramos que a consciência tem um papel primordial para o cérebro, em vez de secundário. Já mostramos que você – sua mente – é o usuário do cérebro. Se estiver dizendo ao cérebro o que fazer, não é um salto muito grande afirmar que a mente vem antes e o cérebro em seguida. Também o chamamos de "criador da realidade". O círculo se fecharia se não estivesse apenas reordenando seu cérebro a todo instante, não apenas induzindo as substâncias químicas a excitá-lo, mas realmente criando tudo nele. Atribui-se assim um papel mais radical para a mente, mas cientistas e filósofos cognitivos que enxergam longe assumiram essa posição – que acaba tendo muitas vantagens surpreendentes.

A dificuldade do problema é abstrata, mas nenhum de nós pode se permitir deixar isso para os pensadores profissionais. O melhor e o pior do que acontecer a você hoje – e tudo o que fica entre um e outro – é fruto da sua conscientização, começando com as coisas que são dolorosas e as que são prazerosas. Os blocos de construção do *self* são feitos de "material da mente". Assim, não é verdadeiro dizer que *temos* consciência, como se tivéssemos um rim ou uma epiderme; *somos* consciência. Um adulto formado é como um universo ambulante de pensamentos, desejos, impulsos, medos e preferências acumulados ao longo dos anos.

A notícia boa é que o nosso cérebro, que registra e armazena todo tipo de experiência, dá sinais claros do que é preciso mudar sempre que há desequilíbrio, mal-estar e ruptura na parceria tranquila entre mente e corpo. Podemos dividir os sinais mais indicadores em categorias positivas e negativas.

Construindo o self

Quantos destes sinais aplicam-se a você hoje?

Sinais positivos

Calma interior e contentamento
Curiosidade
Senso de abertura
Sentimento de segurança
Objetividade, dedicação
Sentimento de ser aceito e amado
Frescor físico e mental
Autoconfiança
Senso de valor
Autoconhecimento alerta
Ausência de estresse
Engajamento, comprometimento

Sinais negativos

Conflito interior
Tédio
Fadiga física ou mental
Depressão ou ansiedade
Raiva, hostilidade, atitude crítica em relação a si e aos outros
Confusão em relação a seus objetivos
Sentimento de perigo, insegurança
Hipervigilância, atenção a ameaças constantes
Estresse
Sentimento de desvalorização
Confusão, dúvida
Apatia

Não importa em que estágio da vida você esteja, desde a mais remota infância seu cérebro está enviando esses sinais, jogando uns contra os outros sem parar e, assim, contribuindo para o desenvolvimento do *self*.

A sociedade guia a construção do *self*, mas cada pessoa cria um eu distinto dentro da moldura. Como se faz isso é um processo complexo e pouco compreendido. Espera-se de nós que o criemos instintivamente. Vivemos milhares de situações, e o resultado final é uma construção improvisada. Depois de levar de duas a três décadas para construí-lo, nenhum de nós sabe realmente como chegou ao *self* que habita. O processo todo precisa ser melhorado. Como tudo que cria o *self* acontece na consciência, agora você tem uma razão pessoal para resolver o problema difícil. Alguns argumentos espinhosos vão ser apresentados a seguir, mas o resultado final será um salto em seu bem-estar.

Fantasmas dentro do átomo

Desde a época de Isaac Newton, os físicos têm se baseado na crença comum de que o mundo físico é sólido e estável. Logo, a realidade começa "lá fora". Ela é uma dádiva. Einstein chamou essa crença de sua religião. Certa vez, ele estava caminhando ao crepúsculo com outro grande físico quântico, Niels Bohr, enquanto conversavam sobre o problema da realidade. Não tinha sido um problema para a ciência até a era quântica, quando então os ínfimos objetos sólidos chamados átomos e moléculas começaram a se desvanecer. Eles se transformaram em nuvens espiraladas de energia, e mesmo essas nuvens eram fugazes. Partículas como fótons e elétrons não tinham um lugar fixo no espaço, por exemplo, mas em vez disso obedeciam às leis de probabilidade.

A mecânica quântica sustenta que nada é fixo ou certo. Existe uma possibilidade infinitesimal, por exemplo, de que a gravidade não cause a queda de uma maçã da árvore mas, em vez disso, a faça mover-se para o lado ou para cima, embora tais anomalias não se apliquem a maçãs – a possibilidade de uma maçã não cair é quase infinitamente remota –, mas a partículas subatômicas. Seu comportamento é tão estranho que deu origem a um aforismo de Werner Heisenberg, o criador do Princípio da Incerteza: "O universo não é só mais estranho do que imaginamos, é mais estranho do que conseguimos imaginar".

No fim da vida, Einstein estava incomodado com essa estranheza. Uma discordância particular tinha a ver com o observador. A física quântica afirma que partículas elementares existem como ondas invisíveis que se estendem em todas as direções até um observador olhar para elas. Então, e somente então, a partícula realmente assume um lugar no tempo e no espaço. Enquanto caminhava com Bohr, que estava tentando convencê-lo de que a teoria quântica correspondia à realidade, Einstein apontou para a lua e disse: "Você realmente acredita que a lua não está lá se não estiver olhando para ela?".

Assim como a história da ciência revelou, Einstein estava no lado perdedor da discussão. Como Bruce Rosenblum e Fred Kuttner explicam em seu brilhante livro, *Quantum Enigma*, "os físicos, em 1923, [foram] finalmente forçados a aceitar uma dualidade onda-partícula: um fóton, um elétron, um átomo, uma molécula – em princípio, qualquer objeto – pode ser tanto compacto como amplamente espalhado. Você pode escolher qual dessas características contraditórias vai demonstrar". Isso soa técnico, mas a conclusão final não é: "A realidade física de um objeto depende de como você escolhe olhar para ele. A física tinha encontrado a consciência, mas não a compreendeu".

O fato de o mundo físico não ser uma dádiva tem sido validado repetidamente. E esse fato tem grande importância para nosso cérebro. Tudo que torna a lua real para você – sua radiância branca, as sombras que brincam em sua superfície, seu quarto crescente e seu quarto minguante, sua órbita em torno da Terra – acontecem por intermédio do seu cérebro. Todo aspecto de realidade nasce "aí" como uma experiência. Mesmo a ciência, objetiva como tenta ser, é uma atividade que acontece na consciência.

No dia a dia, os físicos ignoram suas extraordinárias descobertas no domínio da quântica. Eles dirigem automóveis, não nuvens de energia, para ir trabalhar. Assim que os carros são estacionados, permanecem no lugar. Eles não voam em ondas invisíveis. Assim também um neurocirurgião cortando um cérebro aceita que a massa cinzenta debaixo do seu bisturi é sólida e firmemente colocada no tempo e no espaço. Então, quando queremos ir mais fundo do que o cérebro, precisamos viajar para um domínio invisível onde os cinco sentidos são deixados para trás. Não teríamos nenhuma razão urgente para fazer essa viagem se a realidade fosse uma dádiva de forma inequívoca, mas não é. Prestemos atenção às palavras de John Eccles, famoso neurologista britânico: "Quero que percebam que não existe cor no mundo natural, nem som – nada desse tipo; nem texturas, padrões, beleza ou cheiro".

Você deve sentir uma espécie de mal-estar existencial tentando imaginar o que *há* lá fora sem a existência de cor, som e textura. Reduzir cores a vibrações de luz não vai resolver nada. As vibrações quantificam ondas de luz, mas não dizem nada sobre a experiência de ver a cor. Medidas são reduções das experiências, não um substituto para elas. A ciência rejeita o mundo subjetivo onde as experiências ocorrem porque ele é errático, mutável e não mensurável. Se o indivíduo A ama os quadros de Picasso e o indivíduo B os odeia, são duas experiências opostas, mas não é possível designar um valor numérico para elas. O escaneamento do cérebro também não ajuda, porque as mesmas áreas do córtex visualizado estarão ativas.

Onde está a certeza quando tudo se movimenta e muda? Não se pode viver num mundo que repousa sobre ilusões escorregadias. Do nosso ponto de vista, o jeito é perceber que a ciência é enganada por sua própria ilusão de realidade. Ao rejeitar experiências subjetivas como amor, beleza e verdade, e ao substituir dados objetivos – fatos que se acredita serem mais confiáveis –, a ciência dá a impressão de que as vibrações são como cores, e os elétrons chocando-se contra elétrons no cérebro são o equivalente a pensar. Nada disso é verdade. A ilusão de realidade precisa ser dissolvida, e isso só pode ser feito ao serem descartadas algumas premissas ultrapassadas.

Eliminando a ilusão de realidade

Velhas crenças que precisam ser abandonadas

- A crença de que o cérebro cria a consciência. Na realidade, é o inverso.
- A crença de que o mundo material é sólido e confiável. Na realidade, o mundo físico é permanentemente mutável e elusivo.
- A crença de que a visão, o som, o toque, o sabor e o cheiro correspondem ao mundo "lá fora". Na realidade, todas as sensações são produzidas na consciência.
- A crença de que o mundo físico é igual para todas as coisas vivas. Na realidade, o mundo físico que experimentamos apenas espelha nosso sistema nervoso humano.
- A crença de que a ciência lida com fatos empíricos. Na realidade, a ciência organiza e dá expressão matemática a experiências na consciência.
- A crença de que a vida deveria ser vivida de acordo com o bom senso e a razão. Na realidade, devemos seguir o nosso caminho pela vida utilizando o máximo da consciência que formos capazes.

Agora estamos mergulhando nos argumentos espinhosos que havíamos prometido, mas o mundo físico reconfortante desfez-se há mais de cem anos, quando a realidade quântica assumiu o comando. Desconcertou os físicos, como fez com todo mundo, ver a lua e as estrelas sumirem. Com um fúnebre sentido de fim absoluto, como um padre pregando sobre um caixão, o físico teórico francês Bernard d'Espagnat entoou: "A doutrina do mundo feito de objetos cuja existência é independente da mente humana acaba por entrar em conflito com a mecânica quântica e com fatos estabelecidos pela experimentação".

Por que deveríamos, você e eu, preocupar-nos pessoalmente com isso? Uma vez que cada um de nós faça as pazes com a realidade em vez da ilusão dela, mais possibilidades existirão – possibilidades infinitas, na verdade. Não precisamos ficar tristes. A mente sempre surpreendeu a si mesma. Agora tem a chance de se realizar.

Qualia

Os seres humanos são incrivelmente afortunados porque seu cérebro consegue se adaptar a qualquer coisa que imaginem. Na terminologia da neurociência, todas as cores, os sons e as texturas que experimentamos são agrupadas sob o termo *"qualia"*, palavra latina para "qualidades". Cores são *qualia*, e também os cheiros. O amor é *qualia*; até o ponto que interessa, o mesmo acontece com o sentimento de estar vivo. Somos como antenas vibrando e transformando bilhões de *bits* de dados brutos em um mundo animado, barulhento e colorido. A palavra é tão insossa que você jamais suspeitaria que *qualia* pudesse se tornar um mistério desafiador, mas se tornou.

É inevitável, segundo os físicos quânticos, que objetos físicos possuam atributos não definidos. Rochas não são duras; a água não é molhada; a luz não é brilhante. São todas *qualia* criadas em nossa mente, usando o cérebro como processo de facilitação. O fato de um físico guiar um carro para ir trabalhar em vez de uma nuvem de energia não significa que a nuvem invisível de energia possa ser dispensada. Ela ocupa o nível quântico, onde nasce o tempo e o espaço, e tudo aquilo que preenche o espaço. Não se pode experimentar o tempo a menos que o cérebro se relacione com o mundo quântico. Também não se pode experimentar o espaço, ou qualquer coisa que exista nele.

Seu cérebro é um dispositivo quântico e, em algum lugar abaixo do nível dos cinco sentidos, você é uma força criativa. O tempo é sua responsabilidade. O espaço precisa de você. Ele não precisa de você para existir; ele precisa de você para existir *na sua realidade*. Se isso soa confuso, eis um exemplo esclarecedor. Existe um sexto sentido que a maioria das pessoas ignora, o sentido de onde seu corpo está, incluindo a forma e posição dos braços e das pernas. Este sentido é chamado de "propriocepção". Saber onde o próprio corpo está implica receptores nos músculos, assim como neurônios sensores no ouvido interno, junto ao senso de equilíbrio, que está centralizado no cerebelo. É um circuito complexo e, quando ele se rompe, as pessoas têm a sensação esquisita de ter desincorporado. Elas não sabem, por exemplo, se estão com o braço direito levantado para o alto ou voltado para baixo ao lado do corpo. Esses casos são muito raros e fascinantes. Andar em alta velocidade num conversível com a capota abaixada é, para quem não tem propriocepção, uma maneira de sentir que tem um corpo. O vento passando em volta da pessoa, conforme é detectado pelos sensores ativos na pele, substitui o sexto sentido perdido.

Em outras palavras, a sensação de ser envolvido pelo vento dá a essas pessoas um lugar no espaço. Como a sensação ocorre no cérebro, o espaço precisa do cérebro para existir. Se um neutrino tivesse um sistema nervoso, ele reconheceria nosso sentido de espaço, porque um neutrino é uma partícula subatômica capaz de viajar através da Terra sem diminuir a velocidade – para ele, a Terra é um espaço vazio. Pela mesma lógica, o tempo também precisa do cérebro, o que é facilmente demonstrado quando se dorme e o tempo para. Ele não para no sentido de que todos os relógios esperam você acordar pela manhã. O tempo para *para você*.

Deixando de lado todas as qualidades que o cérebro está processando, não restam propriedades físicas no mundo "lá fora". Como declarou o eminente físico alemão Werner Heisenberg: "Os próprios átomos ou partículas elementares não são reais; eles formam mais um mundo de potencialidades ou possibilidades do que de coisas ou fatos". O que resta quando átomos e moléculas somem é o criador dessas "potencialidades ou possibilidades". Quem é o criador elusivo, invisível? A consciência.

Descobrir que você é um criador é uma perspectiva excitante. Precisamos saber mais. Um especialista em percepção, o cientista cognitivo Donald D. Hoffman, da Universidade da Califórnia, em Irvine, criou um termo prático: "agente consciente". Um agente consciente percebe a realidade por meio de um tipo de sistema nervoso específico. Não precisa ser o sistema nervoso humano. Outras espécies são agentes conscientes também. Seus cérebros se relacionam com o tempo e o espaço, embora não da forma como o nosso. Um bicho-preguiça da América do Sul consegue se mover apenas alguns metros em um dia, num ritmo que nós – mas não ele – poderíamos considerar aflitivamente lento. O tempo parece normal para o bicho-preguiça, assim como para o beija-flor, que bate suas asas oitenta vezes por segundo.

Aqui estamos desafiando uma das principais crenças que mantém a ilusão de realidade fortalecida, a crença de que o mundo objetivo é o mesmo para todas as coisas vivas. Usando de algum modo a linguagem técnica, Hoffman constrói um ataque surpreendente a essa crença: "As experiências perceptivas não correspondem ou aproximam as propriedades do mundo objetivo; em vez disso, fornecem a este mundo uma interface de usuário específica da espécie". Se você acompanhou a lógica até aqui, a sentença estará clara para você, exceto pela expressão "interface de usuário", que é emprestada dos computadores.

Imagine o universo mais como uma experiência do que como uma coisa física. Você pode experimentar aquilo que parece uma vasta parte do cosmos ao fitar o banquete de estrelas espalhadas em uma noite clara de verão, mas essas estrelas não são nem a bilionésima parte do todo. O universo não pode ser apreendido sem um sistema nervoso infinito. Por causa do seu quatrilhão de sinapses, o cérebro humano rende muito. Entretanto, você não seria capaz de ver, ouvir ou tocar nada se precisasse entrar em contato com suas sinapses – o simples ato de abrir os olhos exige milhares de sinais sincronizados. Assim, a natureza concebeu um atalho, que se parece muito com os atalhos que usamos todos os dias no computador. Se quisermos deletar alguma coisa no computador, simplesmente apertamos a tecla "delete". Não é necessário ir às entranhas da máquina ou mexer em seu programa. Não é preciso rearranjar milhares de zeros e uns no código digital. Basta um toque – é assim que uma interface de usuário funciona. Do mesmo modo, ao se criar *qualia*, como a doçura do açúcar ou o brilho da esmeralda, não é preciso entrar no cérebro ou mexer na sua programação. Você abre os olhos, vê a luz, e bingo! O mundo inteiro de repente está ali.

Argumentando desse modo, Hoffman fez de si mesmo um alvo corajoso. Conseguiu atrair contra ele todo o campo de cientistas que declaram que o cérebro cria a consciência. Hoffman dá a volta e diz que a consciência cria o cérebro. Não é fácil para nenhum dos campos provar sua posição. O campo do "cérebro vem primeiro" precisa mostrar como átomos e moléculas aprenderam a pensar. O campo da "consciência vem primeiro" precisa mostrar como a mente cria átomos e moléculas. A esperteza na posição de Hoffman – e agradecemos a ele do fundo do coração por seu raciocínio cuidadoso – é que ele não teve de se comprometer para explicar a realidade última, um problema que desafia a razão. Seria Deus a realidade última? O seu universo nasceu de um número infinito de *multiversos*? Platão atinou com a ideia certa milhares de anos atrás quando disse que a existência material é baseada em formas invisíveis?

Muitas teorias se chocam, mas, se você se prender à da interface de usuário – o atalho da natureza –, localizar a realidade última não importa. Os físicos podem guiar carros para ir trabalhar e ainda saber que carros são nuvens invisíveis de energia. O que importa é que um sistema nervoso cria uma imagem para seguir. Assim como tempo e espaço precisam ser reais somente *para você*, isso é válido para todo o resto. Religiosos e ateus podem se sentar e tomar um café sem brigar. O debate sobre a realidade última vai ser incerto por muito, muito tempo. Enquanto isso, cada um de nós vai continuar a criar sua realidade pessoal – e, com sorte, sair-se melhor nela.

Caçando a luz

Se você consegue aceitar que é um agente consciente, estamos juntos nessa. Mas há uma questão incômoda a ser resolvida. O que faz exatamente um agente consciente? No livro do *Gênesis*, Deus diz: "Faça-se a luz", e a luz se fez. Você está se juntando a esse ato criativo neste exato minuto, só que não precisa de palavras. (Nem Deus precisou, provavelmente.) Em alguma parte, em silêncio, a construção mais básica da criação, a luz, torna-se realidade no instante em que você abre os olhos. Se você está tornando a luz real para si, como faz isso?

Vamos voltar atrás 13,8 bilhões de anos. No momento do *Big Bang*, o cosmos irrompeu do vazio. Os físicos aceitam que cada partícula do universo está piscando para dentro e para fora do vazio em velocidade rápida, milhares de vezes por segundo. Há vários termos para o vazio: o estado de vácuo, o estado do universo antes da criação, o campo de ondas de probabilidade. O conceito essencial, entretanto, é o mesmo. Muito mais real que o universo físico é o campo de potencial infinito de onde ele nasce, aqui e agora. O *Gênesis* nunca parou no nível do campo quântico – todos os eventos passados, presentes e futuros estão incorporados lá. Assim como todas as coisas que conseguimos imaginar ou conceber. É por isso que seria preciso um sistema nervoso infinito para realmente perceber a realidade "real".

Em vez disso, fazemos imagens cerebrais que chamamos de "realidade", embora elas sejam muito limitadas. O único mundo que existe para os seres humanos espelha a evolução de nosso sistema nervoso. As imagens cerebrais evoluem. O modo como o físico olha para o fogo não é o mesmo modo com que o homem de Cro-Magnon olhava para o fogo – e provavelmente o adorava. De repente, vemos por que o cérebro reptiliano não foi reduzido ou superado à medida que evoluiu. Todas as versões anteriores de sistema nervoso – remontando às mais primitivas respostas sensoriais de organismos unicelulares nadando em direção à luz do sol em um lago – foram encerradas e incorporadas dentro do cérebro que temos hoje. Graças ao seu neocórtex, você pode usufruir da música de Bach, que seria um barulho desordenado para um chimpanzé – mas, se um ouvinte insano atirar no cravista, você vai reagir com toda a capacidade primitiva de lutar ou fugir do cérebro reptiliano.

O cérebro humano não se desenvolveu por si mesmo, mas seguindo uma representação de mundo que existia na mente. A interface de usuário manteve-se continuamente melhorando para acompanhar o que o usuário queria fazer. Neste momento, você possui a versão mais recente da interface porque está participando da mais recente "representação do mundo" a que os humanos chegaram.

Ufa!

De acordo com a teoria de Hoffman, que ele chama de "realismo consciente", "o mundo objetivo consiste de agentes conscientes e de sua experiência perceptual". Adeus a tudo "lá de fora"; olá a tudo "aqui de dentro". Na verdade, os dois estão fundidos em sua origem. A mente não tem dificuldade em entrelaçar as duas metades da realidade. Agora chegamos ao ponto em que você precisa apertar o cinto da sua poltrona. Não há realmente um mundo "aqui de dentro" ou "lá de fora". Há apenas a experiência de *qualia*. Átomos e moléculas não são coisas; são expressões matemáticas de experiências. O espaço e o tempo também são unicamente descrições de experiências. O seu cérebro não é responsável por nada disso, porque seu cérebro é apenas uma experiência que sua mente está tendo. Esse é um salto imenso, mas nos dá um poder indizível. Literalmente indizível, porque nossos pais e a sociedade à nossa volta não nos disseram quem realmente somos. Somos a fonte de *qualia*. Somos os cuidadores da mente, que não precisa se curvar às forças da natureza. Em nossas mãos detemos a chave para fazer a natureza se curvar a nós. Apesar de nossas mentes limitadas, estamos ordenando "Faça-se a luz" exatamente como Deus faz em sua mente infinita. E ainda assim este conhecimento não libera realmente o poder. Se você ficar parado diante de uma locomotiva enquanto ela se aproxima e murmurar "Eu criei esta realidade", sua mente não vai evitar que a enorme massa da máquina a diesel colida com a pequena massa do seu corpo, levando a resultados desastrosos.

Os antigos sábios da Índia não foram dissuadidos por trens a diesel (caso existissem naquela época), declarando que o mundo é apenas um sonho. Se um trem o atropela num sonho, você é até capaz de sentir como se tivesse sido atropelado na vida real, mas consegue acordar. Aí está a diferença. Acordar de um sonho nos parece fácil e natural. Acordar da realidade física parece totalmente impossível, e, enquanto permanecemos neste mundo de representação que chamamos "realidade física", suas regras de comportamento seguem as Leis de Movimento de Newton. Será isso definitivo?

Certa vez um feiticeiro pegou a mão de seu aprendiz e lhe disse para segurar firme. "Está vendo aquela árvore ali?", perguntou o feiticeiro, e de repente pulou por cima do topo dela, levando o aprendiz com ele. Quando chegaram ao solo do outro lado, o aprendiz entrou em profunda aflição. Ele se sentia tonto e confuso; seu estômago estava embrulhado e ele começou a vomitar. O feiticeiro observava calmamente. Essa era exatamente a reação da mente ao se ver diante de sua autoilusão. A mente não consegue acreditar que é possível pular por cima de uma árvore na vida real tão facilmente quanto em um sonho.

Sabemos que os sonhos todos acontecem em nossa cabeça; no entanto, ignoramos que o estado de vigília também está acontecendo em nossa cabeça. Mas, assim que se mostra à mente o seu engano, uma nova realidade desponta. Você pode reconhecer esta cena, extraída dos textos de Carlos Castaneda e seu famoso professor, o feiticeiro *yaqui* Don Juan. Evidentemente, qualquer pessoa sensível sabe que aqueles livros são ficção.

Entretanto, acordar de um sonho é a chave para a iluminação, como vimos no último capítulo. É a base do vedanta, a mais antiga tradição indiana, cuja influência se espalhou pela Ásia. Um conceito-chave no vedanta é *Pragya paradha*, que quer dizer algo como "o erro do intelecto". O erro vem do esquecimento de quem você é. Ao nos vermos como entes separados, isolados, nós nos rendemos à aparência do mundo, aceitando que forças naturais insensatas nos controlem. Não estamos opinando em relação a pular por cima de árvores ou ficar parado sobre trilhos de trem. O estado de vigília tem suas regras e limitações. Toda a argumentação em torno da *qualia* tenta remeter ao ato de percepção básico e natural, mostrando que a realidade não é uma dádiva. Nossa percepção tem como limite o ponto de desenvolvimento atingido por nosso sistema nervoso em sua evolução.

Para pôr em prática a teoria, vamos tomar este ponto de vista novo e ver como ele pode mudar sua vida.

Ligando a interface

- Não há realidade reconhecível sem consciência. Você pode criar a qualidade (*qualia*) que quiser.
- Todo mundo já está criando *qualia*. O desafio é tornar-se melhor nisso.
- Para se tornar melhor, é preciso ficar mais próximo da fonte criativa.
- A fonte criativa é um campo de possibilidades infinitas.
- Este campo fica em toda a parte, até mesmo dentro de sua própria consciência.
- Conquiste a fonte de consciência pura e você terá todas as possibilidades ao seu alcance.

Esta sequência representa o conhecimento milenar, vindo de sábios que eram Einsteins da consciência. Ao voltar à sua fonte, que é consciência pura, você retoma o controle sobre *qualia*. Se estiver recebendo mensagens negativas sobre sua vida – que podem ser pensamentos negativos "aqui de dentro" ou eventos negativos "lá de fora", isso tudo é *qualia*. O que significa que eles podem ser mudados se você mudar sua mente.

Recuperar o controle sobre a *qualia* é a chave para remodelar o cérebro e a realidade pessoal ao mesmo tempo. Videntes e sábios na tradição oriental saudariam este argumento com um sorriso e um encolher de ombros que quer dizer: "é claro". Na era materialista, isso deixa as pessoas de queixo caído.

A esta altura, alguns leitores podem estar gritando "Jogo sujo!". Eles estão lendo um livro sobre cérebro e, de repente, o cérebro desapareceu! Foi substituído por uma consciência que permeia tudo. Os céticos não aceitarão nada disso (acredite, temos batido de frente com eles). Eles não vão deixar para trás sua insistência teimosa de que a consciência *é* o cérebro. Mas Hoffman não recua. Ele pega a premissa básica deste livro, de que você é o usuário de seu cérebro, não o inverso, e leva isso ao limite: "A consciência cria a atividade cerebral e os objetos materiais do mundo". Em outras palavras, não somos máquinas que aprenderam a pensar; somos pensamentos que aprenderam como fazer máquinas. Assim que aceitamos isso, a ilusão de realidade explode inteiramente.

Consciência fora do cérebro

Chegando até aqui, qual dos dois lados você acha que é o certo? Se acredita que o cérebro é o criador da consciência, então os materialistas podem derrotar qualquer argumento. E não apenas os materialistas – também os ateus, que acreditam que a mente morre quando o cérebro morre. Podemos incluir também aquelas pessoas que não se armam para destruir Deus, mas simplesmente aceitam que as rochas são duras, a água é molhada, enfim, todas experiências do bom senso que mantêm o mundo cotidiano inteiro. Mas a verdade vai aparecer, e, se é verdade que a consciência vem em primeiro lugar e o cérebro em segundo, é preciso haver uma prova disso.

Vamos, pois, à prova experimental. Já nos anos 1960, os pesquisadores pioneiros T. D. Duane e T. Behrendt demonstraram que os padrões de ondas cerebrais de dois indivíduos distantes podem se sincronizar. O experimento envolveu os eletroencefalogramas de gêmeos idênticos. (Isso aconteceu décadas antes de técnicas modernas de visualização do cérebro, como a ressonância magnética.)

A fim de testar os relatos informais de que gêmeos partilham os mesmos sentimentos e sensações físicas, mesmo quando estão distantes, os pesquisadores alteraram o padrão EEG (eletroencefalografia) de um dos gêmeos e observaram o efeito no outro. Em dois de quinze pares de gêmeos, quando um dos gêmeos fechava os olhos, produzia um ritmo alfa imediato não somente em seu próprio cérebro, mas também no cérebro do irmão, apesar de este último conservar os olhos abertos e estar sentado em um quarto iluminado.

Estariam eles vivenciando uma mente partilhada, que é o que alguns gêmeos idênticos sentem (embora nem todos)? Histórias impactantes reforçam essa descoberta. Em seu livro investigativo *The One Mind*, o dr. Larry Dossey apresenta o estudo Duane Behrendt e relata uma história para apoiá-lo:

> Um caso envolveu os gêmeos idênticos Ross e Norris McWhirter, que eram muito conhecidos na Inglaterra como coeditores do *Guinness Book of Records*. Em 27 de novembro de 1975, Ross foi atingido mortalmente na cabeça e no peito por tiros disparados por dois homens na porta de entrada de sua casa, em Londres. De acordo com uma pessoa que estava com seu irmão, Norris, este reagiu de uma forma dramática no momento dos tiros, quase como se tivesse sido atingido "por uma bala invisível".

Estudos relacionados provam que uma mente pode conectar-se com outra, como indicam as correlações entre ondas cerebrais. (O próprio Rudy é gêmeo fraterno de sua irmã Anne. Para sua surpresa, quando ele sente uma súbita urgência de falar com ela, acaba descobrindo que ela não está bem física ou mentalmente – de alguma forma ele sente que alguma coisa está errada.) Não apenas gêmeos – mães de bebês ficam em sintonia com seus filhos, e curandeiros com seus pacientes. Para os materialistas, a existência de curandeiros é ridicularizada, mas Dossey cita um estudo pioneiro de nativos havaianos curandeiros conduzido pela falecida dra. Jeanne Achterberg, fisiologista estudiosa da conexão mente-corpo, fascinada pelas histórias de curandeiros nativos que faziam seu trabalho a distância.

Em 2005, depois de dois anos de pesquisa, Achterberg e seus colegas reuniram onze curandeiros havaianos. Cada um deles vinha praticando sua tradição de cura nativa há 23 anos, em média. Pediu-se que escolhessem uma pessoa com quem tivessem tido sucesso em seu trabalho e com quem sentissem uma conexão empática. Essa pessoa seria o receptor de cura em um ambiente controlado. Os curandeiros descreveram seus métodos de várias formas – preces, envio de energia ou boas intenções, ou simplesmente pensando e desejando o bem maior para seus pacientes. Achterberg chamou esses esforços simplesmente de "intencionalidade a distância" (ID).

Cada receptor foi isolado do curador enquanto passava por um exame de ressonância magnética da atividade cerebral. Aos curadores era pedido que enviassem ID aleatoriamente, a cada dois minutos; os receptores não podiam saber antecipadamente quando a ID seria enviada. Mas seus cérebros, sim. Diferenças significativas foram encontradas entre os períodos experimentais (de envio) e os períodos de controle (de não envio) em dez de onze casos. Para os períodos de envio, áreas específicas do cérebro dos indivíduos "acendiam-se", indicando um aumento da atividade metabólica. Isso não ocorria durante os períodos de não envio. Dossey escreveu: "As áreas do cérebro que eram ativadas incluíam as áreas do cingulado anterior e médio, o precuneus e as áreas frontais. Havia menos de uma chance em 10.000 de que esses resultados pudessem ser explicados pelo acaso".

O budismo e outras tradições espirituais orientais veem a compaixão como uma condição universal, partilhada pela mente humana como um todo. Este estudo oferece sustentação ao mostrar que a compaixão emanada por uma pessoa pode exercer efeitos físicos mensuráveis em outra pessoa, a distância. Laços empáticos são reais. Eles podem cruzar o espaço que parece separar "eu" de "você". Essa conexão não é física; é invisível e se estende para fora do cérebro.

Pensar desse modo não acontece mais naturalmente, embora 80 por cento das pessoas, se questionadas sobre a existência de Deus, ainda respondam que sim. Deus deve ter uma mente, se ele existe, e seria impossível argumentar que a mente de Deus foi criada dentro do cérebro humano. Mexer com o ponto de vista das pessoas as deixa desconfortáveis, entretanto, mesmo quando a evidência – de físicos, estudos do cérebro e a experiência de sábios e videntes por milhares de anos – oferece uma realidade nova. Já que a realidade nova poderia beneficiar cada um de nós, vamos entrar na jaula do leão e mostrar por que seria *impossível* a consciência ser criada pelo cérebro.

Em janeiro de 2010, Ray Tallis, que é descrito como erudito, ateu e médico, apresentou um desafio contundente à afirmação "o cérebro vem primeiro". Seu artigo no jornal *New Scientist* era intitulado "Por que você não vai encontrar consciência no cérebro". Como um "neurocético", Tallis ataca a evidência mais básica que faz os cientistas acreditarem que o cérebro cria consciência: os habituais aparelhos de ressonância magnética, que mostram as regiões do cérebro acendendo-se em correlação com a atividade cerebral. A esta altura, o leitor já sabe bastante sobre eles. Tallis repete alguns dos pontos que estivemos defendendo.

Uma das primeiras coisas que o cientista aprende é que a correlação não é uma causa. Os rádios se acendem quando a música toca, mas eles não criam música. Do mesmo modo, alguém pode argumentar que a atividade cerebral não cria pensamentos, mesmo que agora possamos ver quais áreas se acendem.

Cadeias neurais mapeiam e fazem a mediação da atividade elétrica. Elas não estão realmente pensando.

Atividade cerebral não é o mesmo que ter uma experiência, que é o que ocorre na consciência.

Aquecendo a questão, Tallis oferece outras revelações desafiadoras, como a que se segue. A ciência nem chegou perto da explicação de como conseguimos ver o mundo como um todo, mas também podemos isolar detalhes se quisermos. Tallis chama isso de "fundir sem fazer mingau". Você pode olhar uma multidão e ver um mar de rostos, por exemplo, mas pode também captar um rosto que conhece. "Meu campo sensorial é um todo formado de muitas camadas que também mantém sua multiplicidade", escreve Tallis. Ninguém consegue descrever como um neurônio tem essa habilidade, porque ele não a tem.

Pedir ao cérebro que "armazene" memória é impossível, Tallis argumenta. Reações químicas e elétricas acontecem só no presente. A sinapse transmite a mensagem agora, com nenhuma sobra do minuto anterior, menos ainda do passado distante. Quando a transmissão acaba, os sinais químicos que cruzam a sinapse voltam a sua posição padrão. O cérebro pode fortalecer certas sinapses, enquanto enfraquece outras, por meio de um processo chamado "potenciação de longo prazo". É assim que algumas lembranças se fixam, enquanto outras, não. A questão é se o cérebro é capaz de lembrar o que fez no passado, ou realmente é a consciência que faz isso. O sal só se dissolve quando é mexido dentro de um copo com água. Não pode armazenar a lembrança de ter sido dissolvido na água em 1989.

Tallis observa que existem até mesmo questões mais básicas, como o *self* – não foi encontrado nenhum lugar no cérebro para o *eu*, a pessoa que está tendo a experiência. Você simplesmente sabe que existe. Nada se acende no seu cérebro; nenhuma caloria é gasta para manter seu senso do *self* funcionando. Para todos os efeitos, se é preciso provar o *self* cientificamente, um cético poderia examinar imagens escaneadas do cérebro e provar que não existe o eu, exceto pelo fato de ele obviamente existir, com imagens do cérebro ou sem elas. O eu está, na verdade, fazendo todo o cérebro funcionar. Está criando representações de mundo sem participar dessa representação, como um pintor cria quadros sem estar dentro deles. Dizer que o cérebro cria o *self* é como dizer que os quadros criam seus pintores. O argumento não se sustenta.

Vamos então ao que interessa. Se o cérebro é uma máquina biológica, fato com o qual concordam os materialistas (uma frase famosa de um especialista em inteligência artificial refere-se ao cérebro como "um computador feito de carne"), como a máquina faz surgir opções novas e inesperadas? O computador mais poderoso do mundo não diz "Quero um dia de folga" ou "Vamos falar de outra coisa". Ele não tem escolha, precisa seguir sua programação.

Então, como pode uma máquina feita de neurônios mudar de opinião, ter impulsos espontâneos, recusar-se a agir racionalmente e fazer todas as outras coisas complicadas por capricho? Não pode. Isso leva ao livre-arbítrio, que o determinismo estrito precisa negar. Todos nos sentimos livres para escolher um prato da coluna A e outro da coluna B do cardápio de um restaurante chinês. Se todas as reações no cérebro são predeterminadas pelas leis da química e da física – como os cientistas insistem –, então a comida que você vai pedir daqui a uma semana, ou daqui a dez anos, deve estar além de seu controle. O que é um absurdo. Somos prisioneiros das leis da física ou prisioneiros de nossas suposições cegas?

A argumentação de Tallis é devastadora, mas era fácil de ser descartada como filosofia, não ciência. (Para fazer eco a uma frase familiar que surge quando um cientista está divagando além dos limites aceitos: "Cale a boca e calcule".) A neurociência pode sobreviver sem responder a esses desafios, usando a defesa de que cada enigma será resolvido em algum momento futuro. Sem dúvida, muitos deles o serão (e Rudy faz parte desse esforço). A menos, entretanto, que se faça a ligação para mostrar como átomos e moléculas aprenderam a pensar, a representação científica da realidade fatalmente estará defeituosa.

Sentimos que o ônus da prova foi cumprido. O caminho espinhoso foi atravessado. O que resta é mostrar como você pode dominar a *qualia* em sua vida. Os sinais negativos podem ser transformados em positivos. E, mais importante, você pode dar o próximo passo em sua evolução.

SOLUÇÕES DO SUPERCÉREBRO
Bem-estar

A felicidade é difícil de alcançar e mais difícil ainda de explicar. Mas, se quiser experimentar um estado de bem-estar – definido como felicidade em geral e boa saúde –, o cérebro precisa enviar mensagens positivas em vez de negativas. O que significa "positivas"? Precisa ser mais do que uma onda de impulsos prazerosos quando você vive uma experiência boa. As células precisam de mensagens positivas para poder sobreviver. Por isso, vamos definir positivo como um estado de *qualia*. Se sua qualidade de vida está sempre melhorando, suas visões, sons, sabores e texturas estarão sempre mudando, mas, em vez de ser uma mistura caótica, haverá uma tendência vitalícia em direção ao bem-estar.

Os ingredientes de bem-estar são seus para criar e manter. Os controles existem interiormente. Pegue duas pessoas com trabalhos, rendas, casas, meio social e grau de educação idênticos. Dentro disso tudo incluem-se anos de experiência. Mas cada pessoa processa sua experiência de maneira diferente. Aos 50 anos, o sr. A sente-se cansado, inquieto, meio entediado e cínico. Seu entusiasmo pela vida está começando a se desgastar. Ele fica imaginando se alguma coisa nova vai ressuscitar seu ânimo. O sr. B, por outro lado, sente-se jovem, engajado e cheio de vitalidade. Ele vê desafios a cada esquina. Se lhe perguntar, ele vai responder que os 50 são a melhor fase da vida.

Fica evidente que os dois homens têm um nível de bem-estar bastante diferente. O que faz a diferença? Em termos de cérebro, toda experiência precisa ser processada através de caminhos químicos, semelhante à energia bruta da comida sendo metabolizada. O processamento químico parece ser o mesmo em todas as células saudáveis. Se fosse possível medir o metabolismo olhando cada molécula de água, glicose, sal etc. passando pela membrana da célula, as quantidades usadas seriam tão próximas que duas pessoas quaisquer poderiam estar processando experiências do mesmo modo. Mas não estão. O metabolismo de experiências – que é o que seu cérebro está fazendo – depende da qualidade de vida, não da quantidade. É por isso que temos nos debruçado tanto sobre o conceito de *qualia*.

Bem-estar é um estado em que a experiência tem as seguintes qualidades gerais, conforme é metabolizada no cérebro:

- Sutilmente, você sente que tudo está bem.
- Você aceita que está bem.
- Encontra um frescor em novas experiências.
- Desfruta do sabor de suas experiências.
- Passa cada dia enfatizando as possibilidades positivas e combatendo as implicações negativas.

Essas são qualidades que seu cérebro registra, mas ele não as cria, pela simples razão de que o cérebro não pode ter experiências. Só você pode e, portanto, é você que acrescenta qualidades à vida, sejam elas positivas ou negativas.

Bisbilhotando seus estados de espírito, crenças, desejos, esperanças e expectativas, as células do cérebro são capazes de detectar a qualidade de vida. A neurociência não consegue medir esse processo em andamento, porque está preocupada com dados medidos por atividades químicas e elétricas. Apesar de minúsculas, as mudanças, com o passar do tempo, deixam marcadores biológicos. Todo cérebro exibe marcadores de estados subjetivos, como depressão, solidão, ansiedade, hostilidade e estresse generalizado. Entretanto, ironicamente, os estados positivos tendem a parecer mais planos e normais em uma ressonância do cérebro. Somente em casos excepcionais, como o cérebro de quem pratica meditação há muito tempo, é possível ver mudanças fora do comum. Dos dois lados da moeda, gozar de um nível alto ou baixo de bem-estar pode ser rastreado examinando como a experiência é metabolizada no dia a dia, momento a momento, segundo a segundo.

Metabolizando experiências

A consequência é que você pode melhorar seu bem-estar dando ouvido a deixas subjetivas sutis. Com que frequência já ouviu alguém dizer: "Isso não passa no teste de cheiro"? Por que os psicólogos atuais estão dando peso a reações imediatas como sendo mais confiáveis do que uma reflexão longa e racional? Essa não deveria ser uma descoberta nova. Convivemos com a natureza humana há muito tempo, mas os instintos sutis que lhe permitem sentir seu caminho pela vida são facilmente censurados. Sua mente descarta todos os tipos de respostas secundárias que não são boas para você. Isso inclui:

- Negação – Eu não quero sentir isso.
- Repressão – Mantenho meus verdadeiros sentimentos fora do campo de visão, e agora é difícil saber onde eles estão.
- Censura – Deixo que somente os bons sentimentos fiquem registrados. Os maus devem ficar afastados.
- Culpa e vergonha – São tão dolorosas que preciso empurrá-las para longe o mais rápido possível.
- Vitimização – Eu me sinto mal, mas não mereço nada melhor do que isso.

Estamos todos familiarizados com esses mecanismos psicológicos. Levados ao extremo, eles impulsionam milhões de pessoas à terapia. Infelizmente, você pode se sentir basicamente bem e ainda estar prejudicando seu bem-estar gradativamente. Uma vida feita de mentiras inofensivas, de fugas, de críticas, de abnegação e de ilusões mesquinhas soa como suficientemente inofensiva, mas, como a tortura chinesa da água, a negatividade funciona por gotejamento. Se você vê alguém levando uma existência amarga ou vazia, em geral não foi um evento intensamente dramático que o tornou assim. O bem-estar foi vagarosamente sendo desgastado.

O bem-estar depende de muitas coisas correndo bem em seu sistema nervoso. Você não pode zelar por cada um; um número excessivo de processos acontece sem parar, num piscar de olhos. Apesar dessa complexidade, você pode começar a prestar atenção a deixas sutis. Na tradição indiana, há três classes de deixas sutis embutidas em cada experiência.

Tattva: as qualidades ou aspectos da experiência.
Rasa: o sabor da experiência.
Bhava: a disposição ou tom emocional da experiência.

Vamos ver como elas estão embutidas em cada experiência. Imagine estar de férias na praia. As *qualidades* da experiência seriam a sensação do calor do sol, o som da arrebentação e a agitação das copas das palmeiras – a composição de sensações de estar numa praia. O *sabor* da experiência é mais sutil. Nesse caso, digamos que seja uma experiência doce e relaxante, que faz seu corpo sentir como se estivesse fluindo para dentro do cenário da praia. Finalmente, a *disposição emocional* da experiência, que não é determinada por nenhuma das deixas anteriores. Se estiver estendido na praia sentindo-se só ou tendo uma discussão com sua esposa, a praia não será a mesma que para alguém que esteja em lua de mel ou simplesmente aproveitando um dia maravilhoso de verão.

O bem-estar é criado em um nível sutil. Entretanto, como a corrente de dados brutos entra no cérebro através dos cinco sentidos, o que torna esses dados nutritivos ou tóxicos depende da qualidade, sabor e disposição emocional que você lhes acrescenta. Não estamos descartando o cérebro, já que naturalmente ele é uma parte vital do circuito de alimentação mente-corpo. Há redes neurais que nos predispõem a ter reações positivas ou negativas automaticamente. Mas as redes neurais são secundárias. O fundamental é a pessoa que está interpretando cada experiência enquanto ela acontece.

Sutil mas importante

Em vez de ficar pensando o tempo todo em como sua vida deveria ser, tente um rumo diferente. Aprenda a confiar no mais poderoso poder holístico que você tem, que é o sentimento. Sentimento compreende a base sutil de tudo. Peguemos um exemplo de *rasa*, o sabor da vida. Segundo a aiurveda – sistema de medicina tradicional indiana –, há seis sabores: doce, azedo, amargo e salgado (os quatro usuais), juntamente com pungente (isto é, a ardência das pimentas e o sabor picante da cebola e do alho) e adstringente (o sabor que faz a boca enrugar, como o do chá, maçã verde e cascas de uva).

A aiurveda leva o conceito de *rasa* além do que a língua experimenta. Há alguma coisa sutil e mais disseminada em relação ao sabor da vida. Podemos observar isso no emprego das palavras.

Dizemos folhas *amargas*, mas também uma disputa amarga, uma separação amarga, uma lembrança amarga e relacionamentos amargos.

Dizemos limão *azedo*, mas também humor azedo, pessoa azeda, e que as coisas azedaram.

Cada um dos seis *rasas* parece ter uma experiência de raiz – são como uma família de sabores que permeiam a vida. Na aiurveda, se a doçura se desequilibra, o resultado pode ser a obesidade e o ganho de gordura, mas também há uma ligação mental com letargia e ansiedade. Este é um tema muito vasto para abordar aqui (e muito estranho à medicina ocidental para caber numa explicação fácil).

Mas qualquer um pode observar o sabor de sua vida e perceber a diferença, por exemplo, entre uma existência doce e uma amarga.

Em termos de *tattva*, ou qualidades, uma ligação pessoal vai além dos cinco sentidos. O vermelho, por exemplo, pode ser medido como determinado comprimento de onda no espectro visível da luz, mas o vermelho também é quente, raivoso, passional, sanguinário e um alerta. O verde é mais do que um comprimento de onda ao longo do espectro que partiu do vermelho. O verde é frio, tranquilizador, fresco e evoca a primavera. O que é crucial é perceber que essas qualidades humanas são mais básicas para a existência do que aquelas mensuráveis que a ciência reduz a dados. Se você desmaia diante da visão do vermelho ou se sente animado com as primeiras folhas verdes da primavera, não está reagindo a comprimentos de onda de luz, mas a um complexo de qualidades, sabores e emoções que se combinam para criar a experiência.

Agora, qual é a melhor abordagem para essa complexidade selvagem, que é intrincada demais para ser tratada por partes? Você pode sentir seu caminho em direção ao bem-estar aumentando os ingredientes para melhorar a vida, que em sânscrito são chamados *sattva*, traduzidos em geral como "pureza". Uma vida cheia de *sattva* tem um efeito holístico conforme você começa a refinar suas sensações em todos os aspectos.

Como favorecer a pureza

- Acrescente doçura à sua vida e reduza aquilo que sentir como azedo ou amargo.
- Reduza o estresse entre você e os outros – privilegie o respeito, a dignidade, a tolerância e as interações harmoniosas.
- Aja com amor sempre que puder. Seja compassivo. (Mas não se force em uma positividade rígida. Seu papel não é o de um robô sorridente.)

- Procure um sentido de reverência em relação à natureza. Passeie pela natureza para apreciar sua beleza.
- Fique calmo por dentro. Não se una à agitação a sua volta.
- Não machuque o nível sutil dos sentimentos alheios. Fique atento, pois cada situação tem um sentimento e uma condição emocional que você deve respeitar.
- Pratique a não violência. Não mate nem prejudique outras formas de vida.
- Ajude. Deixe que o mundo fique tão próximo de você quanto sua família.
- Fale a verdade sem rispidez.
- Faça o que acha certo.
- Procure a presença do divino.

Este é um esboço de vida simples, bem regulada, que evita a agitação e o caos. Como um conjunto de orientações, ele permite uma boa dose de interpretação pessoal. Você pode decidir o que faz a sua vida doce, por exemplo. Na tradição indiana, a dieta é crucial, e o *rasa*, ou sabor, da doçura é o preferido. Acredita-se que a dieta *sattva* dê luz ao corpo e à mente. É basicamente vegetariana, direcionada para frutas, leite, grãos, nozes e outros alimentos doces.

A vida não pode ser doce o tempo todo. A intenção original dos sábios védicos não era chamar alguns *rasas* de bons e outros de ruins. (Todo *rasa*, incluindo o amargo e o adstringente, tem seu lugar na metabolização da experiência.) Os sábios tinham a intenção de dar sinais positivos ao cérebro e receber de volta sinais positivos. Já que o cérebro é a criação da mente, *sattva* começa em sua conscientização. Se você praticar a pureza porque deseja e se sente bem, seu cérebro poderá funcionar com muito mais autorregulação. A melhor autorregulação é automática, mas antes é preciso incuti-la. Então, cada vez mais você poderá deixar as coisas para seu sistema nervoso automático, confiando que ele vai dar sustentação ao bem-estar de suas células, tecidos e órgãos. O resultado será uma vida mais feliz, mais saudável e mais enriquecida espiritualmente.

EPÍLOGO DE RUDY

Enxergando o mal de Alzheimer com esperança e clareza

É fascinante fazer a conexão entre mente e cérebro, mas, quando a conexão cessa, é um terror. Minha vida profissional tem sido dedicada a pesquisar o lado escuro do cérebro. No Alzheimer's Genome Project, meu laboratório continua encontrando os genes, mais de uma centena até agora, envolvidos na mais comum e devastadora forma de demência. Escrever este livro me deu a oportunidade de dar um passo atrás e considerar o cérebro de uma perspectiva mais ampla. Quanto mais você sabe sobre a mente, mais sua pesquisa sobre o cérebro começa a tomar forma dentro de novos padrões e possibilidades.

Nas pesquisas sobre o câncer, há uma tremenda urgência em encontrar uma cura, do mesmo modo que se sente a pressão imensa contra o tempo para o mal de Alzheimer. Conforme a expectativa de vida aumenta, aumenta o número de casos. Mais de 5 milhões de americanos e 38 milhões de pessoas no mundo sofrem dessa moléstia. Por volta de 2040, há uma projeção de 14 milhões de pacientes nos Estados Unidos e mais de 100 milhões em todo o planeta, se não forem desenvolvidas terapias preventivas eficazes.

No momento, estudos genéticos oferecem a melhor possibilidade de um dia erradicar o mal de Alzheimer. Ao serem revelados todos os genes que mostram riscos dessa doença se manifestar, seremos capazes um dia de predizer com segurança e mais precocemente o risco que uma pessoa corre. Para aqueles ameaçados com risco mais elevado, provavelmente será necessário fazer exames para a detecção pré-sintomática, começando por volta dos 30 ou 40 anos de idade. As mudanças no cérebro começam anos antes dos primeiros sintomas de perda de memória aparecerem. Em sua progressão cruel, o Alzheimer destrói as áreas do cérebro voltadas para a memória e o aprendizado. Nossa esperança imediata seria fortalecer as pessoas que apresentam alto risco com terapias que pudessem deter a progressão futura da doença antes que a demência ataque.

Assim que tivermos remédios que consigam fazer isso, esperamos prevenir o mal de Alzheimer antes que os sintomas clínicos de declínio de cognição comecem a se manifestar. A chamada "estratégia farmacogenética" baseia-se em "previsão precoce – detecção precoce – prevenção precoce". Se as três puderem ser combinadas, temos esperança de deter o Alzheimer antes que ele comece. É uma estratégia ampla, que remonta à prevenção da varíola com a vacina na infância, mas que se amplia ao prevenir o câncer de pulmão não fumando. Uma estratégia semelhante pode ser aplicada a outras moléstias comuns ligadas ao envelhecimento, como problemas cardíacos, câncer, derrame e diabetes.

O mal de Alzheimer tem algum componente ligado ao estilo de vida? Essa é uma pergunta que ainda não podemos responder com certeza, mas quero me preparar para esta possibilidade. O próximo horizonte é a mente. Qualquer mudança de estilo de vida começa na cabeça. Primeiro, é preciso querer mudar, e então é necessário levar o cérebro a criar novas redes neurais para dar suporte à sua decisão. Já sabemos que "use-o ou perca-o" se aplica ao cérebro em geral, especialmente quando se trata de conservar a memória afiada e intacta ao longo da vida. Com Deepak, investigamos muito mais profundamente a conexão mente-corpo. Quando chegamos ao nosso "estilo de vida ideal para o cérebro", não estávamos estabelecendo que fosse especificamente para o Alzheimer. Também não afirmamos que a doença ocorre porque o paciente não levou um estilo de vida conveniente. A genética e o estilo de vida se unem para causar essa doença na maioria dos casos. E alguns fatores genéticos são muito difíceis de alterar, mesmo com uma vida saudável.

Quase todos nós herdamos variações genéticas que tanto aumentam como diminuem nosso risco para o mal de Alzheimer. Essas variantes genéticas combinam-se com fatores ambientais para determinar o risco de a doença se manifestar ao longo da vida. Os fatores de maior risco abrangem uma gama de possibilidades, como depressão, derrame, lesão cerebral traumática, obesidade, colesterol alto, diabetes, e até mesmo solidão.

Os genes que influenciam o risco dessa doença incidem em duas categorias: determinista e suscetível. Uma pequena porção da incidência da moléstia (menos de 5 por cento) aparece antes dos 60 anos e, na maioria das vezes, ocorre pelas mutações de um dos três genes que eu e meus colegas descobrimos. Essas mutações herdadas virtualmente garantem a instalação da doença aos 40 ou 50 anos. Felizmente, essas mutações são muito raras. Na grande maioria dos casos, o Alzheimer surge depois dos 60 anos. Nesses casos, têm sido detectados genes que carregam variantes que influenciam a suscetibilidade da pessoa. Essas variantes não causam a doença obrigatoriamente, mas, quando são herdadas, conferem tanto o risco aumentado quanto reduzido para a doença, à medida que a pessoa envelhece.

A boa notícia é que, na maioria dos casos de Alzheimer, o tipo de vida que a pessoa leva pode potencialmente ser um trunfo contra a disposição genética para a doença. Uma representação genética semelhante apresenta-se na maioria das doenças comuns ligadas ao envelhecimento, como problemas cardíacos, câncer, derrame e diabetes. Certos comportamentos podem indicar um padrão na atividade cerebral que poderia ser tratado desde cedo? Alguns pesquisadores do autismo estão fazendo essa pergunta em relação a crianças pequenas que ainda não mostram sinais do distúrbio, mas que sustentam a cabeça de um determinado modo que é um sinal prévio de autismo. Um dos maiores avanços na pesquisa do cérebro não chegou ao conhecimento do público. É a guinada da sinapse para a rede. Por décadas, a neurociência dirigiu seus principais esforços para descobrir como uma única sinapse, a junção comunicativa entre dois neurônios, realmente funciona. O trabalho de pesquisa foi extenuante e meticuloso. Imagine tentar parar um raio enquanto ele risca o céu, só que numa escala milhões de vezes menor. Os avanços importantes, que se deram lentamente, envolveram o congelamento de tecido cerebral para extrair as moléculas mensageiras que ficaram conhecidas como "neurotransmissores". Estudos sobre dois deles, a serotonina e a dopamina, proporcionaram um grande progresso no tratamento de moléstias, estendendo-se da depressão ao mal de Parkinson.

Mas estudar a sinapse não nos levou longe o bastante. Há muitos tipos diferentes de depressão, por exemplo, cada uma com sua própria assinatura química. Mas a indicação de antidepressivos de largo espectro não era eficaz para todos os tipos, porque no paciente A o quadro de sintomas não era o mesmo que no paciente B, mesmo que ambos relatassem tristeza, desamparo, fadiga, sono irregular, perda de apetite etc. A depressão forma sua própria e singular rede neural de pessoa para pessoa.

Foi por isso que surgiu uma abordagem de sistemas, procurando por padrões maiores de redes que se estendam bem além da sinapse. Examinar um fusível na caixa de luz de sua casa não é de todo diferente do que olhar o esquema de fiação completo. Isso já não acontece no cérebro. As redes neurais são vivas, dinâmicas e inter-relacionadas de tal modo que a mudança em uma peça da fiação irá reverberar por todo o sistema nervoso.

Tão abstrato quanto possa soar, a abordagem de redes abre um número extraordinário de portas. Nós comparamos o cérebro a um processo fluido, não a uma coisa. Como pensar e sentir também são processos fluidos, é como olhar dois universos espelhados. (A mente inconsciente pode até ser vista como paralela à massa "escura" e à energia que controlam misteriosamente eventos no cosmos visível.) Nessa representação ampla, os neurônios comportam-se em sincronia com tudo que está acontecendo a você, e até seus genes participam. Longe de ficarem sentados imóveis em um silêncio congelante dentro de cada célula, seus genes são ativados e desativados, mudando sua produção química de acordo com todo tipo de acontecimento em sua vida. O comportamento molda a biologia. Usando essa palavra de ordem, as pesquisas têm demonstrado que mudanças positivas no estilo de vida – na dieta, em exercícios, no controle de estresse e na meditação –, afetam de quatrocentos a quinhentos genes, e provavelmente um número ainda maior.

O que você pode fazer para evitar ou fazer face ao mal de Alzheimer? Siga a tendência de estilo de vida que está funcionando no resto do mundo para tantas doenças. Para começar, exercícios. Um colega próximo, Sam Sisodia, mostrou que em modelos animais (ratos que receberam as mutações genéticas humanas do Alzheimer), ao se providenciar à noite rodas para que eles se exercitassem, a patologia cerebral se reduzia de forma dramática. O exercício realmente induz a atividade dos genes que baixam os níveis de beta-amiloides no cérebro. Estudos epidemiológicos também confirmam que o exercício moderado (três vezes por semana por uma hora) pode diminuir o risco de Alzheimer. Um teste clínico indicou que a prática de 60 minutos de exercício forte duas vezes por semana era capaz de diminuir a progressão da moléstia assim que ela começava.

A segunda chave é a dieta. A regra geral é: se o que você come faz bem para o coração, é bom para o cérebro. Uma dieta mediterrânea, rica em azeite de oliva extravirgem, assim como quantidades moderadas de vinho tinto e mesmo de chocolate amargo, têm sido associadas ao baixo risco para desenvolver Alzheimer. Uma prevenção até mais simples é comer menos. Em modelos animais, as restrições calóricas aumentam a longevidade e reduzem a patologia do cérebro. (Mais recentemente, o óleo de coco extravirgem foi apresentado como útil para o tratamento e a prevenção da doença. Entretanto, são necessários mais dados para avaliar essa pretensão.)

Você está alcançando o terceiro dos meios de prevenção ao ler este livro. Trata-se da curiosidade intelectual, que estimula a formação de novas sinapses no cérebro. Cada nova sinapse que você faz fortalece aquelas que você já tem. Como dinheiro no banco, fazer mais sinapses significa que você não será tão facilmente exaurido antes de ter Alzheimer. Embora essa doença afete pessoas com espectro completo de educação, da saída do ensino médio ao doutorado, alguns estudos sugerem que um nível mais elevado de educação pode servir como proteção. Talvez mais importante que a estimulação intelectual seja o engajamento social. Ser mais socialmente interativo tem sido associado com risco mais baixo, enquanto a solidão tem sido documentada como um fator de risco para adquirir a doença.

Seria incrível se o Alzheimer pudesse ter a mesma reviravolta que houve com o câncer. Uma década atrás, o tratamento de câncer era quase totalmente direcionado para a detecção precoce seguida por quimioterapia, radioterapia e cirurgia. Em 2012, os Centros de Controle de Doenças estimaram que dois terços dos cânceres são evitáveis por meio de um estilo de vida proativo, evitando a obesidade e não fumando. Outros centros de câncer elevaram essa estimativa para um número entre 90 e 95 por cento.

Os sinais de progresso em todas as frentes – química, genética, comportamental e de estilo de vida – são encorajadores. Mas só eles não teriam me levado a escrever sobre o supercérebro. No meu campo, é possível crescer como técnico, cavando seu nicho científico na análise de aspectos bem limitados de uma doença. Pode-se ir mais longe na ciência deixando de especular e obedecendo à máxima: "Cale a boca e calcule". As ciências exatas têm orgulho de seu *status* na sociedade, mas eu também testemunhei pessoalmente que esse orgulho pode chegar à arrogância quando se trata de considerar as contribuições da metafísica e da filosofia nas teorias científicas de desenvolvimento. Essa ampla dispensa de qualquer coisa que não possa ser medida e reduzida a dados me parece uma incrível intransigência. Como pode fazer sentido dispensar a mente, não importa o quanto ela possa ser invisível e imponderável, quando a ciência é, inteiramente, um projeto mental? As maiores descobertas científicas do futuro muitas vezes começam como promessas vãs do passado.

O supercérebro representa os esforços de dois investigadores sérios, ambos vindos da medicina, para ver tão longe quanto possível dentro da conexão mente-cérebro. É um passo corajoso para um cérebro de pesquisador de "exatas" assumir a posição de que "a consciência vem primeiro", mas a evolução do meu pensamento me levou gradativamente até aí – como levou antes de mim figuras eminentes como Wilder Penfield e John Eccles. Do meu ponto de vista, os neurocientistas não podem se permitir ignorar a interface com a consciência, porque, ao argumentar que "o cérebro tem de vir primeiro", eles podem ser culpados de proteger seu quinhão em vez de, como cientistas reais, perseguirem a verdade, seja lá onde for que a experiência possa levar.

A verdade sobre a consciência precisa abranger mais do que choques de elétrons rebatendo elétrons dentro do cérebro. Entrei na pesquisa sobre o mal de Alzheimer para resolver um quebra-cabeça fisiológico difícil, especialmente depois de ver minha avó sucumbir com essa terrível doença. Quando o Alzheimer ataca, os doentes e seus familiares sentem-se completamente traídos. Mesmo os estágios iniciais são assustadores. O sinal precoce é uma "leve incapacidade cognitiva", que parece bastante inofensiva. Uma vez que chega, entretanto, o efeito humano dificilmente é leve à medida que o doente começa a ter dificuldade em suas tarefas cotidianas e não consegue mais executar tarefas múltiplas. Quando fica difícil encontrar as palavras, o doente passa também a ter uma dificuldade crescente para falar e escrever.

Pior do que isso, entretanto, é o sentido de condenação que se instala. Não há volta depois que o processo começa. As lembranças antigas dissipam-se, e as novas não conseguem se formar. Finalmente, o doente se torna inconsciente de que tem a doença, mas então o trabalho de cuidados em tempo integral já foi passado adiante, na maioria das vezes para os familiares mais próximos. Estima-se que atualmente 15 milhões de cuidadores não pagos estejam envolvidos nessa tarefa. Esse terrível ladrão de mentes cria sofrimento em toda a sua volta.

A compaixão atinge qualquer um que testemunhe diretamente essa epidemia, mas podemos nos esforçar para transformar a piedade e a culpa em uma perspectiva diferente. Por que não usar a realidade do Alzheimer como um incentivo para usar nosso cérebro da melhor forma possível nas décadas que antecedem nossa velhice? O mal de Alzheimer mata o sonho de que a velhice será um tempo cheio de vida. Antes de chegarmos a vencer a batalha pela cura da doença, podemos alcançar outra vitória, usando o cérebro para a realização, mesmo desde a infância. Essa é a visão do supercérebro, a parte deste livro que tem o maior significado para mim.

Como espécie, deveríamos separar um tempo todos os dias para agradecer por esse órgão surpreendente zunindo em nossa cabeça. Seu cérebro não só transmite o mundo para você, mas essencialmente cria esse mundo. Se conseguir dominar seu cérebro, você poderá dominar sua vida. Uma vez que a mente liberte seu poder profundo, o resultado poderá ser uma consciência maior, um corpo mais saudável, uma disposição mais feliz e um crescimento pessoal ilimitado. Novas descobertas relacionadas às habilidades do cérebro de se regenerar e de religar seus circuitos continuarão a nos espantar. Essa transformação é física, mas ocorre em resposta a intenções mentais. Precisamos não esquecer jamais de que a verdadeira sede da existência humana tem origem na mente, para a qual o cérebro se curva como o mais devotado e próximo dos servos.

EPÍLOGO DE DEEPAK

Além dos limites

O impacto total do supercérebro provavelmente não vai ser percebido por décadas. Começamos pedindo a você para criar um novo relacionamento para o cérebro, dominando sua maravilhosa complexidade. O melhor usuário dele é também um líder inspirador. Se assim for, você será a onda do futuro. Estará dando o salto seguinte na evolução do cérebro humano.

A neurociência ainda está aproveitando sua era de ouro, apaixonada por fazer coincidir áreas de atividade cerebral com comportamentos específicos. Este foi um projeto produtivo, mas está entrando em contradições, como acontece quando se tenta reduzir a mente a um mecanismo físico. Os seres humanos não são marionetes manipuladas pelo cérebro. Os neurocientistas, entretanto, não conseguem se entender em relação a isso. A pesquisa mais recente relacionada com o vício em drogas, por exemplo, tinha sido bem específica sobre o dano ocasionado aos receptores opioides pela cocaína, pela heroína e pelas metanfetaminas. Esse dano é considerado permanente, e ele leva à ânsia por doses maiores. Até certo ponto, todo usuário de droga viciante para de se sentir "alto" e conserva seu hábito autodestrutivo simplesmente para se sentir normal.

Esse quadro oferece forte evidência de que o vício é um exemplo cruel da droga usando o viciado, em vez do oposto. Alguns especialistas, invocando as pesquisas, alegam que esse vício é totalmente impossível de deter; os elementos tóxicos exercem uma pressão tremenda. E ainda assim as pessoas conseguem superar vícios. Elas enfrentam seus cérebros devastados e tratam de impor sua própria vontade. "Eu consigo chutar isso para fora" é um grito que muitas vezes falha, mas que às vezes é bem-sucedido. É um grito da mente, não do cérebro. Expressa escolha e livre-arbítrio. Como a escolha e o livre-arbítrio são impopulares entre os neurocientistas, nós trabalhamos duro neste livro para restaurá-los.

Nosso segundo objetivo tem sido tornar crível a consciência superior. Agradeci a oportunidade de trabalhar com um pesquisador brilhante porque é evidente que as pessoas modernas não vão aceitar esclarecimentos sem fatos para sustentá-los. Os fatos estão aí, em abundância. O cérebro vai seguir o caminho para onde a mente o conduzir, até mesmo aos domínios de Deus. De todas as mensagens enviadas pelo cérebro, as mais sutis, que são praticamente silenciosas, tocam o divino. Milhões de pessoas não dão atenção a essas mensagens porque o silêncio é negligenciado na correria e no barulho do dia a dia. Mas o princípio todo da ciência também torna difícil acreditar que Deus – um ser invisível que não deixa vestígios no mundo físico – possa ser real.

Nós aceitamos como existentes muitas coisas que não teriam aparência real se fossem medidas pela evidência física, começando pela música e a matemática, e terminando com o amor e a compaixão. Depois de escrever este livro, percebi que Deus não é um luxo ou um apêndice da vida cotidiana. Além da religião organizada, que muitos estão abandonando, as pessoas precisam ter consciência de ter uma origem.

Caso contrário, estaríamos na posição de Lois Lane, em um momento engraçado da versão cinematográfica do *Super-Homem* de 1978. Lois é jogada do alto de um edifício e está despencando em direção ao solo. Clark Kent, vendo sua queda, pula para dentro de uma cabine telefônica para vestir sua roupa de Super-Homem pela primeira vez. Ele sobe e pega Lois, dizendo: "Não tenha medo, senhorita, eu a peguei". Os olhos de Lois arregalam-se, assustados. "Mas quem está segurando *você*?", ela grita.

EPÍLOGO DE DEEPAK

A mesma pergunta adapta-se à consciência. Ela precisa de algo ou de alguém para sustentá-la, e esse alguém é a consciência infinita que tradicionalmente é chamada de "Deus". Se não houvesse Deus, ele precisaria ser inventado. Por quê? Considere o argumento que descrevemos como "o cérebro vem antes". Se a consciência vem de uma interação química no cérebro, como esse argumento defende, não há necessidade de Deus. Átomos e moléculas conseguem, sozinhos, dar conta dos negócios da mente.

Mas argumentamos que é impossível para o cérebro criar consciência. Ninguém chegou perto de mostrar a mágica transformação que permite que sal, glicose, potássio e água aprendam a pensar. A sociedade moderna acha primitivo nossos ancestrais mais remotos cultuarem os espíritos que habitavam árvores, montanhas, ídolos e totens – uma prática chamada "animismo". Nossos ancestrais estavam atribuindo mente a objetos físicos. Mas a neurociência não pratica animismo quando declara que elementos químicos no cérebro estão pensando? O contrário é muito mais plausível. A consciência – a agência invisível da mente – criou o cérebro e o tem usado desde que os primeiros organismos vivos começaram a sentir o mundo. À medida que a consciência evoluiu, ela modificou o cérebro para seus propósitos, porque o cérebro é somente a representação física da mente.

Inverter a situação da neurociência desse modo parece chocante a princípio. Mas dá uma vida nova a Deus (não que ele alguma vez tenha estado morto). Por um momento, livre-se de qualquer representação mental que tenha de Deus. Em vez disso, imagine uma mente com as mesmas características da sua. Ela pode pensar e criar. Ela desfruta de novas possibilidades; pode amar, e a coisa que mais ama é estar viva. Esta é a mente de Deus. O que faz essa mente ser controversa é que ela não é localizável. Ela se expande além de todos os limites. Ela funciona em todas as dimensões, seja no passado, no presente ou no futuro. Toda tradição espiritual concebeu Deus dessa forma. Entretanto, essa concepção se deteriorou ao longo do tempo. Agora dizemos ser Deus uma questão de fé em vez de um fato da natureza.

O cérebro restaura Deus como sendo um fato. Uma vez refutado o argumento de que "o cérebro vem primeiro", a única coisa que resta é a mente que se sustenta, mente que sempre existiu e que permeia o cosmos. Se isso parece muito difícil de aceitar, lembre-se dos navegadores medievais que aprenderam a usar o ímã, pedaço naturalmente magnetizado do mineral magnetita. Pendendo de um cordão, um ímã irá apontar o norte, funcionando como uma bússola primitiva. Se você dissesse a um navegador medieval que o magnetismo existia em toda a parte, não apenas numa única pedra, ele acreditaria em você?

Hoje andamos por aí assumindo que cada um de nós tem uma mente, prendendo-se a um pedaço valorizado de consciência do mesmo modo que os marinheiros um dia se prenderam aos ímãs. Mas a verdade é que participamos de uma mente, que não perdeu sua condição infinita ao existir nas pequenas embalagens dos seres humanos individuais.

Somos tão apegados a nossos pensamentos e desejos que facilmente dizemos "minha mente". Mas a consciência pode ser um campo como o eletromagnetismo, estendendo-se por todo o universo. Sinais elétricos permeiam o cérebro, mas não dizemos "minha eletricidade", e é duvidoso que devêssemos dizer "minha mente". Um dos pioneiros da física quântica, Erwin Schrödinger, deu declarações taxativas sobre isso em diversas ocasiões. Aqui vão três: "Dividir ou multiplicar a consciência é algo sem sentido"; "Na verdade existe apenas uma mente"; "Consciência é um singular que não tem plural".

Se isso soa como metafísica, ajuda-nos a lembrar de que só há um espaço e um tempo no cosmos, embora nós os cortemos em pequenas fatias para a conveniência do dia a dia.

Algum dia a ciência alcançará essas questões. O encontro é inevitável porque já aconteceu. A pedra já caiu no lago, e ninguém sabe até onde as ondas estão se espalhando. Max Planck, a quem se atribui o começo da revolução quântica há mais de um século, disse algo maravilhoso e misterioso: "O universo sabia que estávamos vindo". O campo mental é no mínimo tão velho quanto o universo, enquanto o cérebro humano é produto da evolução. Para onde ele vai evoluir a seguir? Ninguém sabe, mas eu aposto em um salto gigante assim que aceitarmos duas palavras do antigo sânscrito: *Aham Brahamasmi*, que quer dizer "Eu sou o universo". Isso parece um salto para o passado, mas os videntes védicos falavam de um nível superior de consciência. A passagem do tempo não faz "Quem sou eu?" tornar-se uma pergunta fora de moda. Seria surpreendente se uma pessoa comum dos dias de hoje se ajustasse à sabedoria antiga, mas por que não?

Os cérebros de Buda, de Jesus e dos *rishis*, ou sábios iluminados da Índia, alcançaram um nível que nos inspirou por séculos, mas, como criação biológica, o cérebro deles não era diferente do de qualquer adulto saudável de hoje. O cérebro de Buda seguiu para onde sua mente o levou, que é a razão de todos os grandes mestres espirituais declararem que qualquer um podia fazer a mesma jornada que eles fizeram. É só uma questão de pôr os pés na estrada e prestar atenção aos sinais sutis colhidos pelo seu cérebro. Como ele está em sintonia com o nível quântico, pode receber qualquer coisa que a criação tenha a oferecer. Nesse sentido, os grandes santos, sábios e videntes eram mais favorecidos por Deus do que você e eu somos; eles eram corajosos ao seguir um rastro de pistas que os levaram à verdadeira origem de suas consciências.

Se os sábios iluminados tivessem conversado na linguagem científica, poderiam ter dito: "O universo é um todo indiviso com movimento fluido". Em vez disso, essa frase partiu de um físico inglês de visão, David Bohm. É o equivalente de: "É impossível entrar duas vezes no mesmo rio". Assim, enigmas místicos ressurgem como hipóteses científicas.

Sou um otimista, e espero ver a validação da consciência alcançar a completa aceitação científica na próxima década. As barreiras que nos mantêm ligados à terra são feitas por nós mesmos. Elas incluem a barreira que divide o mundo "aqui de dentro" do mundo "lá de fora". Outra barreira isola a mente humana como um produto único no universo, o qual, inversamente, é destituído de inteligência – aproximadamente o que as teorias de cosmologia predominantes afirmam. Em bolsões de pensamento especulativo, entretanto, um número crescente de cosmólogos encontrou coragem para olhar em outra direção, para um universo fervilhante de inteligência, criatividade e autoconsciência. Um universo assim poderia, na verdade, saber que estávamos chegando.

Este livro abordou muitos conceitos diferentes. Há um, entretanto, do qual todos os outros dependem: criar a realidade é uma tarefa de cada pessoa. Não há uma aparência real do mundo, nenhuma âncora que possamos lançar para sempre. A realidade se mantém em evolução (ainda bem), e o maior indício disso repousa em sua mente. Uma realidade após outra é empilhada dentro dela. A realidade do cérebro reptiliano ainda está lá, mas tem sido acrescida, através da evolução, de realidades mais elevadas, todas elas acompanhadas de uma nova estrutura física.

O cérebro espelha a realidade que cada pessoa está produzindo neste exato momento. A mente é o cavaleiro, o cérebro é o cavalo. Qualquer um que tenha andado a cavalo sabe que ele pode empacar, lutar com os arreios, assustar-se, parar para comer o capim da beira da estrada ou disparar para casa. O cavaleiro se segura, ainda que na maioria das vezes esteja no comando. Todos nós contamos com nosso cérebro ao nos segurar durante episódios em que impressões, impulsos, direções e hábitos estão no controle. Nenhum cavalo jamais disparou tão selvagemente quanto um cérebro funcionando mal. A base física para o vício em drogas, a esquizofrenia e muitas outras perturbações não pode ser negada.

Na maioria das vezes, entretanto, a mente está montada na sela. O controle consciente é nosso e sempre tem sido. Não há limite ao que podemos fazer o cérebro realizar. Seria irônico se alguém desse as costas ao supercérebro por ele ser muito pouco crível porque, se apenas pudesse ver seu potencial inexplorado, perceberia que, na verdade, já possui um supercérebro.

AGRADECIMENTOS

Deepak Chopra

Este livro necessitou do apoio de pessoas que passaram a ser membros de uma grande família, sempre feliz e cordial, que nunca briga no Dia de Ação de Graças. No Centro Chopra, minha vida é conduzida por Carolyn, Felicia e Tori, de uma forma muito melhor do que eu próprio o faria. O mesmo cuidado é dedicado ao meu texto por Julia Pastore, Tina Constable e Tara Gilbride. Meus agradecimentos carinhosos a todas vocês, e à minha família em casa, presente como sempre.

Levei mais de duas décadas para cogitar trabalhar com um colaborador, e, agora que esta fase começou, devo reconhecer que Rudy tem sido o melhor dos colaboradores, um exemplo de abertura por parte de um cientista talentoso que tem uma visão espiritual das infinitas possibilidades da vida.

Rudolph E. Tanzi

Minha contribuição para este livro não teria sido possível sem o apoio incansável, os conselhos e a inspiração de minha amada esposa, Dora, e o amor de nossa linda filha, Lyla. Ao longo da minha vida tenho tido a sorte de viver numa família que sempre enfatiza a importância do amor e da manutenção do equilíbro mental e do desenvolvimento espiritual. Agradeço também a Julia Pastore,

Tina Constable e Tara Gilbride, por partilharem nossa paixão e visão e por tornar este livro possível.

E, finalmente, gostaria de agradecer a Deepak, por ter sido o colaborador perfeito, e por ter se tornado um amigo querido e um irmão enquanto escrevíamos este livro. A visão única e maravilhosa de Deepak sobre os lados espiritual e científico do mundo, juntamente com sua impecável capacidade de expressá-la, fez da criação deste livro uma verdadeira alegria.

ÍNDICE

abuso infantil, 45, 141-2, 178
Achterberg, Jeanne, 304
adaptabilidade
  características, 65
  como ser adaptável, 62-3
  em células, 247-8
  uma característica de Einstein, 60-2
adrenalina, 155-6
agentes conscientes, 296, 299
aiurveda, 292-3
altruísmo, 177, 242
amídala
  como parte do sistema límbico, 151, 154
  e ansiedade, 135
  e hipocampo, 93-4, 151
  efeito da depressão sobre, 74
  ilustração, 154
anjos, 258-9
ansiedade
  aderência, 135-48
  características, 134-5
  como incapacitante, 146-8
  como produto do cérebro instintivo, 129-30, 132
  e memória, 44, 123-5

generalizada, 134-5
antienvelhecimento, 225-37
apoptose, 46, 254
atenção plena, 267, 268-75
átomos e moléculas, 227, 290-1, 296-7, 299, 308, 327
autoconfiança, 246, 289
autoconsciência, 99, 100-3, 108, 128, 168, 240, 243, 245, 253, 262, 269-70
  Ver também atenção plena
autocura, 215-221
autossuficiência, 115

Backster, Cleve, 263
Behrendt, T., 303
beija-flor, 95, 99-100, 296
bem-estar, 68, 200, 204, 213, 228-9, 251, 271, 290, 309-15
Big Bang, 237, 298
biofeedback, 24
bloqueio, 50-1, 63, 67, 76, 163, 192, 203
  do ego, 106-8
Bohm, David, 329
Bohr, Niels, 290-1
Buda, 69-73, 264, 329
budismo, 71, 255, 269, 278, 305

budistas, monges
  e ciclos de feedback, 24-25
  córtex pré-frontal de, 264

calma interior, 265
câncer, 134, 157, 213, 215, 219, 220, 239, 247-8, 252, 317, 318-9, 322
Carlsen, Magnus, 28
Castaneda, Carlos, 301
cegueira para feições, 120-2
  Ver também super reconhecimento
células
  adaptabilidade, 247-8
  alimentando, 245-7
  como autocura, 243-5
  crescendo novamente, 31, 36-7, 41, 46-47
  e longevidade, 240-56
  equilíbrio do mundo, interno vs. externo, 248-51
  perda, 46
células nervosas. *Ver* neurônios
células-tronco, 30, 236
cérebro básico
  comparado ao supercérebro, 15-6
  definido, 15
  papel do inventor no direcionamento, 17
  papel de líder no direcionamento, 15-6
  papel no ganho de peso, 109-10
  papel de professor no direcionamento, 18
  papel de usuário no direcionamento, 19
cérebro emocional
  características, 149, 151-3, 155-6
  como parte do cérebro quádruplo, 126, 132, 149
  favorecendo, 183-4
  localização do, 128
  relacionamento com o cérebro instintivo, 155-6
cérebro holístico, 183-4, 187, 213
cérebro iluminado, 257-275
cérebro instintivo
  características, 127-33, 169, 183
  como parte do cérebro quádruplo, 126, 127-33, 169, 183
  relacionamento com o cérebro emocional, 155-6
cérebro intelectual, 126, 156-7, 165-72, 169
cérebro intuitivo, 126, 172-82
cérebro reptiliano, 127-9, 150, 274, 275, 299, 330
  comparado ao cérebro racional, 30, 48-52
  Ver também cérebro instintivo
cérebro racional. *Ver* cérebro intelectual
cérebro trino, 127-8
cérebro animal, 38, 46-7, 100, 118, 121, 127, 129, 149-50, 167-70, 262, 321
cérebro humano
  analogia com piano Steinway, 27
  básico comparado ao supercérebro, 15-6
  como causa de doenças cardíacas, 210-4
  como dispositivo quântico, 294-5
  de Einstein, 20-1
  descrições, 13, 32, 128, 154, 173-6
  do recém-nascido, 65-6, 68
  em bebês e crianças, 21, 65-6, 68
  envelhecimento, 29, 41-5
  evolução, 118, 126, 299
  fase emocional, 126, 149-64
  fase instintiva, 126, 127-33
  fase intelectual, 126, 165-72
  fase intuitiva, 126, 172-82

fases funcionais, 126-7, 183-6
fluido no, 38-9
iluminado, 20, 257-75
modo holístico, 183-4, 186, 187, 204
neurogênese, 46-9
redundância no, 37-9
relacionamento da mente com, 21-2, 96-7, 112, 123, 125-6, 183, 185, 288, 300, 302-4, 306-7, 326-8
religando, 29, 33, 37-41
reptiliano, 128, 129
reptiliano comparado ao racional, 30, 48-52
sinais positivos e negativos, 288-90
Ver também mente
Chalmers, David, 288
ciclos de feedback
como antienvelhecimento, 229
como integrar feedback, 66-7
e bebês, 66
histórico, 22-5
Coleman, Paul, 46
compaixão, 24, 50, 103, 125, 177, 187, 198, 305, 324, 326
complexidade, 57-60, 120, 155, 171, 281, 312, 314
confiança, 117, 139, 163, 178, 189, 217, 220, 245-7, 277
consciência
como um problema difícil, 288
comparada com as ciências exatas, 291, 295-6, 299-300, 323
expansão da, 69-72
mudando, 302
relacionamento com o cérebro, 297-8, 302-3, 306, 326-8
consciência superior, 70-3, 214, 259, 287, 326
conscientização, 92, 99-102, 140, 288, 315
contágio emocional, 177

controle, 250
cor
e depressão, 95
e dislexia, 171
experimentando, 292, 294, 314
corpo caloso, 175
córtex cerebral
áreas funcionais, 173-4
ausência de, 38
camadas, 149
em ratos, 38
histórico, 173-6
ilustração, 173-4
regiões, 174-6
córtex cingulado, 74, 177, 304-5
córtex cingulado anterior, 74, 304-5
córtex frontal, 175
córtex occipital, 174, 176
córtex somatossensorial, 40
córtex visual, 66, 112, 122, 171, 174, 183, 258, 286
crenças nocivas, como substituir 82-4
criação da realidade
conexão mente-cérebro, 330
e a felicidade, 199-200
regras para, 92-3, 107-8
crianças, impacto da classe sobre, 21-2
Ver também recém-nascido
criatividade, 97-8
crises pessoais, 158-64
Cruikshank, William Cumberland, 31, 36
culpa, 50, 67, 69, 78, 82, 131, 133, 135, 141-3, 145, 161, 187, 192, 209, 274, 280, 311
curandeiros, nativos, 304

d'Espagnat, Bernard, 294
Dawkins, Richard, 264
déficit de atenção, 45, 59

depressão
  causas externas, 77-8, 80-2
  como hábito, 78-9, 84-7
  como resposta natural, 77
  como substituir crenças nocivas, 82-3
  de longo prazo, 75
  e fadiga, 76
  efeito no cérebro, 74-5
  histórico, 74-6
  papel do comportamento, 79-82
  quebrando hábitos, 86
  respostas à, 78, 82-4
derrames, 25, 40, 47, 208, 213, 238-9, 318-9
desapego, 265
Deus
  como destino da iluminação, 257-62
  Einstein e, 61-2
  papel da oração, 163
  ponto de vista cético, 264-45, 287, 302
  tornado real, 276-85, 298, 300, 305, 326, 327
  Ver também espiritualidade
dislexia, 171
DNA, 226-7, 229, 262-3
doenças cardíacas, 160, 210-3, 219, 225, 230
dominação, 250
Doner, Timothy, 119
dopamina, 212, 320
Dossey, Larry, 303-5
Duane, T. D., 303

Eccles, John, 292, 323
Edelman, Gerald, 57
efeito placebo, 216-21
ego, 103-8, 131, 270, 275
egoísmo, 104

Einstein, Albert
  cérebro de, 20-1
  como herói do supercérebro, 60-5
  e adaptabilidade, 60-5
  e questões físicas globais, 288, 290-1
  modo de pensar, 60-1
eletroencefalografia (EEG), 303
emoções
  comparada com a razão, 63-4
  conflito com o instinto, 149-50
  e autoconsciência, 103
  e memória, 44-5
  nomeando, 150
  ser testemunha de, 152-3
empatia, 74, 99-100, 115, 142, 161-2, 171, 176-8, 187, 262, 266, 271, 304
encantador de cavalos, 261-2
entropia, 237
envelhecimento
  como processo, 29, 41-5
  longevidade máxima, 238-56
  papel do cérebro na luta, 225-237
  reduzindo riscos, 230-5
  Ver também mal de Alzheimer
escolha, liberdade de, 30, 50
espaço e tempo, 294-5, 298-9
espiritualidade
  ceticismo, 264-5, 287, 302
  e abertura da mente, 280, 283
  e consciência, 68-9
  oriental, 257
  relacionamento com o cérebro, 257-8, 264-5, 280
  Ver também Deus
estado de vigília, 300-1
esteroides, 23-4
estilo de vida que cura, 215-6
estimulação intelectual, 322
evolução
  darwiniana, 118

do cérebro, 118, 126-7, 299
e cérebro racional, 153, 155-7
e escolha pessoal, 118-20, 124-5
papel no crescimento pessoal, 195-7
papel no processo de envelhecimento, 235-6
exercício, 24, 40, 47-8, 81, 94, 203, 208, 209, 215, 219-20, 226, 229-30, 231, 232, 239, 321
expandindo a consciência, 69-73
experiência, 311-313
experiências incríveis, 267

Facebook, 208
fases funcionais,
  cérebro, 125-7, 183-6
felicidade, 199-200, 266
filmes, 151, 260, 267
Fisher, M.F.K., 129
física quântica, 290-1, 293-4, 328
física, 290-1, 293
fobias, 50-1, 147-8
força de vontade, 85, 109, 112, 232, 268
fósforo, 227
Framingham Heart Study, 211, 241
Francisco de Assis, São, 262
Freud, Sigmund, 49, 75, 131, 134, 144, 150

Gage, Fred, 47
Geddes, Jim, 35, 37
gêmeos, 131, 303
gêmeos idênticos, 42, 226, 303
Gênesis, 298
Gestalt, 122, 179
giro fusiforme, 121
glândulas suprarrenais, 24, 175
gordura abdominal, 230
grelina, 111
Grimshaw, Brendon, 201-3

Heisenberg, Werner, 291, 295
hidrocefalia, 38
hiperpoliglotas, 119
hipertimesia, 58-9, 119
hipocampo, 34, 35, 36, 47, 93-4, 151, 154
hipotálamo
  definido, 175
  e perda de peso, 111
  efeito da depressão sobre, 74-5
  ilustrações, 154, 174
Hoffman, Donald D., 296-7, 299, 302
homeostase, 22, 111-2

id, 131
idiotas sábios. *Ver* síndrome de sábio
iluminação
  aceitação, 326
  Deus como destino, 257-63
  e sonhos, 301
  graus de, 265-6
  surpresa da, 260-3
ilusão de realidade, 286, 293, 296, 302
imagens cerebrais, 298-9
inconsciência, 99-102, 320
inércia, 68, 84, 234, 253
inibição, 250
integração
  aumentando, 69
  como função do cérebro, 65-7
  como integrar feedback, 67
  em recém-nascidos, 65-6, 69
  forças e obstáculos, 68-9
inteligência animal, 168-9, 262
  Ver também pássaros; cérebro, animal
intencionalidade a distância (ID), 304
interface do usuário, analogia, 296-7, 299, 301-2

inventor
  cérebro básico comparado ao supercérebro, 16-7
  papel no direcionamento da criatividade do supercérebro, 15-7

Jarrett, Keith, 35
Jesus, 258-9, 264, 329
julgamentos repentinos, 180
Jung, Carl, 144

Kasparov, Garry, 28
Konrath, Sara, 242
Krishnamurti, J., 269
Kübler-Ross, Elisabeth, 254-5
Kuttner, Fred, 291

Lashley, Karl, 38
lembrança perfeita. *Ver* hipertimesia
leve incapacidade cognitiva, 323
liberdade de escolha, 30, 50
líder
  cérebro básico comparado ao supercérebro, 16-7
  papel na superação da depressão, 76
  papel no direcionamento da criatividade do supercérebro, 15-7
  listas, dependência de, 54-5
Livermore, Jesse, 166-7
lobos parietais, cérebro, 174-5
lobos temporais, cérebro, 34, 120-1, 174-5
longevidade, máxima, 238-56
Lorber, John, 38-9
luz, 66, 122-3, 171, 258-9, 292, 298-301

MacLean, Paul, 127
mal de Alzheimer
  Alzheimer's Genome Project, 317-324

aspectos de estilo de vida, 318-21
consciência no, 101
e pesquisa de beta-amiloides, 34-5
e regeneração compensatória, 35-7
proteção contra, 43, 47
reconhecimento, 36-7, 101
mania, 250
mantras, 273
matrizes, 232-4
máxima longevidade, 238-56
McWhirter, Norris, 303
meditação
  descobertas das pesquisas, 264-5
  e atenção plena, 271-5
  e telomerase, 228-9
  objetivo, 85
  papel na perda de peso, 116
medo
  como incapacitante, 146-8
  como produto do cérebro instintivo, 129-30
  e ansiedade generalizada, 134-5
  e memória, 139-41
  fobias definidas, 50-1
  permanência, 135-48
memória
  como ilimitada, 26-7
  de curto prazo, 34, 36, 44, 47, 128, 150
  depositando impressões na, 151-2
  e atenção plena, 53-4
  e com potenciação de longo prazo, 306
  e emoção, 44-5
  e envelhecimento, 43-4
  e medo, 139-41
  estabelecendo ambiente para, 56
  papel das listas, 55-6
  programa para melhorar, 54-5

mente
  definida, 288
  e idade avançada, 42-3
  estados da, 98-103
  relacionamento com a consciência, 328-30
  relacionamento com o cérebro, 21-2, 96-7, 112, 123, 125-6, 183, 185, 288, 300, 302-4, 306-7, 326
  transformando percepções, 98-9
  Ver também consciência; sistema mente-corpo
Merzenich, Michael, 40
metabolizando experiências, 311-3
Millan, Cesar, 262
moléculas e átomos, 227, 290-1, 296, 297, 299, 308, 327
moléculas mensageiras, 212, 320
monges budistas
  ciclos de feedback, 24-5
  córtex pré-frontal dos, 264
morte, 225, 254-6
música. *Ver* Jarrett, Keith; Steinway, pianos

nascidos no pós-guerra, 42, 235
negação, 68-9, 112, 219, 144, 249-50, 254, 311
neocórtex
  de monges budistas, 264
  desenvolvimento, 127, 129
  funções, 270-1, 281, 299
  histórico, 128
  ilustração, 128
  tamanho relativo, 168
neurogênese, 46-7, 94
neurônios
  criando um novo, 31, 36, 40, 47
  espelho, 177-8
  histórico, 32
  perdendo, 46-7
  regeneração compensatória, 31, 36, 40
neurônios corticais. *Ver* neurônios
neurônios-espelhos, 177-8
neuropeptídeos, 212
neuroplasticidade, 33-4, 37, 41, 91, 94
neurotransmissores, excitatórios vs. inibitórios, 107, 166
Neve, Rachel, 35-6
Newton, Isaac, 62, 290
Nietzsche, Friedrich, 169
nova terceira idade, 41-2, 235, 256
  Ver também antienvelhecimento

obesidade
  como acontece, 110
  consciência da, 114
  e aiurveda, 313
  e antienvelhecimento, 230-1, 293, 241
  papel do cérebro, 109-17
Osler, William, 210
oxitocina, 178

partículas subatômicas. *Ver* átomos e móleculas
partículas. *Ver* átomos e moléculas
pássaros, 46, 95-6, 99, 129, 168-9, 170, 202, 261-2, 275, 287
Paulo, São, 256
Peck, M. Scott, 158
Penfield, Wilder, 96-7, 323
pensamentos autocentrados, 270
percepções, transformando, 98-9
perda de peso. *Ver* obesidade
perdão, 145, 149, 281, 284
personalidade doentia, 247
Picasso, Pablo, 97-8, 292
Planck, Max, 328
poder pessoal, 189-92, 194

poder superior, 197-8
Ver também Deus; espiritualidade
pós-guerra. Ver nascidos no
  pós-guerra
potenciação de longo prazo, 306
preocupação crônica, 136-7
problemas de alimentação, 112
professor
  cérebro básico comparado ao su
    percérebro, 14
  papel no direcionamento da
    criatividade do supercérebro,
    15, 17-8
propriocepção, 295
prosopagnosia, 120-1
proteína beta-amiloide, 34, 36, 321
proteína precursora do amiloide
  (APP), 35
Proust, Marcel, 150
Prozac, 94

qualia, 297, 299, 300-2, 308-10
qualidade de vida, 309-10

reações primitivas. Ver cérebro
  reptiliano
realismo consciente, 299
recém-nascidos, como heróis do
  supercérebro, 65-7, 69
recuperando da paralisia, 25
rede social, 207-8
redes neurais
  atividade elétrica como, 306
  e complexidade, 57-9
  e mudança de estilo de vida,
    116, 318
  fazendo uma nova, 116-7
  hábitos como, 116
  histórico, 32
  ilustração, 32

papel do ego, 89-93
reforçando, 31, 33, 41
  Ver também sinapses
regeneração compensatória, 31,
  37, 41
religião. Ver Deus; poder superior;
  espiritualidade
representação, definida, 287
repressão, 143-5, 247, 249, 311
resiliência emocional, 82, 201, 232
resiliência, do cérebro, 36-7
  Ver também resiliência emocional
responder, comparado a reagir, 169-70
ritmo de mastigação, 231
Roberts, Monty, 262
Rock, David, 204
Rosenblum, Bruce, 291
Rousseau, Jean-Jacques, 37

sabores, 231, 309, 313,
Sacks, Oliver, 121
sadhus, 259
Salk, Jonas, 187
sattva, 314-5
Schröndinger, Erwin, 328
self maduro, 190, 193-4
sentidos, cinco, 70, 174, 264, 287, 292,
  295, 312, 314
sentimento, 313-4
serotonina, 212, 320
sexto sentido, 181, 294-5
Shakespeare, William, 14, 131-2, 149
Sheldrake, Rupert, 176
Shubik, Martin, 64
Siegel, Daniel, 66, 203-6, 214
sift, definição, 66
Simcott, Richard, 119
simpatia, 184
sinapses
  definidas, 13

e antienvelhecimento, 43-5, 322
e potenciação de longo prazo, 306
e redes neurais, 320
estatísticas, 57, 102
histórico, 31-2
ilustração, 32
novas, 31, 40, 43, 45, 94, 103, 107
redundância entre, 38
Ver também redes neurais
síndrome de sábio, 124-5
Sisodia, Sam, 47, 321
sistema imunológico, 157, 175, 220, 233-34, 236, 251
sistema límbico, 63, 127-8, 150-2, 154, 175, 177
sistema mente-corpo, 33-4, 80, 134, 153, 210, 215-21, 229, 243-4, 247, 257, 259, 304, 313, 318
sobrevivência, 186
solidão, 203, 266, 310, 319, 322
sonhos, 61, 92, 200, 234, 246, 257, 278, 300-1
Steinway, piano, 27
Subramuniyaswami, Satguru Sivaya, 126
supercérebro
    comparado ao cérebro básico, 15-6
    definição, 15, 22, 26
    relacionamento da mente com o cérebro, 22
Super-Homem (filme), 326
super reconhecimento, 121-3

Tagore, Rabindranath, 285
tálamo, 154, 175
Tallis, Ray, 305-7
telômeros, 228
tempo de vida, 233, 236
tempo e espaço, 294-5, 298-9
tempo físico, 207, 209-10
tipo A e tipo B, personalidades, 212
toxinas, 251-3
trabalho exterior, 86, 204, 207-10, 214
transformação, 259, 265, 266-7
transtorno obsessivo-compulsivo (TOC), 59
trifosfato de adenosina (ATP), 227
tumo (técnica de meditação), 24
Twain, Mark, 140

usuário
    cérebro básico comparado ao supercérebro, 15
    papel no direcionamento da criatividade do supercérebro, 14, 19

Vedanta, 301
verdade, papel na iluminação, 266
via perfurante, 36
vício em drogas, 325-6
vitimização, 192-3, 250, 311
voluntariado, 242-3

xadrez, 28

SOBRE OS AUTORES

Deepak Chopra é autor de mais de 65 livros, entre eles numerosos *best-sellers* do *New York Times*. Ele é cientista aposentado da organização Gallup. Na área médica, especializou-se em clínica médica e endocrinologia; faz parte do American College of Physicians, é membro da American Association of Clinical Endocrinologists; professor adjunto de Programas Executivos da Kellogg School of Management na Northwestern University; e ilustre acadêmico da Columbia Business School, na Universidade de Columbia. Desde 1997, tem participado anualmente como palestrante no evento Update in Internal Medicine, patrocinado pelo Department of Continuing Education da Harvard Medical School e pelo Department of Medicine do Beth Israel Deaconess Medical Center.

Saiba mais em www.deepakchopra.com

Rudolph E. Tanzi é professor da cadeira de neurologia Joseph P. and Rose F. Kennedy da Universidade Harvard e diretor da Genetics and Aging Research Unit do Massachusetts General Hospital (MGH). Tanzi vem investigando a genética das moléstias neurológicas desde os anos 1980, quando participou da primeira pesquisa a usar marcadores genéticos para encontrar o gene de uma doença (mal de Huntington). Isolou o primeiro gene do mal de Alzheimer e descobriu vários outros; atualmente, chefia o Alzheimer's Genome

Project. No momento, está desenvolvendo novas terapias promissoras para essa doença. Tanzi faz parte de dezenas de conselhos editoriais e científicos, e preside o Cure Alzheimer's Fund Research Consortium. Recebeu inúmeros prêmios, entre eles as duas maiores premiações para a pesquisa do mal de Alzheimer: o Metropolitan Life Award e o Potamkin Prize. O pesquisador foi incluído na lista do "Harvard 100 Most Influential Alumni" e escolhido pela Geoffrey Beene Foundation como "Rock Star of Science". Trabalha em comitês nacionais e federais para monitorar o impacto do mal de Alzheimer nos Estados Unidos. Já participou como coautor em mais de quatrocentos artigos de pesquisas científicas e capítulos de livros. Também foi coautor do livro *Decoding Darkness: The Search for the Genetic Causes of Alzheimer's Disease*, ainda não publicado no Brasil.